Georges A. Legault

Professionnalisme et délibération éthique

Manuel d'aide à la décision responsable

1999

Presses de l'Université du Québec
2875, boul. Laurier, Sainte-Foy (Québec) G1V 2M3

Données de catalogage avant publication (Canada)

Legault, Georges A., 1944-

Professionnalisme et délibération éthique : manuel d'aide à la décision responsable

(Collection Éthique)
Comprend des réf. bibliogr.

ISBN 2-7605-1033-6

1. Déontologie professionnelle. 2. Professionnalisme. 3. Morale.
4. Prise de décision. 5. Responsabilité. 6. Valeurs (Philosophie).
I. Titre. II. Collection : Collection Éthique (Sainte-Foy, Québec).

BJ1725.L43 1999 174 C99-940775-9

Canadä Nous reconnaissons l'aide financière du gouvernement du Canada par l'entremise du Programme d'aide au développement de l'industrie de l'édition (PADIÉ) pour nos activités d'édition.

Nous remercions le Conseil des arts du Canada de l'aide accordée à notre programme de publication.

Révision linguistique : Gislaine Barrette

Mise en pages : Caractéra production graphique inc.

Couverture : Caron & Gosselin Communication Graphique

1 2 3 4 5 6 7 8 9 PUQ 1999 9 8 7 6 5 4 3 2 **1**

Dépôt légal – 3e trimestre 1999
Bibliothèque nationale du Québec / Bibliothèque nationale du Canada
Imprimé au Canada

À la douce mémoire de ma mère,
celle qui m'a appris dans son langage à elle
l'importance du « sens » en me rappelant :
« L'homme ne vit pas seulement de Pain
mais de toute parole qui sort de la bouche de Dieu. »

(Matthieu, 4-4)

Remerciements

La rédaction d'un manuel de formation requiert le concours de plusieurs personnes. D'abord, j'éprouve une reconnaissance toute particulière envers tous ces étudiants et toutes ces étudiantes inscrits à divers programmes universitaires qui ont expérimenté cette démarche et qui, grâce à leur expérience et à leur réflexion, ont permis d'améliorer cette approche tant sur le plan pratique, pédagogique que théorique.

Cette démarche éducative doit, évidemment, être soutenue par des professeurs qui s'engagent dans l'approche de la délibération éthique. Encore une fois, c'est grâce à leur engagement, à leurs judicieux commentaires, à leur questionnement sur le fond de la démarche que l'on doit la présente édition renouvelée. Parmi ces personnes, j'aimerais nommer celles qui ont joué un rôle important : Johane Patenaude, qui a su, au cours des années où elle utilisait l'approche beaucoup plus que moi, me sensibiliser aux difficultés pédagogiques de la démarche et m'inspirer des modifications nécessaires notamment en ce qui concerne le dialogue ; René Auclair, qui, avec son assistant Daniel Huet, m'a demandé de reprendre le manuel, initialement conçu pour les ingénieurs, pour le proposer aux étudiants et étudiantes en sciences humaines qui se préparent à intervenir dans le domaine psychosocial ; enfin, Cécile Lambert et France Jutras, qui m'ont aidé, par leur dialogue, à tenir compte des réalités que vivent les infirmières et les éducateurs.

Tout auteur est influencé par une culture et inspiré par ceux et celles qui l'ont marqué tout au long de sa carrière. Si l'analyse de cas n'est pas nouvelle dans les approches pédagogiques en éthique, celle que nous avons présentée à l'origine dans *Éthique et ingénierie* avait été élaborée à partir de la formation à l'éthique dans deux milieux : celui des ingénieurs, avec Louis Racine, et celui des sciences humaines, avec Luc Bégin et moi-même. Le premier projet n'aurait jamais été réalisé si Louis Racine n'avait pas stimulé le travail collectif en vue d'une démarche éthique pour les ingénieurs ; je lui serai toujours reconnaissant de m'avoir invité à y participer. Les heures passées ensemble à discuter, à chercher à clarifier la démarche de formation en éthique et à trouver les meilleurs moyens pédagogiques ont été intégrées dans ma première version de la grille d'analyse que nous avons publiée ensemble, et l'approche modifiée présentée dans ce manuel en porte encore les traces. De même, je tiens à souligner l'apport inestimable de Luc Bégin, qui, avec les années, a pris tellement de formes, toujours renouvelées. Ses remarques, ses conseils et surtout ses critiques de fond me sont indispensables, car seul le dialogue entre pairs permet d'abord de reconnaître nos limites et ensuite, espérons-le, de les dépasser.

J'aimerais enfin remercier des personnes qui ont collaboré à la révision du manuscrit : Monelle Parent, qui, en tant qu'auxiliaire de recherche dans plusieurs projets, a relu avec patience ces textes, apportant des suggestions utiles pour en améliorer le fond et la forme, mon ami Gilles Lamer, qui s'est livré à l'expérience d'entrer dans mon univers de la délibération, sans préparation, avec le seul souci de me révéler dans quelle mesure le manuel pouvait être compris sans accompagnement professoral, et France Jutras et Daniel Huet, pour leur aimable révision finale.

La production d'un tel livre dépend aussi d'un contexte institutionnel favorable. Je remercie spécialement le doyen Normand Wener, de la Faculté des lettres et sciences humaines de l'Université de Sherbrooke, pour l'appui qu'il m'a toujours accordé afin d'inscrire l'éthique dans la formation de base des intervenantes et intervenants de cette faculté. Je remercie l'Université de Sherbrooke pour son aide à l'édition, sans quoi ce livre n'aurait pas vu le jour.

Toutes ces personnes et toutes celles dont je n'ai pas cité le nom, bien qu'elles aient été discrètement complices de cet ouvrage, méritent toute ma reconnaissance.

Georges A. Legault

Table des matières

Présentation générale

L'éthique est une réalité complexe dont les différentes composantes sont étudiées et approfondies dans de nombreux écrits. L'aspect privilégié par ce livre – un manuel avant tout – demeure la formation à une « liberté responsable » qui est l'essence même de l'éthique dans une perspective humaniste. Par cette vision spécifique, le présent ouvrage cherche donc à se distinguer de tous les autres dans le même domaine qui tentent davantage soit 1) d'analyser et d'étudier le phénomène « éthique », soit 2) de construire des théories en éthique. En outre, il se distingue de toute une approche en éthique professionnelle, issue de la tradition déontologique et juridique, qui a tendance à réduire l'éthique à un ensemble de normes ou de réglementations, légalement approuvées, dont on doit imposer l'observance.

Puisqu'il s'agit d'un manuel de formation de la dimension éthique de la personne, l'approche qui y est proposée suppose qu'il existe chez l'être humain une compétence éthique susceptible de développement. Depuis l'enfance la dimension éthique de la personne s'est développée par l'éducation dans la famille, dans les établissements scolaires et les autres réseaux d'influence. Mais elle s'est structurée principalement en intégrant des éléments de l'apprentissage au fur et à mesure des expériences de vie qui placent la personne devant des choix plus ou moins difficiles. Pour certains, l'éthique est avant tout une question de participation à un univers de croyances ou de valeurs et, plus la participation à cet univers est intense, plus la personne agira conformément à ses croyances ou à ses valeurs. L'approche proposée ici ne nie pas l'importance des croyances ou des valeurs qui forment nos convictions intimes, mais elle insiste davantage sur leur appropriation concrète au moment de décisions réelles. Les valeurs doivent faire partie de la sensibilité éthique pour mobiliser l'action. Cependant, dans le contexte décisionnel, des valeurs mobilisatrices s'affrontent. C'est la délibération qui permet de résoudre ce choix des valeurs et d'accéder à une décision. La formation de la compétence éthique passe d'abord par la réflexion sur soi afin de reconnaître son propre mode décisionnel en éthique ; elle se poursuit ensuite, grâce à une approche systématique, par le développement des deux premières habiletés : le discernement et la délibération.

La formation à l'éthique chemine ainsi à partir de la réflexion-dans-l'action. Cette distanciation par la réflexion permet de mieux comprendre la dimension éthique personnelle telle qu'elle est structurée par l'expérience passée. Si cette compréhension de soi est une première étape dans la formation, elle n'est pas suffisante : car si l'éthique renvoie à une décision libre de la personne, elle exige également que cette décision soit responsable. C'est le rapport de Soi à Autrui qui est l'articulation principale de l'éthique. Cette relation de base est tellement évidente qu'on est parfois porté à l'oublier dans la façon de faire de l'éthique. On ne peut pas parler de décision responsable sans faire intervenir l'importance accordée à Autrui. Tout comme d'autres mots, « la responsabilité » prend différentes significations. La responsabilité dont il s'agit ici ne correspond pas à l'imputabilité, synonyme de responsabilité légale, une fonction qui s'emploie à rechercher le responsable, autrement dit, le coupable. La responsabilité, au sens éthique, s'approche plutôt du sens de « prise en charge » des intérêts des autres, comme dans l'expression responsable de la famille, du milieu, etc., et, dans un contexte décisionnel, elle prend celui plus précis de « capacité de répondre de sa décision devant autrui ». La formation à la responsabilité passe dès lors par le développement de notre sensibilité éthique face à Autrui et par celui de notre capacité à répondre à Autrui de la « justesse » de notre décision dans les circonstances.

Ce manuel de formation s'enracine dans une expérience décisionnelle particulière : celle des professionnelles et professionnels, peu importe le statut légal de leur profession. Cette approche, qui influence la formation professionnelle dans différentes facultés universitaires, ne tire sa validité que de ce retour constant à l'expérience vécue par la réflexion dans l'action. La transformation des conditions sociales d'exercice des professions en sciences de la santé et dans les services sociaux a incité à reformuler cette approche, d'abord élaborée plus spécifiquement pour les ingénieurs*, afin de mieux rendre compte des contraintes propres aux professions de la santé et des services sociaux. De plus, les multiples expériences de formation en éthique, appliquant cette approche ou une autre qui s'inspire de celle-ci, ont démontré la nécessité de préciser davantage les différentes opérations de discernement, de délibération et de dialogue afin de rendre la démarche, visualisée dans la grille d'analyse, plus accessible et plus opérationnelle.

Ce manuel propose une démarche de formation graduelle, axée sur les éléments suivants : la première partie cherche à décrire le « professionnalisme » d'aujourd'hui tel qu'il se redéfinit dans la foulée des préoccupations éthiques propres à notre temps ; la deuxième partie, la plus volumineuse du livre, présentera systématiquement la démarche de réflexion et de délibération en éthique. Cette démarche vise à favoriser le développement des habiletés éthiques, soit le discernement, la délibération et le dialogue. Quant à la troisième partie, elle sera consacrée à des questions plus théoriques de l'éthique, l'éthique appliquée et la raison pratique qui sont à l'œuvre dans le modèle d'aide à la décision.

---

* Racine, Legault et Bégin, *Éthique et ingénierie*, Montréal, Mc-Graw-Hill, 1991.

PARTIE 1

Le professionnalisme

« Qu'attendez-vous d'une professionnelle ou d'un professionnel ? » « Lorsque vous consultez un professionnel de la santé (médecin, infirmière, travailleur social, psychologue, etc.) ou un professionnel pour administrer vos biens (avocat, notaire, comptable agréé, etc.), est-ce que vous attendez d'eux plus que des autres personnes avec qui vous entrez en relation de service ? » « Vos attentes face à une professionnelle ou à un professionnel sont-elles identiques à celles que vous avez à l'égard d'une personne dont le travail est un métier (plombier, électricien, garagiste, etc.) ? » « Si vous aviez à formuler ces attentes, lesquelles seraient prioritaires ? » Énumérer ces attentes, c'est déjà préciser les qualités exigées pour qu'une intervention soit vraiment considérée comme professionnelle. Autrement dit, ces attentes sont la mesure du « professionnalisme ». Vous n'utilisez peut-être pas le mot « professionnalisme » pour désigner l'idéal éthique attendu du professionnel dans la relation de service, mais il n'en demeure pas moins qu'intuitivement vous savez reconnaître « un vrai non-professionnel ».

Lorsque vous consultez une ou un professionnel selon vos besoins en santé (médecin, infirmière, sage-femme, psychologue, travailleur social, etc.) ou lorsque vous avez besoin d'aide pour gérer vos biens (un avocat, un notaire, un comptable agréé, etc.), vous entrez dans une relation très particulière, soit la relation professionnelle. Or, les attentes que nous avons tous à l'égard des professionnels correspondent aux caractéristiques particulières de cette relation. Pour comprendre le « professionnalisme » et ses exigences éthiques, nous devons mieux saisir les caractéristiques de la relation professionnelle à la lumière des transformations sociales qui ont conduit à leur développement. Le premier chapitre sera consacré à l'évolution des professions (la professionnalisation). L'étude de ce phénomène social nous aidera à comprendre les caractéristiques de la relation professionnelle (chapitre 1 : La reconnaissance sociale des professions). Dans le deuxième chapitre, nous cernerons, à la lumière du mouvement de la professionnalisation, les principales caractéristiques de la relation professionnelle. Plus spécifiquement, nous nous attarderons à mieux comprendre la spécificité de cette relation qui a pris différents sens dans le temps (chapitre 2 : La relation professionnelle : l'intervention professionnelle). À la lumière des clarifications des deux premiers chapitres, nous pourrons préciser les exigences du professionnalisme d'aujourd'hui (chapitre 3 : Le professionnalisme). Dans la mesure où nos sociétés sont bouleversées par les développements techniques, les découvertes scientifiques et les transformations économiques, il est important de s'interroger sur l'avenir des professions (chapitre 4 : Les professionnels de l'an 2000).

CHAPITRE

1

La reconnaissance sociale des professions

OBJECTIFS

Après avoir lu ce chapitre, vous devriez être en mesure de :

- *comprendre les causes de la transformation des métiers en professions ;*
- *saisir comment la vie professionnelle naissante crée un contexte particulier de partage des valeurs et des attentes ;*
- *comprendre le rôle que joue l'État dans la redéfinition des professions par le* Code des professions.

Qu'est-ce qui distingue un professionnel d'une personne qui exerce un métier, comme le garagiste ou encore le plombier ou l'électricien ? La distinction entre une profession et un métier ou une activité occupationnelle n'est plus aussi simple qu'autrefois, surtout avec le perfectionnement des techniques et les produits spécialisés auxquels on recourt dans les usines ou sur les lieux de travail. Par exemple, la « formation professionnelle » est une expression consacrée pour nommer et surtout valoriser dans l'enseignement secondaire ce qui se nommait jadis l'apprentissage d'un métier.

Si l'on veut comprendre le « professionnalisme » et mesurer l'évolution des exigences éthiques pour les professionnels d'aujourd'hui, il faut saisir dans une première étape les transformations qui ont conduit au développement des professions (section 1 : L'émergence des professions). Dans les années 1970, le législateur québécois est intervenu pour réglementer les activités professionnelles. Cette reconnaissance législative constitue une seconde étape importante dans le mouvement de professionnalisation au Québec (section 2 : La reconnaissance législative des professions). Les causes de la transformation des métiers en professions nous permettent de saisir les caractéristiques qu'a retenues le législateur québécois, en 1973, pour créer des ordres professionnels.

1. L'ÉMERGENCE DES PROFESSIONS

1.1. Job, métier ou profession ? La professionnalisation

Pour comprendre la professionnalisation, c'est-à-dire cette transformation des métiers en professions, il faut se rappeler les conditions de la production du début de notre siècle. Notre économie était essentiellement axée sur la production de biens. Combien de personnes vivaient sur les fermes afin de nous fournir des denrées alimentaires ? Une nombreuse main-d'œuvre s'attachait dans le domaine agricole à assurer notre survie. Nous ne sommes plus aujourd'hui à l'époque où des oranges de Floride étaient un précieux cadeau de Noël. Le développement des sciences agroalimentaires, y compris le transport des marchandises, a changé notre façon de vivre.

Si une grande partie de la population travaillait sur des terres, l'autre partie investissait son énergie dans la production de biens nécessaires à la vie de tous les jours. Les usines engageaient la main-d'œuvre, celle capable de transformer les matières premières en produit usiné. Dans de telles conditions, le travail rémunéré par un salaire exigeait de la force physique et de la dextérité manuelle. Le travail en lui-même, pour la très grande majorité des personnes, pouvait être exécuté sans connaissances théoriques particulières. Évidemment, il y a des personnes dont le travail était fort différent puisqu'elles fournissaient des services aux autres personnes. Il suffit de penser aux professions libérales de base exercées au Québec (médecin, notaire, avocat) pour comprendre la singularité du travail qu'accomplissaient ces personnes et la reconnaissance sociale importante qu'elles retiraient de mettre leur savoir au service de la collectivité. Certes, elles n'étaient pas les seules. Les services aux personnes malades et ceux de l'enseignement exigeaient également des compétences particulières. Mais ces services aux autres étaient considérés, dans la société d'alors, comme « une vocation » qui participe davantage de la générosité que d'un travail rémunéré. C'étaient d'ailleurs principalement les religieuses et les religieux qui s'occupaient des soins hospitaliers et de l'éducation.

Plusieurs facteurs viendront modifier ce paysage et provoqueront une redéfinition du travail. Il existe donc plusieurs causes à la professionnalisation des métiers, et nous insisterons ici sur deux d'entre elles : l'évolution de l'économie de la production vers celle des services et le développement des connaissances pratiques.

1.1.1. *La transformation de la production*

Qu'est-ce qui a transformé la production agricole d'antan et la production industrielle ? Qu'est-ce qui a provoqué, entre autres, l'exode rural ? C'est le perfectionnement des technologies d'exploitation et de transformation. Lorsqu'en longeant les routes de campagne, à bicyclette, on observe ces énormes rouleaux de foin si bien rangés et plusieurs d'entre eux protégés par un emballage plastique blanc, on a peine à croire qu'il y a 50 ans certaines personnes entassaient le foin à la main avec des fourches dans une charrette tirée par des chevaux. La robotique, qui transforme aujourd'hui la production des biens, poursuit la démarche engendrée par la transformation des conditions de production en permettant la création de machines efficaces pour remplacer le travail manuel.

Quelles sont les conséquences de ces changements pour le travail ? Un surplus de main-d'œuvre ou de force de travail. Si l'on définit le job comme étant un travail rémunéré qui exige avant tout des activités répétitives et mécaniques, on comprend aisément que les machines remplacent les jobs, mais elles ne peuvent pas remplacer ce qui exige plus, comme un savoir d'expérience que seul l'exercice d'un métier nous apprend. L'accomplissement du travail par les machines réduit ainsi les possibilités d'emploi pour celles et ceux qui n'ont que leur force de travail à louer. Cette fermeture entraînera un redéploiement du travail vers la valorisation des services. La création d'emplois passe alors par la création de nouveaux services aux personnes qui différeront des services traditionnels. Cela est un processus constant dans le travail. L'apparition des « squeeggies » dans les grandes villes illustre bien ces propos ; ces jeunes sans emploi créent un nouveau service : laver le pare-brise des automobiles, en pleine circulation, contre rémunération.

Ainsi, avec la diminution des emplois dans le domaine de la production agraire et de la production industrielle, le secteur des services deviendra la cible de la création d'emplois. Certains services, parce qu'ils étaient rattachés à la sphère de la charité chrétienne, échappaient aux règles de l'économie classique. Ils sont maintenant l'objet de revendications : on réclame qu'ils soient reconnus comme emplois rémunérés au même titre que les emplois associés à la production de biens. Le développement des connaissances pratiques s'ajoutera à ces facteurs pour transformer les services charitables en activités professionnelles.

1.1.2. *L'explosion des connaissances*

Le développement des connaissances, notamment dans les sciences humaines comme la psychologie, la sociologie, l'économie, va transformer cette fois la production des services, en exigeant plus que de la bonne volonté ou des bonnes intentions. Les professionnels (les médecins, les notaires et les avocats) avaient un statut social reconnu parce que leur « profession », qui est un service à l'autre, exige un « savoir pratique » particulier. Or, le développement des sciences humaines transformera des activités que l'on croyait réservées à des personnes ayant une disposition particulière, comme celle de prendre soin des autres, en activités exigeant un savoir pratique. Ainsi, le développement de la psychologie de l'apprentissage modifiera notre façon de concevoir l'éducation des enfants (l'éducation se spécialise) et celui de la psychologie humaine changera notre perception de la « maladie mentale » et de la quête de l'épanouissement de l'humain, comme en témoigne la diversité des écoles de psychologie. La sociologie nous fera comprendre, entre autres, comment les conditions sociales influencent le développement humain et nous renseignera sur le sort réservé aux enfants qui naissent dans des milieux défavorisés. Le travail social ainsi que les relations industrielles sont maintenant réalité. L'étude des systèmes économiques, des lois du marché provoquera la naissance de planificateurs, d'administrateurs. Un homme ou une femme d'affaires n'est plus seulement quelqu'un qui a du « flair » ou la « bosse des affaires ».

Plus les sciences humaines progressent comme savoir pratique, plus elles deviennent essentielles à la qualité du service rendu. Ce qui se faisait ainsi spontanément par talent ou par apprentissage par l'expérience devient maintenant objet d'études théoriques. Le développement des savoirs théoriques et l'apprentissage de ces savoirs pour fournir des services vraiment efficaces représentent les clés de la transformation des métiers en professions.

La conjonction de ces deux facteurs – la transformation de la production et le développement des connaissances pratiques – permet ainsi de comprendre le mouvement de professionnalisation. Nous pourrions dire, en résumé, que la professionnalisation est la création de nouveaux emplois dans le domaine des services plutôt que dans celui de la production de biens. Ces services requièrent toutefois l'intégration de savoirs pratiques mais, contrairement aux métiers qui nécessitent des savoirs pratiques issus de l'expérience, les professions exigent l'acquisition de savoirs théoriques spécifiques de nature disciplinaire.

On peut se représenter graphiquement la transformation du travail rémunéré engendrée par la professionnalisation de la façon suivante :

Job	Métier	Profession
Production de biens.	Production de biens ou de services rattachés aux biens ou aux personnes.	Relation de service à la personne.
Exécution mécanique.	Exécution mécanique.	Relation dynamique à l'autre.
Tâche répétitive.	Tâche exigeant de la créativité.	Tâche exigeant de la créativité.
Peu de savoir pratique.	Savoir pratique d'expérience.	Savoir théorique et pratique.

1.2. L'ethos professionnel et la mission sociale

La professionnalisation n'est pas seulement une question d'emploi et d'activité économique, c'est aussi un mouvement qui modifie les perceptions et les conceptions de l'activité sociale. Deux aspects de ce phénomène complexe méritent d'être décrits brièvement : la « mission » sociale des professions et la qualité de la vie professionnelle ou l'ethos professionnel.

1.2.1. *La « mission » sociale des professions*

Comme nous l'avons expliqué précédemment, les professions sont des services fournis aux autres touchant de plus en plus de domaines de la vie familiale et sociale. Si certaines professions ont souvent pris le relais des institutions religieuses dans les services sociaux, notamment, elles ne renient pas pour autant la « mission » sociale inhérente à leur développement. Schön émet, à ce sujet, les propos suivants :

> Pour fonctionner, notre société compte en grande partie sur les professions. S'agit-il d'élaborer des stratégies pour faire la guerre ou pour défendre le pays ? D'éduquer les enfants ? De diagnostiquer ou guérir les maladies ? De juger ou de punir ceux qui contreviennent à la loi ? De régler des conflits ? De diriger les industries ? De concevoir des plans ou de construire des édifices ? D'aider tous ceux qui ne peuvent venir à bout de leur problème ? Qui donc pourrait bien relever tous ces paris ? La réponse est toujours la même : un professionnel, spécialiste dans son domaine. Et c'est à lui que notre société fera systématiquement appel. Écoles, hôpitaux, agences gouvernementales, cours de justice, armée : autant d'institutions officielles, autant de scènes où les professionnels exercent leurs activités. Nous les mobilisons pour définir et résoudre nos problèmes, et c'est sur eux que nous comptons pour faire évoluer la société[1].

L'importance des professions dans la société n'est plus à démontrer ; pourtant chaque profession a dû travailler avec acharnement à sa reconnaissance sociale. Nous sommes tellement habitués à certaines professions, parce que leur reconnaissance sociale est acquise maintenant, que nous oublions la lutte sociale qu'elles ont vécue pour y parvenir ainsi que celle, interne, pour assurer la compétence de ce nouveau service. L'exemple du consultant en éthique[2] peut éclairer les enjeux sociaux que renferme la professionnalisation.

On assiste encore aujourd'hui, avec le développement des sciences humaines, à l'apparition de nouveaux savoirs pratiques qui ouvrent la voie à la création de nouvelles professions. C'est ainsi que l'importance que prend l'éthique, à notre époque, dans bien des secteurs a

---

1. D.A. Schön, *Le praticien réflexif*, Montréal, Logiques, Collection Formation des maîtres, 1994, p. 23.
2. G.A. Legault, « L'intervention : le sens praxique et social des pratiques », dans Claude Nelisse (sous la direction de), *L'intervention : les savoirs en action*, Sherbrooke, GGC Éditions, 1997, p. 229-249.

favorisé l'émergence d'un nouveau service : le consultant en éthique. En effet, plusieurs personnes se présentent actuellement comme des consultants en éthique. Or, il n'existe pas de profession de consultants en éthique, ni de programme de formation reconnu dans ce domaine. Des personnes, ayant diverses formations interdisciplinaires, s'annoncent comme consultants en éthique. Parmi elles, on retrouve des personnes spécialisées en droit, en philosophie, en théologie, en médecine, en psychologie, en biologie, etc. Quelques associations plus ou moins formelles regroupent un certain nombre de ces « éthiciens » ou « consultants en éthique ».

Nous voilà donc en présence de ce qui deviendra peut-être une nouvelle profession reconnue. Mais cette reconnaissance ne va pas de soi, et le consultant en éthique vit ce que les autres professions naissantes ont certainement vécu, à divers degrés. Pour devenir une profession, il faut d'abord qu'il y ait une reconnaissance sociale du service et de la mission rattachée à l'« expertise » disciplinaire. En éthique, il existe plusieurs textes contestant justement cette expertise professionnelle de l'éthicien. De plus, tout comme pour la psychologie à ses débuts, il n'est pas évident que la société ait besoin de ce service de « professionnels en éthique ». Est-ce que l'on ne peut pas se fier à la bonne volonté des personnes et à leur bonne foi naturelle ? Le consultant en éthique peut souvent être perçu comme une personne venant de l'extérieur qui impose sa « loi » aux autres au nom de son savoir. On a peur d'être jugé de personne « immorale » tout comme on avait peur d'être pris pour un « malade mental » si l'on consultait, jadis, un psychologue. La création d'une nouvelle profession suppose qu'une activité qui se faisait spontanément auparavant, écouter autrui, éduquer, conseiller une personne devant faire des choix, etc., soit enrichie par une expertise basée sur un nouveau savoir.

Tant que la société n'est pas prête à reconnaître dans les faits, par l'offre d'emploi de consultants en éthique, le besoin de cette profession, elle ne pourra jamais exister. Toute professionnalisation d'un travail passe par la reconnaissance de la nécessité de ce service pour le bien-être de la collectivité. Plus cette nécessité sera reconnue, plus on réclamera des consultants en éthique, sinon les consultants en éthique resteront marginaux.

Cependant, la lutte pour la reconnaissance du service dans la société est étroitement associée à celle que les consultants se font entre eux au sein d'écoles rivales. Les consultants en éthique n'ont pas tous la même formation, ils proviennent de divers milieux et tant leur formation de base que leur expérience pratique divergent. C'est le cas de plusieurs autres professions naissantes. Le cas des sages-femmes au Québec est illustratif à cet égard. La formation des sages-femmes varie considérablement, certaines l'ayant acquise en milieu hospitalier, d'autres à travers les sciences humaines, et d'autres encore, par leur longue pratique. Comme la reconnaissance sociale des professions oblige le groupe à acquérir une plus grande uniformité, c'est donc de l'intérieur que la lutte se fera entre perspectives rivales d'où émergera une tendance majoritaire qui déterminera l'ethos professionnel.

1.2.2. *L'ethos professionnel*

Il est bien important, pour comprendre la dynamique de la professionnalisation, de bien distinguer entre les activités professionnelles d'un groupe, la défense des intérêts professionnels et l'ethos professionnel. Tout groupe qui veut conserver un minimum d'identité et de cohésion entre ses membres doit offrir certaines activités professionnelles. On peut penser, par exemple, aux activités de formation continue, aux conférences que proposent régulièrement les ordres professionnels à leurs membres ainsi qu'aux congrès ou assemblées générales. Il ne faut pas oublier ce que nous avons déjà souligné : toute profession n'existe qu'en fonction de la reconnaissance sociale du service. Si la société change de point de vue et qu'un besoin donné est supplanté par d'autres, alors la profession en cause perd du terrain. C'est pourquoi toute profession doit assurer la défense des intérêts professionnels de ses membres. Par exemple, les ordres professionnels mettent à la disposition de leurs membres des assurances collectives et d'autres services pour sauvegarder leurs intérêts professionnels. Mais un groupe de professionnels peut retirer plus que cela : il peut exister une véritable vie professionnelle servant de creuset au partage d'un idéal de service et de valeurs professionnelles.

La transformation de nos sociétés sur le plan des valeurs ne nous permet peut-être pas de bien évaluer l'importance qu'avait, au début des professions, le partage de certaines valeurs et attitudes. Le « professionnalisme », tel qu'il était vécu au début des professions, est étroitement rattaché à cet ethos, à ce milieu de vie qu'est la pratique professionnelle. Un ordre de la chevalerie, comme celui des chevaliers de la Table ronde, frappe l'imagination et permet de saisir ce qu'est l'ethos professionnel. Être chevalier de la Table ronde, ce n'est pas un job, c'est une manière de vivre, c'est appartenir à un groupe avec son code d'honneur et ses exigences. Pour y être admis, l'aspirant doit faire ses preuves. Dans nos sociétés individualistes et libérales, la plupart d'entre nous avons perdu cette notion de « faire partie d'un groupe ». « Je suis médecin, avocat, notaire, ingénieur, psychologue » désigne plus, pour nous, la profession que nous exerçons que notre appartenance à un groupe : « Je suis membre de l'Ordre des médecins, du Barreau, etc. »

Si l'on veut comprendre la source du « professionnalisme » comme valeurs effectivement partagées, il faut bien saisir qu'on entrait autrefois dans un ordre professionnel tout comme on entrait dans les « ordres » lorsqu'on parlait du clergé anciennement. L'exemple du serment d'Hippocrate encore prononcé aujourd'hui lorsqu'on devient médecin est révélateur. Le serment nous lie en tant que membre d'un ordre avec ses exigences et ses attentes.

Les groupes professionnels, dans leur lutte pour être reconnus socialement, franchissent ainsi plusieurs étapes où, à travers les discussions, les ententes, etc., ils harmonisent leur vision de la profession, les exigences de la formation reconnue officiellement et les attentes eu égard à la qualité des services. Évidemment, pour les personnes qui vivent ces étapes ensemble, il se crée un véritable ethos, une véritable vie professionnelle de groupe se précise et s'élabore. On pourrait penser que cela est révolu, mais il n'en est rien. L'exemple des sages-femmes est ici aussi très parlant. Au Québec, les sages-femmes ont pratiqué dans la clandestinité pendant de nombreuses années. On peut imaginer la force de la cohésion qu'elles ont dû déployer pour se soutenir dans un tel contexte de marginalité. Leur expérience commune leur a permis de former un ethos très fort. Mais aujourd'hui, comme on pourra mieux le comprendre par la suite, cet ethos est menacé par la reconnaissance législative, car la vie associative professionnelle diffère de ce qu'elle était au début des professions.

La professionnalisation est donc beaucoup plus que la création de nouveaux emplois dans le secteur des services, puisqu'elle conserve de ses racines l'importance de la « mission » sociale. Les professionnels se perçoivent alors comme étant des travailleurs qui rendent un service à la collectivité en intervenant auprès des personnes et des institutions. Ce service à la vie sociale est assuré par des personnes qui vivent leur profession comme un lieu d'appartenance. Le travail rémunéré est la contrepartie économique au service dont la qualité est assurée par le groupe qui remplit une « mission » sociale importante. C'est cette appartenance qui définit l'identité professionnelle. Plus on se voit comme « participant » à un ordre professionnel et à un idéal professionnel collectif, plus notre identité professionnelle est forte. En revanche, si l'on se perçoit comme exerçant telle tâche professionnelle, notre identité professionnelle sera moins forte, car on vit alors le travail comme un simple travail rémunéré sans participation à la vie collective.

2. LA RECONNAISSANCE LÉGISLATIVE DES PROFESSIONS : LE CODE DES PROFESSIONS

Dans la foulée de la Révolution tranquille au Québec, les années 1970 ont aussi révélé les faiblesses et les limites de la professionnalisation telle qu'elle avait été vécue à ses débuts. L'un des facteurs parmi d'autres qui ont conduit le législateur québécois à se donner une loi-cadre – le Code des professions qui reconnaît de nouvelles professions et qui établit un cadre législatif unique de reconnaissance des nouvelles professions –, c'est le développement de « nouvelles professions » dans la vie sociale. Le mouvement de reconnaissance des professions tel qu'il existait aux États-Unis a ainsi traversé la frontière. Un autre facteur déclencheur a été l'absence de cohésion entre les universités et les « corporations » professionnelles. Puisque les professions dépendent d'un savoir théorique universitaire qui doit rendre la pratique plus efficace, il est donc nécessaire d'harmoniser savoir théorique et savoir d'expérience. Imaginez la tension, lorsqu'en 1970 le Collège des chirurgiens-dentistes refusa d'admettre à la pratique les étudiants qui avaient terminé avec succès leurs études universitaires à Montréal. Ces deux facteurs exemplifient les deux principales raisons de la reconnaissance législative des professions : le « danger » social des professions et la garantie de compétence professionnelle.

2.1. Le « danger » social des professions

Une profession peut être reconnue par certains membres d'une société sans qu'il y ait de nécessité d'un contrôle social. L'astrologie, par exemple, est sûrement considérée, par certains, comme un service mettant à la disposition d'une personne une expertise (connaissances théoriques et pratiques) afin de guider ses choix. La consultation d'un astrologue n'est certes pas reconnue par l'État, parce que cette expertise n'est pas reconnue.

Pourquoi la reconnaissance législative est-elle apparue comme socialement désirable dans les années 1970 ? Parmi les raisons, on peut relever celle qui deviendra le leitmotiv du nouveau régime, à savoir la sécurité du public. Le développement des savoirs et des services n'est pas linéaire, il est quelquefois anarchique. Dans ces circonstances, soit que la société laisse à la libre concurrence le soin de réguler l'offre et la demande, soit qu'elle intervient, par son législateur, pour contrôler les professions en reconnaissant uniquement celles qui ont une « mission » sociale importante dans la société.

En 1974, le Code des professions a non seulement reconnu un certain nombre de professions comme importantes dans notre société, mais il a aussi créé l'Office des professions, un organisme chargé de reconnaître et de recommander la reconnaissance officielle de nouvelles professions. En procédant ainsi, le législateur reconnaissait exclusivement à certaines professions (celles qui seront nommées les professions à exercice exclusif) le droit d'effectuer certains types d'interventions. Toute autre personne non membre de la profession n'y sera pas autorisée et, en cas de transgression, pourra être poursuivie pour pratique illégale d'une profession. Pour d'autres professions dont les actes précis ne peuvent pas être établis, l'État leur garantit le titre utilisé. Personne, par exemple, ne peut se présenter comme psychologue et offrir des traitements psychologiques s'il n'est pas membre de la profession. Par contre, une personne peut proposer une thérapie sans se dire psychologue.

Ce mode de régulation des professions par les ordres professionnels avec des mécanismes de reconnaissance sociale vise avant tout à protéger le public contre les abus potentiels. Les futurs clients sont ainsi protégés, puisqu'ils peuvent vérifier si la personne qu'ils envisagent de consulter fait vraiment partie d'un ordre professionnel avant de recourir à ses services.

La reconnaissance législative des professions aura aussi des répercussions importantes sur le « professionnalisme », comme nous le verrons dans la troisième section. En effet, le professionnalisme est capital pour la protection du public en plus de représenter une manière de s'assurer que la mission est accomplie.

2.2. La garantie de compétence professionnelle

L'intervention du législateur québécois dans le champ des professions vise à protéger le public d'une autre façon : s'assurer que les professionnels bénéficient de la meilleure formation théorique et pratique disponible. Car, finalement, c'est la qualité de la relation de service d'un professionnel qui en dépend. Or, c'est le développement des connaissances théoriques dans le champ de la pratique qui a permis celui des professions. La formation au moyen du tutorat, c'est-à-dire de la simple supervision d'une personne d'expérience, n'est plus suffisante, bien que ce type de formation convienne à l'apprentissage des métiers. Mais dans la mesure où les professions dépendent d'un savoir universitaire, il faut s'assurer de la qualité des connaissances théoriques acquises et de leur intégration dans le champ de la pratique. Le développement d'une partie de la compétence professionnelle globale est ainsi relié à l'équilibre entre la formation universitaire et la formation pratique.

On peut très bien comprendre la tension inhérente à toute formation professionnelle. Par exemple, si à l'université on insiste sur une formation théorique générale, les praticiens la jugeront « trop décrochée » de la pratique. Par contre, si la formation professionnelle n'est assurée que par tutorat et activité pratique, alors on s'éloigne de la profession pour revenir au métier. La nature même de la compétence professionnelle est en cause à partir du moment où l'on cherche à spécifier les apprentissages théoriques et pratiques nécessaires à l'exercice de la profession.

Conclusion

Le mouvement de professionnalisation a été une étape importante enclenchée par les transformations économiques. D'une part, le développement technique a provoqué un transfert vers le développement des services et, d'autre part, l'explosion des connaissances en sciences humaines a permis de donner aux services leur expertise. Les services sont alors entrés dans la sphère économique, rejoignant ainsi les autres services professionnels de la tradition libérale, soit l'exercice de la médecine et du droit.

La professionnalisation n'est pas seulement un changement économique, c'est aussi un changement social puisque le savoir pratique intervient dans la vie sociale pour rendre cette vie meilleure pour les individus et pour les collectivités. L'importance des « professions » dans la société conduit l'État à assurer la « protection » du public contre les usurpateurs potentiels. La régulation des professions par l'État devient en outre un moyen d'assurer une relation professionnelle de qualité autant du point de vue social, par la réalisation de la mission, qu'au point de vue de la compétence, en assurant la formation idéale.

Les critères que le législateur québécois a établis, dans sa loi-cadre, le Code des professions, pour la reconnaissance sociale des professions nous permettent de mieux comprendre la nature très particulière de la relation professionnelle.

CHAPITRE

2

La relation professionnelle

L'intervention professionnelle

OBJECTIFS

Après avoir lu ce chapitre, vous devriez être en mesure de :

- *reconnaître différentes conceptions de l'intervention professionnelle ;*
- *comprendre pourquoi le législateur québécois a limité la reconnaissance d'un ordre professionnel à la pondération de trois critères principaux ;*
- *comprendre l'importance du « jugement professionnel » et de l'autonomie professionnelle dans l'exercice d'une profession ;*
- *comprendre les principales critiques formulées à l'égard de l'autonomie et du « jugement professionnel ».*

Le mouvement de professionnalisation révèle comment les transformations économiques, engendrées par les créations techniques, ont permis d'ouvrir d'autres champs de services comme activité occupationnelle rémunérée. Mais cette professionnalisation des services n'aurait pas été possible sans la mise en action de découvertes en sciences humaines. On peut toutefois s'interroger sur la relation de service qu'est la relation professionnelle. Y a-t-il vraiment quelque chose qui la caractérise à ce point pour la distinguer des autres relations de service ? Cette question se pose de plus en plus dans notre société parce que la perception de ce qu'est une profession s'est modifiée avec les transformations du système de production et de vente. Ainsi, un nombre croissant de compagnies ne mettent plus en évidence le produit, mais le service rendu. On relève la même tendance dans la publicité d'organismes gouvernementaux. Les CLSC, par exemple, vous présentent la gamme des services qu'ils peuvent fournir.

Afin de mieux comprendre les caractéristiques de la relation professionnelle, nous pouvons nous appuyer sur deux éléments provenant de l'histoire des professions. Le premier consiste à examiner les critères que le législateur québécois a jugés utiles à l'Office des professions pour prendre une décision concernant la reconnaissance légale des professions (section 1 : Les caractéristiques de la relation professionnelle retenues par le législateur). L'autre élément nous fait remonter plus loin dans l'histoire des professions. Cette fois, il s'agit de voir comment l'idée que l'on se fait de la relation professionnelle s'est modifiée dans le temps et se transforme encore.

Il suffit de discuter avec des professionnels européens du domaine de la santé pour réaliser comment une même relation professionnelle est pensée et vécue, sur le plan conceptuel, de manières différentes. Pour nous, Nord-Américains, soutenir que la relation professionnelle est « paternaliste » prend un sens péjoratif. Pourtant, en Europe, il en va autrement (section 2 : La dimension symbolique de la relation professionnelle).

1. LES CARACTÉRISTIQUES DE LA RELATION PROFESSIONNELLE RETENUES PAR LE LÉGISLATEUR

Lorsque le législateur québécois a rédigé, en 1973, le Code des professions, il se devait de fournir des critères suffisamment précis pour que l'Office des professions puisse les appliquer afin de distinguer, parmi les différentes demandes, celles qui méritent la reconnaissance sociale et les autres. En fait, l'Office des professions ne se prononce pas, à strictement parler, sur la question de la profession mais seulement sur la nécessité de créer un nouvel ordre professionnel dans notre société. Comme on a pu le réaliser avec le mouvement de professionnalisation, plusieurs critères interviennent dans la transformation d'un service en profession. Certaines personnes sont surprises d'apprendre, par exemple, que les huissiers de justice ont été reconnus comme des professionnels, alors que les enseignants et enseignantes de tous les ordres d'enseignement ne le sont pas. D'autres encore s'étonnent que l'Office des professions ait reconnu les technologues en radiologie. Pour bien comprendre ces décisions de l'Office des professions, il faut distinguer deux aspects du processus de l'application de la loi : les critères prévus dans le Code des professions et la manière de les appliquer dans une situation donnée.

C'est l'article 25 du Code des professions qui précise les facteurs à considérer pour constituer ou non un ordre professionnel. Étant donné son importance, citons-le au complet.

> Pour déterminer si un ordre professionnel doit ou non être constitué, il est tenu compte notamment de l'ensemble des facteurs suivants :
>
> 1. les connaissances requises pour exercer les activités des personnes qui seraient régies par l'ordre dont la constitution est proposée ;

2. le degré d'autonomie dont jouissent les personnes qui seraient membres de l'ordre dans l'exercice des activités dont il s'agit, et la difficulté de porter un jugement sur ces activités pour des gens ne possédant pas une formation et une qualification de même nature ;

3. le caractère personnel des rapports entre ces personnes et les gens recourant à leurs services, en raison de la confiance particulière que ces derniers sont appelés à leur témoigner, par le fait notamment qu'elles leur dispensent des soins ou qu'elles administrent leurs biens ;

4. la gravité du préjudice ou des dommages qui pourraient être subis par les gens recourant aux services de ces personnes par suite du fait que leur compétence ou leur intégrité ne seraient pas contrôlées par l'ordre ;

5. le caractère confidentiel des renseignements que ces personnes sont appelées à connaître dans l'exercice de leur profession[1].

Cet article 25 propose ainsi à l'Office des professions plusieurs critères qu'il doit considérer au regard de chacune des requêtes reçues. L'analyse de chacun d'eux permet de préciser la spécificité de la relation de service qu'est la relation professionnelle, du moins telle qu'elle est conçue dans la loi. Analysons plus en détail chacun de ces facteurs.

Le premier est très précis, car il vise les connaissances requises pour exercer la profession. Ce premier facteur a été retenu parce que, comme nous l'avons vu avec le mouvement de la professionnalisation des services, c'est l'application des connaissances en sciences humaines à la relation de service qui rend possible le phénomène. Ce critère vient confirmer en quoi une profession est différente d'un job et d'un métier par son exigence de la maîtrise de connaissances théoriques abstraites pour être exercée. Cependant, cet alinéa ne précise pas la nature générale de l'activité professionnelle.

Le second alinéa de cet article présente deux éléments qui ont joué un rôle capital dans le mouvement de la professionnalisation, du moins au temps fort de ce mouvement. Nous aurons l'occasion de voir, dans les chapitres suivants, comment les transformations engendrées par la bureaucratisation des services publics et celles de la

1. Code des professions, *L.R.Q.*, chapitre C-26, art. 25.

symbolique des professions entraînent une contestation de ces éléments. Cet alinéa révèle en outre la façon dont la relation professionnelle était conçue dans le cadre d'une société libérale où la scolarisation de la population n'était pas ce qu'elle est aujourd'hui. Au temps fort de la professionnalisation, le professionnel qu'était le médecin, l'avocat ou le notaire ne travaillait pas pour une compagnie ou une institution. Il avait son bureau privé et une pratique privée, et il recevait des honoraires et non pas un salaire. Évidemment, il existe aujourd'hui bien des professionnels salariés mais, au début, la relation professionnelle était conçue comme une activité essentiellement autonome. Ce premier élément montre donc que la profession se distingue des activités encadrées par un contrat de travail. Dans un contrat salarié, la tâche est définie par l'employeur et l'entreprise est en mesure de contrôler la qualité des actes posés. Plus un contrat de travail est précis quant aux tâches de l'employé, moins il existe d'autonomie.

Quel est le degré d'autonomie nécessaire pour exercer une activité professionnelle ? Ce critère variera selon la transformation des services dans une société. Au temps fort de la professionnalisation, l'autonomie était presque absolue dans la mesure où le professionnel exerçait une pratique privée et où il n'existait aucun mécanisme de contrôle de ses actions dans la relation professionnelle. Même si aujourd'hui plusieurs professionnels sont salariés, il n'en demeure pas moins que la relation professionnelle exige toujours une autonomie d'exécution. Le schéma suivant peut aider à comprendre pourquoi, en distinguant la relation d'exécution de la relation d'exercice du jugement professionnel. Lorsqu'un professionnel est un salarié d'une institution, il est confronté à une situation difficile car ou bien il se perçoit comme un exécutant des décisions de l'institution, ou bien il se perçoit au service des personnes, ses clients.

RELATION D'EXÉCUTION

Institution ⟶ Activité professionnelle

Professionnel ⟶ Client

RELATION D'EXERCICE DU JUGEMENT PROFESSIONNEL

Institution ⟵ Activité professionnelle

Professionnel ⟷ Client

Le sens des flèches indique bien la différence entre ces deux types de relation. Dans la relation d'exécution, le professionnel soumet au client ce qui vient d'en haut, ce qui est décidé ailleurs. L'autonomie, c'est-à-dire la liberté de décision du professionnel, est restreinte par les décisions venant du sommet de l'institution. Dans la relation d'exercice du jugement professionnel, l'institution reconnaît au professionnel l'autonomie d'exercice de son jugement dans sa relation. En d'autres termes, la décision provenant de la relation professionnelle est acceptée par l'institution.

La relation d'exécution peut cependant mettre en cause la relation de service. Se pose alors la question suivante : Au service de qui travaille le professionnel ? Plusieurs conflits éthiques proviennent actuellement de cette situation du professionnel en institution. Concilier les exigences de la performance des institutions et la qualité de la relation de service est, comme nous l'analyserons plus en profondeur, l'un des principaux enjeux de l'éthique professionnelle aujourd'hui.

Il faut bien comprendre ici que l'autonomie de décision est importante pour le professionnel, car elle résulte de sa formation théorique et pratique. Voilà le sens du second élément de cet alinéa. Comment peut-on juger si un professionnel a bien agi dans telle ou telle circonstance ? Puisque l'exercice d'une profession repose sur un savoir théorique et pratique, seules les personnes ayant une telle formation peuvent juger de la qualité de la relation et déterminer si les décisions autonomes étaient fondées. Cet élément est important puisqu'il précise justement la nature de l'autonomie professionnelle. D'une part, la décision d'un professionnel dépend de son jugement professionnel : appliquer les connaissances théoriques et pratiques au cas unique qui se présente à lui. D'autre part, elle n'est pas sans raison. Le jugement professionnel est susceptible d'être expliqué à des pairs qui peuvent en évaluer le bien-fondé.

Ce deuxième alinéa souligne donc le fait qu'un professionnel n'est pas un exécutant. Au contraire, il doit, dans une situation donnée, avec tel client, mettre à son service la connaissance dont il dispose pour l'aider. La nature complexe du jugement professionnel est une caractéristique fondamentale qui aide à comprendre l'autonomie du professionnel et sa responsabilité à l'égard du client.

Le troisième alinéa met en évidence certains éléments concernant la nature particulière de la relation professionnelle. D'abord, il s'agit du caractère personnel des rapports. On voit encore une fois la différence entre une activité rémunérée basée sur la fabrication d'un produit et la relation professionnelle qui s'établit à travers la fourniture d'un service à une personne. Le législateur insiste sur un aspect essentiel à la compréhension du professionnalisme : cette relation exige une confiance particulière que les gens doivent témoigner aux professionnels. Mais pourquoi une telle confiance est-elle si nécessaire ? L'alinéa 3 n'en donne pas directement les raisons, mais il est possible d'interpréter la suite du texte à la lumière des deux premiers alinéas. La relation professionnelle est une relation entre deux parties où le professionnel met à la disposition des personnes qui le consultent son jugement professionnel. Or, ce jugement aura un effet immédiat sur la vie des personnes en cause. Dans les professions axées sur les soins, c'est la qualité de vie physique et psychique qui est en cause. Dans les professions axées sur les biens, c'est la qualité de vie matérielle des gens qui est en jeu. De mauvaises décisions affecteront donc ces personnes. Ce qui rend plus périlleuse cette relation, c'est que le client n'a pas la connaissance requise pour évaluer le jugement porté par le professionnel. Nous consultons des professionnels parce que nous avons besoin d'eux et, comme nous ne pouvons pas évaluer leur jugement professionnel, nous sommes toujours dans un lien de dépendance à leur égard. Si nous ne faisons pas confiance au professionnel consulté, jamais nous n'accepterons ses analyses, ses jugements, voire ses recommandations.

Le quatrième alinéa de l'article 25 rappelle le motif invoqué par le législateur pour réglementer et instaurer une reconnaissance légale des professions dans la société. La relation professionnelle est « dangereuse », car les clients peuvent subir des préjudices graves. S'il n'y avait pas de mécanismes pour assurer la protection du public, plusieurs risqueraient d'être victimes de charlatans qui n'ont pas la formation requise, de professionnels incompétents dans leur jugement clinique ou, encore, de professionnels qui abusent de la relation de confiance établie. C'est sur ce dernier élément que l'article 25 conclut en précisant que la relation professionnelle exige de dévoiler des renseignements confidentiels qui pourraient être utilisés contre le client.

Les cinq alinéas de l'article 25 peuvent être condensés en trois caractéristiques essentielles d'une relation professionnelle. Toute relation professionnelle est une relation au savoir ; sans ce savoir théorique et pratique appliqué dans la relation, on ne peut parler de profession ; toute relation professionnelle est une relation où un service est fourni à l'autre personne. En d'autres termes, la relation professionnelle est une relation de dépendance dans laquelle le professionnel, grâce à sa relation au savoir, peut rendre service à la personne et lui assurer une qualité de vie personnelle par des soins ou par l'administration de ses biens matériels. En outre, la relation au savoir s'inscrit dans la relation à l'autre dans l'autonomie du jugement professionnel. Les professions se caractérisent donc par cette relation particulière au savoir, à l'autre et dans l'exercice d'une autonomie.

2. LA DIMENSION SYMBOLIQUE DE LA RELATION PROFESSIONNELLE

Pourquoi Hippocrate, père de la médecine, a-t-il obligé ses disciples, qui voulaient être médecins, à prêter serment ? Pourquoi les nouveaux médecins prononcent-ils encore aujourd'hui un tel serment ? Depuis que le savoir a été mis à la disposition des services aux autres, le caractère « dangereux » des professions a toujours été présent. Chaque profession et chaque société ont veillé à neutraliser cette menace potentielle afin de protéger la relation de confiance. La confiance entre un client et son professionnel n'est possible que si le sens même de la relation professionnelle est garanti, et quel est ce sens sinon que le professionnel est au service du client avant toute chose.

Dans toute société, il existe des serments, des codes et des réglementations[2] qui n'ont qu'une raison d'être : assurer le sens de la relation professionnelle. La nature des dispositifs proposés varie selon la culture d'une société. Si l'on revient au serment d'Hippocrate, toute sa force réside dans le sens que la société grecque donnait au serment. « Je jure par Apollon, médecin, par Esculape, par Hygie et Panacée, par tous les dieux et toutes les déesses, les prenant à témoin que je

---

2. Guy Bourgeault, « Depuis le serment d'Hippocrate... des codes, des modèles, des repères », dans « Éthique professionnelle », *Cahiers de recherche éthique*, nº 13, Montréal, Fides, 1989.

remplirai, suivant mes forces et ma capacité, le serment et l'engagement suivant [...] » Ce serment, qui prend les dieux à témoin, n'a de force que si, dans la symbolique personnelle et sociale, la prise à témoin des dieux est signifiante. Jurer par tous les dieux, alors qu'on est incroyant, n'exerce pas beaucoup d'emprise.

Mais il existe aussi d'autres moyens de « neutraliser » la menace potentielle de la relation professionnelle. En effet, on peut réduire la menace en modifiant certains aspects de la relation de pouvoir qui en est le centre. C'est ce qui a marqué, et marque encore, les discussions actuelles sur la relation professionnelle.

Il est possible de relever cinq catégories de relations professionnelles[3] en tenant compte des variables suivantes : *a)* le degré de dépendance de la personne qui consulte compte tenu de la nature du service dans la société ; *b)* le niveau de connaissances spécialisées requises ; *c)* le degré d'engagement du professionnel dans l'exercice de sa profession et *d)* le degré d'autonomie de la personne qui consulte. Le schéma suivant illustre ces cinq catégories sur lesquelles nous nous attardons par la suite.

Catégorie de relation professionnelle	**Degré de dépendance**	**Niveau de connaissances**	**Degré d'engagement du professionnel**	**Degré d'autonomie des personnes**
Sorcier	Totale	Ésotériques	Total	Nulle
Bon père de famille (paternaliste)	Presque totale	Spécialisées	Presque total	Presque nulle
Expert	Relative à l'expertise	Expertes	Relatif à l'expertise	Presque totale
Consommateur	Nulle	Expertes mais discutables	Nul	Presque totale
Coopération	Relative	Expertise	Partagé	Partagée

3. Ce tableau est inspiré de Guy Bourgeault, *op. cit.*

Il serait intéressant de mener une enquête sur le terrain pour chercher à savoir quel sens les gens donnent en fait à la relation professionnelle. D'après des discussions avec des professionnels, nous retrouverions très probablement ces cinq catégories symboliques chez les personnes qui consultent. Il n'y a pas en soi et pour toujours une meilleure façon de vivre symboliquement la relation professionnelle ; il y a celle que nous vivons et celle que la société reconnaît comme souhaitable dans le contexte qui est le sien. À diverses époques, certains modèles ont primé et on ne se tromperait pas en affirmant qu'un des débats en éthique professionnelle a été justement la critique du modèle paternaliste qui dominait la culture québécoise jusqu'à la Révolution tranquille. Si le modèle du sorcier n'est plus une référence parmi les professionnels, les quatre autres catégories subsistent ; un retour du modèle paternaliste serait même souhaité par certains.

Chaque catégorie possède ses forces et ses faiblesses, et est pensée à l'intérieur de toute une dynamique de la société. L'analyse de chacun des types nous permet de mieux saisir l'importance de la dimension symbolique pour définir le professionnalisme tout en relevant certains facteurs qui expliquent l'ambiguïté du statut du professionnel dans notre société actuelle.

2.1. Le sorcier

Le sorcier peut servir de modèle pour la relation professionnelle dans la mesure où il exerce, dans une société donnée, un pouvoir énorme ; il a la possibilité de guérir ou de nuire grâce à son « savoir » magique. Le sorcier est presque le dépositaire de toutes les professions de service : on le consulte pour les soins et pour les biens (chasse, guerre, etc.). La relation entre le sorcier et celui qui le consulte est marquée par une dépendance totale. Imaginez un instant ce que pourrait signifier dans une telle société le refus de suivre les directives du sorcier. L'autonomie de la personne qui consulte n'existe pas. Le savoir est ésotérique, car il ne peut s'acquérir que par une initiation et non par l'expérience, l'observation ou l'apprentissage. Cependant, l'engagement et la responsabilité du sorcier envers les personnes et la société sont entiers. Il ne peut pas se permettre d'agir par caprice personnel ni de vouloir profiter, pour lui seul, de cette situation de pouvoir, car la vie sociale peut être menacée. Le sorcier doit donc utiliser son savoir de son mieux pour remplir sa mission sociale.

2.2. Le « bon père de famille »

Le modèle du « bon père de famille », mieux connu sous l'appellation « paternalisme », est souvent perçu par les critiques de ce modèle comme n'étant pas différent du modèle du sorcier. Il existe pourtant des différences intéressantes, compte tenu des transformations des sociétés. Le modèle du « bon père de famille » s'inscrit dans une conception de l'autorité parentale, masculine, il va sans dire. Cette conception de l'autorité parentale se retrouve dans la pensée grecque comme une référence symbolique importante de la gestion. Il n'y a pas de différence entre gérer sa vie, gérer sa famille et gérer la cité, puisque nous sommes toujours devant l'exercice de l'autorité dans une visée de ce qui est meilleur pour le « nous ». Le sage prend ainsi les meilleures décisions pour soi, sa famille et la cité. Le modèle paternaliste exige des personnes touchées par les décisions du « bon père de famille » une dépendance, car c'est lui qui décide pour l'ensemble de la collectivité. Ce modèle suppose aussi, et c'est là que réside sa facette machiste, que les hommes possèdent ou peuvent acquérir cette sagesse qui leur est réservée. Si les décisions prises demeurent incontestables par les autres membres de la famille élargie, il n'en demeure pas moins que les hommes peuvent critiquer entre eux la « sagesse » d'une décision prise par un pair. On retrouve ainsi plusieurs des éléments du modèle du sorcier bien qu'ils soient atténués par la nature particulière du savoir pratique concerné. Évidemment, ce modèle lorsqu'il est utilisé comme référence pour la relation professionnelle suppose que le professionnel s'engage à mettre son savoir spécialisé au service du bien-être de la personne qui le consulte.

2.3. L'expert

La critique du modèle paternaliste amorcée par le féminisme, la révélation de scandales dans la recherche sur les humains et l'engouement pour l'approche technique ont amené, depuis les années 1960 aux États-Unis[4], une redéfinition de la relation professionnelle. La relation de service à autrui devient une relation d'expert. Ce modèle est différent du modèle paternaliste parce qu'un expert est celui qui dit la « vérité » sur un sujet donné. Le modèle d'expert vient modifier la

4. Hubert Doucet, *Au pays de la bioéthique. L'éthique médicale aux États-Unis*, Genève, Labor et Fides, 1996.

relation de dépendance entre le professionnel et son client dans la mesure où la notion d'expert permet de distinguer deux moments de la relation professionnelle : la relation au savoir et la décision d'agir. Alors que le modèle paternaliste fusionnait ces deux moments dans le jugement professionnel, le modèle de l'expert réserve au jugement professionnel exclusivement la relation au savoir. Le médecin expert ne dit pas ce qu'il faut faire, il présente son avis scientifique sur le cas : diagnostic et thérapeutiques possibles, tout en indiquant pourquoi, scientifiquement, telle thérapeutique est la plus efficace pour obtenir le résultat souhaité, à savoir la guérison. Le modèle d'expert se conçoit dans un univers non pas interpersonnel mais technique. On consulte un professionnel parce qu'on a un problème qui peut se résoudre d'une façon technique ; il suffit de cerner le problème et de proposer les solutions techniques possibles, le reste relevant du client. Le modèle de l'expert limite ainsi la dépendance du client aux résultats de l'avis professionnel. Bien que l'avis de l'expert soit incontestable, le client est libre de suivre ou non cet avis. La décision finale ne relève donc plus de la relation professionnelle elle-même. Dans un modèle d'expert, l'autonomie du client est totale. Contrairement à ce qui se produit avec les autres modèles, la décision finale lui appartient. Il ne faut pas oublier la nature de l'avis professionnel qui ne porte pas sur la meilleure décision pour le client, mais bien sur la meilleure solution sur le plan technique. L'engagement du professionnel demeure, ici, à l'égard de son avis professionnel : c'est là qu'il engage toute sa responsabilité.

À la faveur de la montée des droits de la personne dans les années 1960, on assiste à une revendication de l'autonomie décisionnelle face aux choix personnels, familiaux, etc. Le modèle d'expert n'aurait pas eu de sens dans une société axée sur la collectivité, mais il prend tout son sens dans une société valorisant les droits individuels et la liberté de choix.

2.4. Le consommateur

Y a-t-il vraiment une différence entre acheter un produit et acheter un avis professionnel ? Peut-on magasiner pour son professionnel comme on cherche un autre service ? Cette question qui pouvait à une époque paraître ridicule pour les personnes qui conçoivent la relation professionnelle comme une relation d'expertise ne l'est plus. Pourquoi ? Tout simplement parce que la nature même du jugement d'expertise est contestée. Le modèle d'expert suppose qu'il existe une vérité suffisamment accessible pour un cas donné et que, si l'on met plusieurs experts ensemble, ils devraient trouver sensiblement le même diagnostic et pronostic et, finalement, s'entendre sur la meilleure thérapeutique sur le plan technique. Or, à quoi les poursuites judiciaires nous ont-elles habitués sinon à ce que les « experts », de chaque partie, se contredisent ?

Lorsque la polémique entre experts d'un même domaine domine le débat rationnel entre les pairs d'une même communauté scientifique, cela discrédite l'expertise. Si les avis professionnels d'experts peuvent tellement différer, pourquoi alors ne pas « magasiner » cet avis afin d'obtenir le résultat souhaité ? Avec le modèle du consommateur nous assistons à la fin de la relation professionnelle, car la relation au savoir n'est plus déterminante de l'exercice de la profession. Le consommateur de service professionnel est complètement libre de consommer ou non un service. Mais si l'avis professionnel présente une expertise, le consommateur sait que, s'il cherche bien, il trouvera quelqu'un pour émettre un avis professionnel différent. Dans un tel contexte, le professionnel est un instrument technique au service du client. Le modèle du consommateur constitue l'aboutissement de la réaction au modèle paternaliste dans la mesure où il suit la logique de la pensée technique inhérente au modèle d'expert.

2.5. La coopération

Parler du modèle coopératif au moment où le modèle d'expert et celui de la consommation font rage dans notre société peut apparaître une « vue de l'esprit » plutôt qu'une réalité vécue ; nul ne le contestera. Mais il ne faut pas oublier que nous traitons, dans cette section, de la fonction symbolique. Or, la transformation du sens des relations professionnelles s'effectue dans la culture avant de devenir effective dans une société donnée. Les mentalités ne changent pas si facilement : il faut que la culture subisse une transformation et que celle-ci traverse diverses institutions, dont celles de l'enseignement et de la recherche, avant qu'elle soit suffisamment reconnue pour être acceptée comme mœurs dans une société. Le modèle paternaliste s'est transformé sur le plan de la culture avant que ce changement devienne graduellement réalité dans la société.

Le modèle d'expert et celui de la consommation qui en résulte dans la logique technicienne ont été l'objet de critiques depuis longtemps aux États-Unis. Les travaux d'Argyris et Schön, en 1973, montraient clairement les limites du modèle technique en tant que représentation de la relation professionnelle[5]. La profession médicale, compte tenu de son importance dans la qualité de la vie des personnes, a encore été la première ciblée. En effet, on accusait, il n'y a pas si longtemps, les médecins de paternalisme et, aujourd'hui, on demande que la relation médicale soit humanisée. Ce slogan « Humaniser la médecine » est une critique fondamentale à la relation d'expertise qui a remplacé la relation paternaliste. Or, comment peut-on humaniser la médecine ? Pour cela, il faudrait savoir en quoi la relation d'expert nie l'humain dans la relation professionnelle.

La relation d'expert déshumanise la relation professionnelle parce qu'elle réduit cette dernière exclusivement à une relation au savoir et non à l'autre. L'autre n'est pas un autre, un humain avec un choix existentiel à faire, il est un « cas ». L'autre est perçu comme le porteur d'un problème technique, maladie ou problème légal, et il a besoin d'un professionnel pour lui proposer une solution technique à un problème technique. Nous sommes loin des personnes réelles avec des problèmes humains et des problèmes de vivre-ensemble dans une société. L'expert réduit toute décision humaine à la décision technique.

L'autre déshumanisation que suscite le modèle d'expert réside dans la croyance que le client est capable, dans la situation existentielle dans laquelle il vient consulter, de prendre sans aide la meilleure décision possible dans les circonstances. Peut-on vraiment croire qu'un malade qui souffre est capable, sans aide, de prendre la meilleure décision pour lui et pour sa famille ? La diminution de ses capacités physiques, l'état de souffrance et de vulnérabilité ne sont pas considérés dans les modèles d'expert.

Cependant, est-ce que l'humanisation de la médecine, comme celle de toute relation professionnelle, nous oblige à revenir au paternalisme ? Le modèle de la coopération semble une réponse aux limites du modèle d'expert et de consommation tout en évitant le retour au paternalisme. Plusieurs auteurs font rapidement allusion

5. C. Argyris et D.A. Schön, *Theory in Practice : Increasing Professional Effectiveness*, San Francisco, Jossey-Bass Publishers, 1974.

aux caractéristiques très générales d'une relation professionnelle où les responsabilités seraient partagées et où le professionnel reviendrait à un souci de l'autre sans pour autant décider pour l'autre.

Peu d'auteurs, à notre connaissance, ont poussé plus loin les caractéristiques de cette relation de coopération. Un tel modèle exige que soient redéfinies, de manière plus précise, les différentes variables. Le modèle de la coopération doit être conçu comme une association entre deux personnes : le professionnel et le client. Le modèle de coopération humanise la relation professionnelle en remettant l'accent sur la nature du service rendu à la personne. Comment pourrait-on définir le service rendu dans le cadre de nos sociétés libérales ? Les professionnels ne nous prennent pas en charge, ils n'administrent pas, pour nous, notre santé ou nos biens comme dans le modèle paternaliste. À quoi pourrait donc servir leur savoir professionnel ?

La relation professionnelle dans un modèle de coopération, tel que nous le concevons, est une relation de service où le savoir pratique d'un professionnel est mis au service du « projet de vie » de la personne. La personne qui consulte le professionnel n'a pas un « problème technique » de santé ou d'affaires, elle a un projet de vie qu'elle ne peut pas réaliser sans les services d'un professionnel. Que je désire vivre en santé ou bien vivre ma mort, je formule deux projets humains qui ont besoin des services des professionnels de la santé pour se réaliser. Nous voyons là toute la différence avec le modèle technique, car, pour ce dernier, la maladie est un problème technique de la santé et la mort, l'échec de la relation professionnelle.

La relation professionnelle est une relation de coopération où le professionnel met son expertise au service de mon projet à condition que je m'engage à clarifier avec lui la nature de ce projet de vie. En poursuivant avec la relation médicale, l'expertise professionnelle du médecin se manifeste dans son savoir et dans sa dynamique puisqu'il participe à faire préciser l'état de santé désiré. Tant que la « demande » n'est pas précisée, il est difficile de trouver la meilleure réponse. Toute relation professionnelle reposerait sur la précision de la demande, des attentes du service, afin de déterminer si le professionnel peut répondre à cette demande. La personne qui consulte est responsable de sa demande ainsi que des informations qu'elle livre pour aider à établir le jugement professionnel. Elle peut en tout temps demander des explications sur les fondements du jugement du professionnel qui pourra l'avoir aidée à formuler sa demande ; l'unicité de son cas fait que la demande d'une autre personne ne sera jamais la même. Le professionnel sollicite une expertise en tenant compte des paramètres tracés du cas et il est prêt à justifier son expertise sur demande.

Le plus bel exemple de modèle de coopération que nous avons pu observer est celui que proposent plusieurs sages-femmes dans leur relation professionnelle. Les personnes au fait du dossier des revendications des sages-femmes au Québec savent que ce mouvement réclame, entre autres, l'humanisation de la médecine. Remettre la femme au centre de la maternité, voir l'enfantement comme un processus de vie et non comme une maladie sont des moyens pour y parvenir. En discutant avec les sages-femmes au Québec, nous avons pris conscience à quel point l'approche que plusieurs d'entre elles véhiculent recoupe des éléments de la relation de coopération en opposition à la relation d'expert. En effet, pourquoi des sages-femmes au Québec sinon pour permettre à des personnes de vivre autrement un projet de maternité et de parentalité. Avec les maisons de naissance, la société nous permet, pour un même projet de parentalité, de choisir entre deux façons de procéder : d'une part, le projet médical, qui voit l'enfantement comme une occasion importante pour les parents et qui propose de mettre au service de la femme enceinte tous les moyens techniques disponibles pour assurer une naissance avec le minimum de risques tant pour la vie de la mère que pour celle de l'enfant ; d'autre part, un projet de parentalité dans lequel mettre au monde un enfant est une expérience de vie et de croissance pour la mère, son enfant, le couple et la famille. Dans chacun des cas l'expertise, ce savoir en action, sera utilisée de façon différente. Autrement dit, c'est à la personne qui consulte de définir son « projet » et si le professionnel ne peut pas réaliser ce projet, alors il doit la diriger vers quelqu'un d'autre. De même, le modèle de coopération exige que la personne s'engage dans un processus. Si la personne refuse de suivre les démarches nécessaires à la réalisation du projet, il est normal que la relation professionnelle cesse. Dans le modèle de coopération, l'engagement est réciproque, la coopération étant la seule garantie d'une relation de qualité. Cet engagement réciproque évite de réduire la relation professionnelle à une consommation de service.

La relation de coopération a aussi des conséquences sociales. En ce sens, le projet des personnes doit être acceptable socialement. Tant que la relation professionnelle est pensée comme une relation d'expert visant un problème technique, on déshumanise encore en sortant la relation professionnelle de son contexte social. Dans le domaine médical, par exemple, on revient constamment, depuis des années, sur l'utilisation excessive des médicaments et des examens ainsi que sur leur coût social. Il est normal, lorsqu'on conçoit la maladie comme un problème technique, de vouloir prendre tous les moyens techniques existants pour s'assurer du diagnostic ; il en va de même pour les traitements. Mais à partir du moment où la relation est perçue comme une relation de coopération dans le contexte d'une mission sociale, il est clair que certaines demandes pourront faire l'objet de discussions, parce qu'elles seront jugées déraisonnables du point de vue social.

Un autre exemple est le modèle technique appliqué par certains avocats et qui discrédite le droit. L'exemple de l'alcool au volant est frappant. À votre avis, que conseillerait-on à une personne qui aurait heurté un piéton alors qu'elle conduisait sous l'effet de l'alcool ? Techniquement, elle mettrait plus de chances de son côté en commettant un délit de fuite. Autrement dit, un avocat pourrait techniquement conseiller une action antisociale pour le bénéfice de son client. Tout le discours consistant à louer l'avocat qui a su « sortir du pétrin » un client en utilisant le texte de la loi contre son esprit démontre bien les craintes de la déshumanisation de cette profession et la perte du sens de la mission sociale.

Conclusion

Comme l'indique le titre de ce chapitre, nous pourrions dire que la relation professionnelle est une « intervention ». En effet, nous consultons un professionnel pour qu'il mette son savoir en action afin que l'on puisse obtenir une aide face à nos attentes. La relation professionnelle n'est pas une relation aux objets mais plutôt aux personnes à travers leur santé et leurs biens. Le professionnel intervient dans nos vies en influençant nos projets et nos manières de vivre.

Depuis le début des professions, avec le développement de la profession médicale, en particulier, on assiste à l'émergence d'un nouveau type de travail rémunéré qui met au service de quelqu'un un savoir. Dès le début, on relève le caractère « dangereux » de ce savoir qui est, en fait, un pouvoir sur l'autre. La relation au savoir, l'autonomie du professionnel et le rapport de dépendance à l'autre sont vites reconnus comme des éléments constitutifs de la relation professionnelle. Le mouvement de professionnalisation n'a fait qu'étendre à d'autres services ce qui existait déjà dans la tradition médicale.

Notons que les caractéristiques essentielles de la relation professionnelle sont connues depuis l'Antiquité. Ce qui a changé dans la culture, c'est la façon de neutraliser la « dangerosité » de cette relation. Si, dans certaines sociétés marquées par l'intégration collective, la question du « pouvoir » ne constitue pas un problème, dans d'autres, comme dans la Grèce antique, le problème doit être résolu. Le serment d'Hippocrate permet, par l'engagement sur l'honneur, d'assurer que la relation de service à l'autre sera garantie. Dans une telle culture, la confiance dans le professionnel est absolue et sa décision est reçue comme celle de « tout bon père de famille ». Cependant, les abus de ce modèle et l'importance du développement technique vont favoriser, au XXe siècle, l'émergence d'un modèle d'expert. L'expert donne son avis, et il revient à la personne qui le consulte de décider ce qu'elle fera. À la limite, rien ne nous empêche de « magasiner » l'expert pour en trouver un qui dira ce que l'on veut entendre. C'est que la relation d'expert débouche sur une relation de consommation de services. Actuellement, la critique du modèle de l'expert et de celui de la consommation de services nous incite à renouer avec une identité professionnelle plus forte où le savoir en action est mis au service de projets humains compatibles avec une société démocratique ; c'est le modèle de la coopération.

L'étude de la professionnalisation a permis de comprendre les principales caractéristiques de la relation professionnelle, de même que les raisons pour lesquelles toute relation professionnelle doit être régie par un dispositif social. L'appel au « professionnalisme » est l'une des façons pour les sociétés d'essayer de limiter les abus possibles de la relation professionnelle. La conception que l'on se fait du « professionnalisme » ou de l'éthique professionnelle varie ainsi d'une époque à l'autre dans une culture, selon la transformation du sens de la relation professionnelle, et selon la fonction symbolique des professions.

CHAPITRE

3

Le professionnalisme

OBJECTIFS

Après avoir lu ce chapitre, vous devriez être en mesure de :

- *comprendre que le professionnalisme est la valeur éthique par excellence dans la relation professionnelle ;*
- *saisir, à la lumière des chapitres précédents, les différentes manières d'assurer le professionnalisme dans une société :*
  - *les mœurs ou l'ethos professionnel,*
  - *la loi et le contrôle pénal,*
  - *les valeurs partagées,*
  - *la responsabilité sociale.*

Nous pouvons maintenant revenir aux questions initiales de cette première partie : Qu'attendez-vous d'une professionnelle ou d'un professionnel ? Lorsque vous consultez un professionnel de la santé (médecin, infirmière, travailleur social, psychologue, etc.) ou un professionnel pour administrer vos biens (avocat, notaire, comptable agréé, etc.), est-ce que vous attendez d'eux plus que des autres personnes avec qui vous entrez en relation de service ? Vos attentes à l'égard d'une professionnelle ou d'un professionnel sont-elles identiques à celles que vous avez envers une personne dont le travail est un métier (plombier, électricien, garagiste, etc.) ?

Les attentes que vous avez reflètent votre conception de la relation professionnelle. Une personne qui préfère vivre la relation professionnelle selon le mode paternaliste n'aura pas les mêmes attentes qu'une autre qui opte pour un modèle de consommation. Chacun des modèles propose une façon d'être au service du client. Le client, lui, s'attend à ce que le professionnel agisse en « vrai professionnel » ; autrement dit, il s'attend à ce que le professionnel exerce ses fonction avec professionnalisme.

Deux questions sont souvent soulevées concernant le professionnalisme. D'abord celle de sa définition. Qu'est-ce que le professionnalisme ? En quoi est-ce différent des caractéristiques de la relation professionnelle ? (section 1 : Définition du professionnalisme). La seconde vise la manière dont se développe le professionnalisme chez les membres d'un groupe. Quels sont les moyens dont la société dispose pour assurer que les professionnels agissent avec professionnalisme ? (section 2 : Mœurs (ethos), droit et éthique).

1. DÉFINITION DU PROFESSIONNALISME

Certaines personnes ont tendance à confondre le professionnalisme avec la professionnalisation ou, encore, avec les caractéristiques essentielles d'une profession. Une façon simple de les distinguer consiste à rattacher chacun de ces termes à un élément spécifique dans l'étude des professions. La professionnalisation est l'étude sociologique des causes expliquant la transformation des métiers en professions. Étudier la professionnalisation, c'est chercher à découvrir les raisons qui nous ont amenés à reconnaître les professions comme des services importants pour la vie personnelle et sociale. La sociologie peut aussi étudier les causes de la perte d'importance des professions ou déprofessionnalisation. En effet, comment expliquer que les professions ne soient plus aussi reconnues ?

Définir les professions est une autre activité qui consiste à répertorier les caractéristiques qui font qu'une profession se distingue d'un métier ou d'un job. Une telle étude n'est pas explicative mais descriptive. Il s'agit d'une activité typologique par laquelle on cherche à classer des phénomènes. Dans un tel classement, seules interviennent des caractéristiques factuelles. Les éléments retenus décrivent de quoi est constituée la profession, sans poser de jugements de valeur sur celle-ci.

Pour le professionnalisme, c'est autre chose. Définir le professionnalisme, c'est entrer dans l'univers de « ce qui devrait être » et non de ce qui est. En effet, lorsqu'on cherche à préciser nos attentes à l'égard d'un professionnel, on ne décrit pas ce qu'il fait, mais ce qu'il devrait faire parce qu'il est un professionnel. Préciser le professionnalisme, c'est identifier les différentes qualités qui devraient animer l'exercice de la profession.

L'étude du professionnalisme nous situe dans le domaine du souhaitable, de l'idéal, dans une relation professionnelle. Comme tout phénomène normatif, le professionnalisme propose des valeurs et des comportements idéaux compte tenu du rôle à exercer. Le professionnalisme n'étant pas une question de fait mais d'idéal proposé aux conduites professionnelles, il renvoie à l'éthique. Il n'y a peut-être pas de consensus sur une définition de l'éthique, mais on s'entend généralement pour reconnaître que l'éthique cherche à guider l'action humaine pour le mieux-être de l'humanité.

Le phénomène de la professionnalisation a démontré comment, depuis l'Antiquité, la relation professionnelle a toujours été perçue comme « dangereuse ». La relation professionnelle, comme beaucoup d'autres relations entre les humains, est dangereuse parce qu'elle est le lieu où peut s'exercer une domination d'une personne sur l'autre. Au lieu d'être au service de l'autre, un professionnel peut très bien utiliser celui-ci comme un objet pour parvenir à ses propres fins. Nous savons que l'humain utilise la force de domination pour régler plusieurs situations, nous en avons des témoignages chaque jour dans la presse écrite ou au téléjournal. Existe-t-il des moyens pour minimiser ce rapport de domination ? Depuis le début de l'humanité, les religions, le droit, la philosophie, l'éthique, la psychologie ont proposé différentes manières de canaliser ces comportements antisociaux. Avec les transformations dans les moyens de production et d'échange, nous sommes constamment obligés de redéfinir nos comportements si nous voulons éviter que seuls règnent les rapports de domination.

Chaque société, tout comme chaque groupe et chaque association, doit veiller à favoriser le vivre-ensemble et à diminuer les rapports de domination : la survie du groupe en dépend. Mais quelles sont les manières qui ont été utilisées jusqu'à présent pour assurer le vivre-ensemble et limiter les abus de pouvoir ? Le retour de l'éthique, en général, et de l'éthique professionnelle, en particulier, peut ici servir de guide pour comprendre les forces et les limites des approches retenues pour assurer le professionnalisme.

2. MŒURS (ETHOS), DROIT ET ÉTHIQUE

Depuis plus de 30 ans, les débats sociaux, notamment autour de questions portant sur la recherche et la pratique médicale, ont amorcé un retour de l'éthique. Ce retour, plus récent au Québec et au Canada, se manifeste par la création de codes, chartes et autres dispositifs. Le législateur québécois a exigé lors de la réforme des services de santé et des services sociaux que toutes les institutions de santé se dotent d'un code d'éthique. Il existe des codes d'éthique pour des institutions, des codes de déontologie pour les professions, des chartes de valeur ou des philosophies d'entreprise pour les organismes. Tous ces dispositifs semblent se rattacher à l'éthique d'une façon ou d'une autre en proposant un idéal de pratique et en cherchant à guider les actions.

On peut dépasser le simple constat de la prolifération de dispositifs éthiques pour mieux saisir la dynamique propre des différents dispositifs en examinant la manière dont chaque dispositif essaie d'assurer le professionnalisme.

2.1. Les mœurs (ethos)

Dans des sociétés homogènes, comme le furent la plupart de nos sociétés jusqu'au milieu de notre siècle, c'est la culture dominante qui façonnait les mentalités et les attitudes. Que la société fût majoritairement protestante, comme aux États-Unis, ou catholique, comme au Québec, dans chacun des cas la vie sociale était inspirée des valeurs religieuses qui guidaient l'action. L'éthique professionnelle ne se différencie pas beaucoup de la morale religieuse. Certes, des codes ou des serments peuvent préciser dans certains cas des « obligations » professionnelles précises mais, au fond, il s'agit toujours d'une application des « obligations morales » de tout bon chrétien.

Une étude publiée en 1977 pour l'Office de professions sur la déontologie professionnelle au Québec est explicite à ce sujet :

> On peut aussi parler de fondement de la déontologie en se référant à la pierre d'angle qui garantit la connexion entre les normes fondamentales et leur aboutissement concret, à savoir l'acte singulier, la situation concrète. Ce point d'appui, c'est la *conscience professionnelle*. C'est en présumant son intervention, sa vigueur et son efficacité que les codes, dans leur teneur actuelle, sont élaborés et promulgués. La conscience professionnelle, c'est l'*intériorisation des normes objectives communément reconnues*, grâce à l'appui des traditions, des impératifs sociaux, de l'éducation reçue dans la famille et dans certaines institutions (collèges privés voués à la formation des élites). Dans cette optique, *le professionnel est d'abord guidé, surveillé et stimulé par sa propre conscience*. Les codes, les comités de discipline et les sanctions jouent une fonction supplétive. Pour juger de l'efficacité des codes, il faudra donc se rappeler qu'ils s'adressent en principe à des individus éduqués dans une tradition morale particulière[1].

1. Cahiers de l'ISSH, *La déontologie professionnelle au Québec* (passages soulignés dans le texte).

Cette conception montre bien que la « force morale » des acteurs dans une société dépend essentiellement du phénomène d'intégration des normes communes. La vie en société est réglée par des normes, des obligations basées sur une conception commune de la vie sociale. Une telle approche est possible lorsqu'une société est relativement homogène sur le plan culturel. Un renforcement de l'idéal de vie personnel, familial et social se fait dans toutes les institutions. Cependant, il ne faudrait pas que cela laisse croire que ce modèle était parfait et qu'il garantissait la conduite morale des personnes. Le dévoilement de scandales sexuels dans les orphelinats dirigés par des religieux démontre toujours que la « chair est faible ».

La force des mœurs réside justement dans cette intégration de normes communes. L'intégration, lorsqu'elle est pleinement réussie, amène la personne à ne plus se poser de questions. Tout va de soi. C'est normal d'agir ainsi, puisque c'est le gros bon sens. Vivre un ethos commun est certes un moyen idéal pour assurer un vivre-ensemble avec un minimum de domination. À l'époque où les professions se vivaient comme des confréries et des milieux de vie professionnelle, il était possible de parler d'un ethos professionnel. C'est d'ailleurs ce que la formation par tutorat vise encore à assurer. Apprendre avec un patron, le voir agir auprès des autres est l'occasion d'intégrer la « meilleure manière d'agir » dans les circonstances.

Aujourd'hui, il existe peu de lieux où l'ethos professionnel est au cœur de la formation de l'éthique professionnelle. En effet, pour que cela soit possible, il faudrait que les personnes partagent une telle proximité de leur expérience professionnelle qu'elles se sentent former une grande famille professionnelle. L'ethos commun relève davantage d'un regroupement de personnes dans une société, d'un mode associatif intense que d'un ordre professionnel regroupant des personnes anonymes. À certains égards, les sages-femmes au Québec possèdent un tel ethos, mais elles voient la difficulté réelle d'intégrer de nouvelles sages-femmes provenant d'autres milieux culturels.

La perte des références religieuses, la revendication de l'autonomie personnelle au regard des contraintes sociales, la critique des modèles de la bourgeoisie dont font partie les professionnels sont des facteurs qui amenuisent l'éthos professionnel. Il n'est donc pas étonnant qu'avec le Code des professions la société soit passée d'un modèle moral à un modèle légal.

2.2. Le droit

Avec le Code des professions, le législateur québécois est intervenu clairement dans le domaine du professionnalisme, c'est d'ailleurs son principal objectif. Plusieurs personnes sont étonnées d'apprendre quelle est la fonction d'un ordre professionnel. L'article 23 du Code des professions est explicite sur ce point : « Chaque ordre a pour principale fonction d'assurer la protection du public. À cette fin, il doit notamment contrôler l'exercice de la profession par ses membres. » En se dotant du système professionnel, le Québec voulait s'assurer que le professionnalisme, ce qui assure la protection du public, soit garanti par la voie légale.

L'ordre professionnel au sens du Code des professions n'est plus le milieu de vie professionnel de jadis, ni une confrérie, ni une corporation qui défend les intérêts économiques de ses membres sur le marché. Dans un document que l'Office des professions remet aux membres sollicités pour former un comité de réflexion sur des requêtes de reconnaissance professionnelle, on est explicite sur « ce que n'est pas un ordre professionnel ». On y retrouve mentionnées les catégories suivantes : un syndicat, un porte-étendard, un cercle savant ou d'élite, une association de solidarité, un courtier de service, un registraire, un préfet de discipline ou un ombudsman. Autrefois, toutes ces fonctions appartenaient à une profession qui s'organisait autour d'une association forte des membres. Le Code des professions vient donc souligner une différence essentielle entre une association de professionnels et un ordre professionnel, ce dernier étant un organisme de contrôle et de surveillance des membres d'une profession.

Pour assurer sa fonction de contrôle, l'ordre professionnel dispose du pouvoir de réglementer la pratique et de sanctionner tout manquement aux règlements. Ces règlements délimitent les conditions d'admission, de formation et d'équivalence de formation à la profession. Sur la pratique elle-même, le Code de déontologie assure les devoirs du professionnel envers le public, le client et sa profession. De même, des règlements sur la tenue de dossier, la publicité ou même les standards de la pratique établissent les comportements attendus du professionnel.

En outre, l'ordre professionnel vote les règlements conformément à la loi-cadre qu'est le Code des professions et gère la procédure relative aux plaintes, au jugement et à la sanction éventuelle. Le Code des professions propose ainsi une approche pénale pour assurer la qualité du professionnalisme. Étant donné la difficulté de juger de l'acte professionnel, ce sont les professionnels en comité de discipline qui auront la tâche d'autogérer le professionnalisme. Évidemment, la radiation d'un membre de l'ordre constitue la peine capitale pour tout professionnel.

La fonction contrôle des membres fait souvent apparaître l'ordre comme étant essentiellement un système policier dans la profession. Mais il est plus que cela : il doit faire en sorte, par la surveillance, que les services rendus soient de la plus grande qualité professionnelle possible. C'est par l'inspection professionnelle que l'ordre s'assure ici de vérifier sur le terrain la qualité des interventions professionnelles. Par ailleurs, il ne faut pas oublier que la formation continue ainsi que des garanties d'assurance professionnelle servent de mesures préventives plutôt que curatives.

Avec le Code des professions, le législateur a voulu combler les insuffisances au professionnalisme résultant du fait qu'on ne peut plus se fier au seul ethos professionnel dans une société en transformation. Cette approche punitive s'est répandue dans bien des secteurs et constitue souvent la façon de voir le rôle des codes d'éthique ou de déontologie. Dans son étude sur l'éthique de la recherche dans les universités, Diane Duquet refait le même cheminement intellectuel que le législateur, pour conclure à la nécessité de gérer l'éthique de manière punitive. Au départ, elle constate que plusieurs facteurs ont contribué à « modifier l'institution universitaire et à occulter les valeurs fondamentales auxquelles elle est traditionnellement associée (désintéressement, recherche de la vérité, équité, rigueur, etc.) ». Autrement dit, l'ethos des chercheurs ne suffit plus pour garantir le « professionnalisme ». Que faire alors ?

Le recours à des codes apparaît comme une solution pour refléter les valeurs que tous les chercheurs ou personnes du groupe devraient partager. « Et c'est là qu'interviennent les codes d'éthique, règlements internes, ou énoncés de mission, quand il importe de s'assurer que les décisions ou les comportements d'un groupe composé d'individus distincts refléteront un même idéal, le partage des mêmes valeurs. » Contrairement à la position que O'Neil développait à l'IHSS, cette auteure soutient que les codes visent à assurer le respect de valeurs qui ne peuvent plus être partagées sur le plan moral. La suite de sa pensée est claire à ce sujet : « On peut être d'accord avec

Etchegoyen et se dire que l'adoption de règles visant à assurer le respect de l'éthique est un symptôme d'une carence morale ; toutefois, si l'on accepte la pluralité des individus, des formations et des cultures, on voit mal comment il est possible de s'en passer au strict plan opérationnel[2]. » L'approche à privilégier sera donc répressive. La répression ici devient le nouveau moteur de la conscience professionnelle. Pour l'auteure, l'approche répressive a fait ses preuves : « Il est toujours embarrassant d'utiliser une terminologie associée à la répression, d'autant plus que la société démocratique nord-américaine répugne généralement à recourir à des mesures répressives. Toutefois, l'impact de telles mesures est incontestable quand il s'agit d'intervenir rapidement et concrètement pour signifier qu'une situation est intolérable et ne sera pas tolérée plus longtemps[3]. »

Cependant, on peut se demander jusqu'à quel point l'approche légale peut effectivement garantir le professionnalisme. Certes, la crainte est peut-être le début de la sagesse, mais, comme l'énonce ce dicton, c'est seulement le début. Les limites de l'approche légale punitive résident dans les contraintes légales du jugement. Tout comité de discipline, comme tout comité qui sanctionnerait un manquement à un code de déontologie, doit suivre les règles de justice habituelle de nos tribunaux. Il faut être en mesure de prouver que le manquement a bel et bien eu lieu, que la personne était bel et bien la responsable de cette faute professionnelle, etc. On connaît déjà la lourdeur du système judiciaire, d'une part, et, d'autre part, les difficultés de produire une preuve prépondérante d'un manquement. Le résultat de ces limites dans les procédures de l'application du droit est simple : seuls les manquements les plus graves pourront être contrôlés par l'application des codes. L'approche légale ne peut assurer le « professionnalisme » que dans des situations extrêmes. Elle ne peut donc pas assurer le « professionnalisme » au quotidien : les manquements à la discrétion qui n'ont pas fait de dommages importants, les manquements au respect du client soit par des paroles, soit par des actes, etc. Ainsi, l'approche répressive ne peut seule assurer la qualité des relations professionnelles, c'est pourquoi le retour de l'éthique apparaît, dans certains milieux, comme une manière d'assurer le « professionnalisme » au quotidien.

---

2. Diane Duquet, *L'éthique dans la recherche universitaire : une réalité à gérer*, Études et recherches, Conseil supérieur de l'éducation, novembre 1993, p. 14-15.
3. *Ibid.*, p. 66.

2.3. L'éthique

L'ethos professionnel ainsi que le droit assurent le professionnalisme en privilégiant les obligations d'agir d'une manière précise dans un contexte donné. D'ailleurs, le mot « déontologie » renvoie étymologiquement aux « devoirs ». L'approche éthique dont il est question dans ce manuel se distingue de l'approche morale ou légale dans la mesure où l'élément normatif n'est pas l'obligation, mais la valeur. Dans cette approche, le professionnalisme est la valeur par excellence de toute profession. Les comportements ne pourront pas être inspirés par le professionnalisme si les futurs professionnels ne sont pas mis en présence des valeurs fondatrices de leur pratique. Ces valeurs fondatrices ne peuvent provenir de l'extérieur, mais seulement des professionnels eux-mêmes.

Comme nous avons pu le voir dans les chapitres précédents, les transformations sociales exigent des professionnels qu'ils se redéfinissent périodiquement. Ne serait-il pas important pour un ordre professionnel d'amorcer une réflexion sur la mission sociale de sa profession, sur le sens de la relation professionnelle, sur la nature du jugement professionnel et des rapports interpersonnels vécus dans la relation ? Les valeurs de la profession ne sont pas abstraites, elles sont, certes, un produit de l'histoire, mais elles sont à renouveler pour faire l'histoire.

Identifier et nommer les valeurs fondatrices de la relation professionnelle est une première étape visant à assurer le professionnalisme. Cette étape peut très bien conduire à l'élaboration de chartes sur les valeurs fondatrices de la pratique. Mais ces valeurs peuvent demeurer générales et abstraites des contextes. L'éthique est au travail lorsque, dans des circonstances particulières, des personnes essaient de s'entendre sur la meilleure façon d'agir comme professionnel. Dans des situations particulières, on s'aperçoit que les valeurs entrent souvent en conflit, provoquant un dilemme. Contrairement aux codes de conduite et aux codes de déontologie qui imposent des comportements spécifiques ou généraux dans tous les contextes analogues, les codes de valeurs ne précisent jamais les comportements qui pourraient en être la manifestation. En effet, des comportements différents dans des situations différentes peuvent effectivement actualiser les mêmes valeurs. L'approche éthique déplace essentiellement la question morale puisqu'il ne s'agit plus de déterminer quel comportement respecte l'obligation morale ou légale dans les circonstances, mais bien quelle action pourrait être considérée comme la plus raisonnable pour nous, professionnels, dans les circonstances.

Le retour de l'éthique dans les débats publics a favorisé l'émergence de nouveaux dispositifs ou a renouvelé la pratique de certains dispositifs issus du modèle légal. On peut penser entre autres à l'apparition de comités d'éthique clinique dans les centres hospitaliers[4] et à certains comités d'éthique dans les services sociaux[5]. Ces dispositifs sont destinés à assurer la qualité de la relation professionnelle au quotidien et à aider les personnes à prendre les meilleures décisions possible dans des circonstances parfois déchirantes. En ce sens, l'approche éthique est complémentaire au droit, puisqu'elle permet de stimuler la qualité maximale de la relation professionnelle. Le droit apparaît, en fait, comme un moyen de contrôle externe visant à réduire le nombre de cas inacceptables, c'est-à-dire les personnes qui ne veulent pas entrer dans la sphère éthique.

Conclusion

Il ne s'agit plus, avec le professionnalisme, de décrire les professions et de les regarder comme des produits sociaux. Dès que l'on se prononce sur le professionnalisme, on propose aux membres de la profession un idéal professionnel inscrit dans une mission sociale. C'est le sens même de la relation professionnelle qui est inspiré par des valeurs fondatrices. Sans ces valeurs et sans mécanismes pour assurer le professionnalisme de ses membres, une profession peut rapidement perdre toute crédibilité. En effet, lorsque les professionnels abusent de leur pouvoir pour dominer l'autre dans la relation professionnelle, ils détruisent la confiance nécessaire à son exercice.

Comme les transformations du professionnalisme vont de pair avec celles de la société, il n'est pas étonnant que nous soyons passés d'un modèle axé sur les mœurs et la morale à un modèle légal punitif pour assurer le professionnalisme. Le retour de l'éthique dans la

---

4. M.H. Parizeau (sous la direction de), *Hôpital et éthique*, Sainte-Foy, Presses de l'Université Laval, 1996.
5. Johane Patenaude et Georges A. Legault (sous la direction de), *Enjeux de l'éthique professionnelle, Codes et comités d'éthique*, Sainte-Foy, Presses de l'Université du Québec, Collection Éthique, 1996, introduction, p. 19-32.

culture contemporaine et l'inscription de l'éthique appliquée dans des comités ou des groupes de réflexion ne sont pas étrangers aux limites de l'approche juridique. Il s'agit de renouveler la pensée de l'autre et de la collectivité sans pour autant s'inscrire dans une démarche aliénante comme celle qui consiste à imposer les normes de la majorité. Cet effort en vue de concilier le « je » et le « nous » constitue un gage de renouvellement de l'éthique professionnelle.

Nos sociétés évoluent à un rythme accéléré. De découvertes en découvertes, d'une production technique à une autre, les changements sont tellement rapides qu'il est opportun de se demander ce que sera un professionnel de l'an 2000. Et, plus encore, si la notion de profession sera encore utile.

CHAPITRE

4

Les professionnels de l'an 2000

OBJECTIFS

Après avoir lu ce chapitre, vous devriez être en mesure de :

- *comprendre comment la bureaucratisation et la socialisation des services modifient la relation professionnelle ;*
- *saisir comment le raisonnement technique envahit progressivement le jugement professionnel ;*
- *comprendre l'importance accrue de l'approche « service » ;*
- *comprendre l'enjeu de la crise de l'identité professionnelle.*

Depuis les Grecs, la façon d'être médecin s'est transformée radicalement. La relation du maître au disciple qui caractérisait le mode d'éducation de l'époque créait une famille de l'esprit tout aussi importante que la famille biologique. La relation d'éducation devenait une relation filiale au point où le jeune médecin s'engageait dans son serment à considérer son maître de médecine au même rang que ceux qui lui avaient donné la vie et à prendre soin de lui. La médecine à ses débuts était une pratique qui essayait d'être reconnue, elle luttait contre d'autres formes de pratiques, notamment la magie. Cette pratique était privée, nous étions loin des institutions de santé. Aujourd'hui, la médecine se pratique en institution. La bureaucratisation et la socialisation ont transformé les lieux de pratiques dans nos sociétés en cherchant à rendre les services plus efficaces et plus justes. (section 1 : La bureaucratisation et la socialisation de la relation professionnelle). Ce phénomène a des conséquences importantes pour l'avenir des professions.

La pratique de la médecine, comme des autres professions, se renouvelle au gré des découvertes. Les pas de géants que nous avons faits, en ce siècle, dans la connaissance des maladies, l'invention de nouveaux appareils qui permettent des interventions plus efficaces et la production de nouveaux médicaments ont transformé l'art de la médecine en sciences médicales. Le fait que le raisonnement technique soit dorénavant privilégié dans la relation professionnelle efficace accentue le modèle d'expert et met en cause le « jugement clinique » qui était au cœur de la compétence professionnelle (section 2 : Existe-t-il encore un jugement professionnel ?).

Un autre élément vient aggraver la crise d'identité : l'explosion des services spécialisés. En effet, la création d'emplois rémunérés concerne plus le développement de nouveaux services que la production de biens ; même les biens sont aujourd'hui associés à des services complémentaires. Dans la mesure où tous les services exigent une formation préalable, la frontière entre les professions et les services s'amenuise (section 3 : L'explosion des services).

Ces trois facteurs expliquent, en partie, la crise d'identité que vivent les professionnels. Cela annonce-t-il la fin des professions ? Les professions et les ordres professionnels auront certes à préciser leur identité et leur rôle, mais le rapport à l'autre, traversé par le savoir en action, qui caractérise les professions exigera toujours du professionnalisme.

1. LA BUREAUCRATISATION ET LA SOCIALISATION DE LA RELATION PROFESSIONNELLE

Lorsqu'on analyse un code de déontologie, on remarque que la partie essentielle du code est réservée aux devoirs envers le client. La relation du professionnel avec son client constitue, comme nous l'avons vu à maintes reprises, le noyau d'une profession. Cependant, la lecture des codes nous laisse souvent l'impression qu'il y a quelque chose de dépassé dans leur formulation. Cette impression s'avive lorsqu'on observe l'écart considérable qui existe entre la relation professionnelle dans la pratique privée et dans la pratique en institution.

Si vous consultez, par exemple, un psychologue à son bureau dans une pratique privée, vous comprenez aisément que dans ce contexte de pratique le professionnel jouit d'une très grande autonomie dans l'exercice de sa pratique. Mais si vous consultez le psychologue de l'entreprise dans laquelle vous travaillez, pensez-vous qu'il jouit de la même autonomie ? De même, pensez-vous que le psychologue du CLSC possède la même autonomie ? Et que dire des infirmières ? Lorsque vous êtes en présence d'une infirmière, considérez-vous qu'elle établit avec vous une relation professionnelle et qu'elle est autonome ?

L'identité professionnelle, telle qu'elle s'est construite en contexte québécois, repose sur l'autonomie inhérente à la pratique privée. Le modèle de base est celui du cabinet personnel où le professionnel détermine ses honoraires avec son client. Il planifie avec lui, selon leur disponibilité réciproque, les rencontres nécessaires pour fournir le service professionnel pour lequel il a été consulté. Toutes les modalités d'exercice de la profession sont décidées par le professionnel. À la limite, il y a une secrétaire pour noter des rendez-vous et accueillir les personnes au cabinet.

Il existe encore des professionnels en pratique privée individuelle, mais ils ne constituent pas la majorité. Les pratiques privées les plus reconnues sont souvent désignées par l'expression ambiguë « la grosse boîte » d'ingénieurs-conseils, d'avocats, etc. Les mots « bureaucratie », « bureaucratisation » ont certainement perdu le sens positif qu'ils avaient il n'y a pas si longtemps. Ils désignent toutefois un phénomène important qui a marqué et qui marque encore la division du travail. Si la bureaucratisation a produit des effets pervers dont on se moque aujourd'hui, il n'en demeure pas moins qu'il s'agit d'un phénomène important dans la transformation des pratiques professionnelles. Le sociologue Guy Rocher nous met en garde contre la tendance à associer bureaucratie et État. Il rappelle avec justesse : « La bureaucratisation est un phénomène qui traverse toute la société ; on le retrouve dans la grande entreprise privée, même aussi dans la moyenne sinon la petite, dans les hôpitaux, les établissements d'enseignement de différents niveaux, les organisations sportives, les églises, etc.[1]. » Voici comment il précise les caractéristiques essentielles de la bureaucratie :

> C'est une organisation de la division des responsabilités et du travail, basée sur une hiérarchie très structurée, avec des canaux reconnus de communication à l'intérieur de cette hiérarchie, des juridictions bien établies et des fonctions de travail largement réparties. Le tout est censé être inspiré par une volonté de rationalisation d'un ensemble complexe de tâches, dans le but d'éviter les dédoublements, les recouvrements, les conflits par un effort de coordination et de planification.

1. Guy Rocher, *La bioéthique comme processus de régulation sociale, Études de sociologie du droit et de l'éthique*, Université de Montréal, Montréal, Thémis, 1996, p. 266.

La bureaucratisation apparaît ainsi comme une réponse aux transformations environnantes : la découverte de la complexité des phénomènes et leurs interrelations. La découverte de la complexité du monde dans lequel nous vivons exige que plusieurs « spécialistes » soient réunis pour atteindre les objectifs d'une entreprise. La bureaucratisation constituerait un moyen de regrouper des personnes ayant des expertises différentes pour les inciter à conjuguer leurs efforts afin de mieux réaliser l'objectif.

La structure hiérarchique d'autorité est à la base de toute bureaucratie ; les décisions se prennent au sommet. Dans cette fourmilière humaine, chacun doit occuper une fonction précise, accomplir une tâche d'exécution ou une tâche d'information. Toutes les informations névralgiques sont soumises à la direction pour les décisions touchant l'ensemble de l'organisation. C'est la voie ascendante de l'information sur le fonctionnement de l'entreprise. En retour, les décisions prises au sommet sont transmises par voie hiérarchique pour être exécutées. Mais toute bureaucratie est en réalité un système de contrôle, contrôle de la productivité finale des biens et des personnes en vue de l'accroître.

La bureaucratie peut donner d'excellents résultats dans la mesure où tout le monde participe à cette organisation du travail et accepte ce mode hiérarchique de décision. Toutefois, la bureaucratisation peut produire un effet pervers lorsque les champs exclusifs ne sont pas respectés. En effet, lorsque les décisions prises ne respectent pas les compétences des spécialistes dans le domaine, la structure bureaucratique réduit l'autonomie des spécialistes et en fait des exécutants. De plus, les conflits entre diverses expertises doivent être résorbés. Dans la réalité, certains auront plus de pouvoir dans les décisions que d'autres. À la limite, certaines décisions créeront des situations tellement irréalistes pour les exécutants qu'ils seront amenés à réduire graduellement leur engagement dans l'entreprise. Par conséquent, il est aisé de comprendre comment nous est venue l'image du bureaucrate qui n'est ni engagé envers le client, ni envers l'entreprise, c'est-à-dire le fonctionnaire.

Les avantages de la bureaucratie résident dans la possibilité de travailler à plusieurs à favoriser l'intégration de diverses expertises. Un avocat dans une pratique privée ne peut pas être spécialiste dans tous les domaines du droit. La complexité de l'univers juridique, national et international force donc à créer des regroupements d'avocats ayant leur spécialité, d'où émerge la compagnie de consultation juridique. C'est alors qu'une hiérarchie apparaît entre les membres associés et ceux qui ne le sont pas. La division du travail s'avère nécessaire, de même que les mécanismes de contrôle. Les avantages de participer à une telle entreprise comportent cependant l'inconvénient de réduire l'autonomie professionnelle.

Pour sa part, le domaine des services de santé et des services essentiels aux êtres humains s'est socialisé. Alors que le modèle libéral d'entreprise privée favorise les plus riches dans une société, la socialisation des services par le biais de l'État-providence vise à rétablir une certaine justice sociale. Et cette socialisation des services ne va pas sans bureaucratisation, d'où la création d'institutions publiques qui auront recours aux différents professionnels.

Ces phénomènes de bureaucratisation et de socialisation des services professionnels menacent l'autonomie professionnelle qui est au cœur de la relation professionnelle. Cette menace se fait sentir sur deux plans. Le premier est celui de la hiérarchisation des services. La structure décisionnelle de l'entreprise oblige le professionnel à répondre de ses activités à des supérieurs ; le professionnel a donc des comptes à rendre à d'autres personnes que son client ou que son ordre professionnel. En devenant salarié de l'institution ou de l'entreprise, il devient lié à deux « clients » : l'entreprise pour laquelle il travaille et la personne qui le consulte. On comprend aisément comment cette situation nouvelle est source constante de tension nourrie par les dilemmes éthiques dans la pratique professionnelle. Il en est de même pour la circulation de l'information. Qu'advient-il du secret professionnel dans le cadre d'une entreprise ? Comment gérer confidentialité et circulation de l'information pour assurer une meilleure productivité ?

La menace de l'autonomie professionnelle se fait sentir sur un second plan, celui de la productivité. Que cela concerne la pratique privée en entreprise ou publique en institution, le problème est identique : la productivité. L'entreprise, pour être rentable économiquement ou pour atteindre ses objectifs de justice distributive, doit envisager d'augmenter la productivité des services. Dans une planification, on tiendra compte de « quota », de ratio de productivité (temps sur argent ou temps sur client). La productivité des professionnels pourra être mesurée, comparée, etc. Parfois, certaines institutions pourront même imposer certains paramètres de productivité.

Ce phénomène représente encore un danger pour l'autonomie professionnelle. Qu'est-ce qui décide du temps nécessaire à une consultation ? la vitesse moyenne ou le besoin réel du client ?

Le phénomène de bureaucratisation a ainsi modifié l'organisation du travail en y proposant un modèle de rationalisation, qui est en fait celui du raisonnement technique qui a tendance à dominer l'activité professionnelle. Nous voyons donc comment la bureaucratisation accentue l'importance du modèle de l'expert.

2. EXISTE-T-IL ENCORE UN JUGEMENT PROFESSIONNEL ?

Dans les années 1960, le modèle technique est apparu comme la voie pour assurer les interventions les plus efficaces dans tous les domaines. Ce n'est pas un hasard si, à la création des cégeps, on espérait que 80 % de la clientèle s'inscrirait au volet technique comparativement à 20 % pour le volet général menant à l'université. Nous avons déjà mentionné que le raisonnement technique est en contradiction avec le jugement professionnel. Il est important d'y revenir dans la mesure où l'apparition de nouvelles technologies accentue ce type de raisonnement. Lorsque le raisonnement technique devient le modèle de rationalité dans les pratiques professionnelles, il est facile de comprendre que l'autre facteur fondamental à l'identité professionnelle, le jugement professionnel, soit menacé.

Comment peut-on distinguer raisonnement technique et jugement professionnel ? Reprenant les travaux d'Argyris et Schön, Johane Patenaude énonce les caractéristiques suivantes du modèle de la rationalité technique et du modèle d'expert qu'elle favorise dans la relation professionnelle. « Pour l'expert, dit-elle, l'enjeu d'une décision repose sur le choix des instruments, des moyens pour résoudre un problème[2]. » La formule est simple mais tellement lourde de sens. Dans la pensée technique, la personne fait toujours face à un problème à résoudre. Le travail intellectuel, le raisonnement pratique, consiste ici à bien cerner le problème (afin d'isoler ses causes) et à trouver les moyens les plus efficaces pour le résoudre. Dans ce raisonnement, les problèmes sont toujours considérés comme des problèmes techniques,

2. Johane Patenaude, « L'apport réflexif dans les modèles professionnels. Par-delà l'efficacité », dans G.A. Legault (sous la direction de), *L'intervention : usages et méthodes*, Sherbrooke, GGC Éditions et Université de Sherbrooke, 1998, p. 102.

c'est-à-dire comme si quelque chose dans une machine ne fonctionnait pas. Le problème est décrit alors à partir d'images mécaniques. Nous utilisons souvent des images de ce genre pour parler de la maladie : des problèmes de plomberie (cœur, circulation sanguine ou intestins) ; les « batteries à terre » ; le système s'est enrayé, etc.

Lorsque le raisonnement technique s'inscrit dans la relation professionnelle, cela amène à proposer une définition de cette dernière en termes techniques. Le premier changement apparaît dans la relation de service. Le service rendu n'est plus un service à l'autre qui nous formule une demande précise, mais un problème à résoudre. Ce changement dans la nature du service a pour conséquence de séparer la relation au savoir (qui devient technique) de la relation à l'autre, qui se transforme en relation (technique) de communication.

Ce changement a une grande importance dans la relation et y réfléchir nous permet de mieux comprendre les insatisfactions vécues dans certaines relations professionnelles. Lorsque le client s'adresse à un professionnel qui pense son intervention à partir de la rationalité technique, il n'est pas cette personne souffrante, angoissée, nerveuse, etc., il est un exemplaire, vivant certes, mais un exemplaire tout de même d'un problème que peuvent éprouver des centaines d'autres personnes. Dans la rationalité technique, on ne cherche pas l'unicité du cas devant soi mais sa généralité. L'identification du problème consiste donc à prendre des renseignements « objectifs et factuels », afin de bien préciser que tel client est un cas de telle maladie ou de tel problème juridique, par exemple. « Être un cas de… » parmi tant d'autres cas de… voilà la première transformation de la relation professionnelle apportée par le raisonnement technique.

Dans la seconde opération, il s'agira donc pour l'expert de trouver la méthode la plus efficace pour résoudre ce « cas de… ». Pour tel type de cas, telle approche est assurément la meilleure. Une fois cette seconde étape franchie, il restera à revenir au client et à lui parler.

Puisque le problème a été identifié et la meilleure solution, trouvée, que reste-t-il à faire avec le client sinon d'essayer de le convaincre de suivre la recommandation. Puisque le problème est technique et la solution aussi, la présence des émotions dans la communication risque de perturber la relation professionnelle. L'expert veillera donc à éliminer de son discours toute émotion, car la valeur de son expertise dépend de la rationalité. Il devra aussi amener l'autre à décider en fonction de cette rationalité abstraite et technique et non pas à partir des émotions, si « irrationnelles » pour lui. Et lorsque le client refuse de suivre une recommandation si rationnelle, l'expert ne peut y voir que le reflet de l'ignorance.

Ces propos paraîtront à plusieurs très caricaturaux de certains experts. Ce qui importe, c'est qu'ils servent à rendre explicite le type idéal d'expert véhiculé par la rationalité technique. Or, ce type est justement à l'opposé, sur bien des points, du jugement professionnel. Au cœur de la relation professionnelle, depuis le début, il s'agit de rendre service à quelqu'un, ne l'oublions pas. La première étape de toute relation professionnelle consiste alors à bien préciser dans le mandat la nature du service requis. Quelle est la demande de service ? La demande de service renvoie certainement à des difficultés concernant la santé ou l'administration de ses biens, mais une difficulté ne correspond pas obligatoirement à un problème à résoudre de manière technique. Dans une relation professionnelle, c'est le client qui a une demande à formuler et qui seul peut la préciser. En ce sens, le premier travail du professionnel consistera à aider le client à formuler sa demande afin de vérifier s'il peut y répondre. Devant une même difficulté, par exemple la maladie ou un divorce, les personnes pourront avoir des demandes différentes. Seuls les clients peuvent, avec l'aide du professionnel, préciser l'ampleur de leur demande.

Les moyens dont dispose le professionnel pour répondre à la demande varient ainsi selon la nature de la demande formulée. C'est l'unicité du cas qui oblige le professionnel à trouver pour cette demande la meilleure solution possible. Or, puisque la demande vient du client, lui seul pourra apprécier à la fin du processus les moyens proposés.

On ne retrouve pas, dans le jugement professionnel, une distinction entre la relation de communication et la relation au savoir comme dans le modèle technique. Le modèle technique suppose en effet que la finalité de la relation professionnelle n'est pas déterminée par la personne, mais par le problème. Le jugement professionnel, au contraire, dépend de la personne. Sa demande ne peut pas être abstraite de la charge émotive qui le sous-tend. Le professionnel, dans son jugement, conjugue sa connaissance spécialisée et son rapport à l'autre afin d'assurer le meilleur service possible à cette personne. « Je ne suis pas vous, mais si je comprends bien ce que vous m'avez dit, ce que vous désirez, je pense que compte tenu de la situation, des moyens dont on dispose pour agir, la meilleure solution pour vous serait de... Qu'en pensez-vous ? » C'est à se demander parfois si le jugement professionnel est plus un art qu'une science.

La bureaucratisation des services, comme nous l'avons mentionné, dépend de la pensée technique telle qu'elle est appliquée à l'administration ; pas étonnant que ce modèle favorise, dans l'exercice professionnel, le modèle d'expert. Dans la mesure où les professionnels intègrent ce type de rationalité, on verra alors se développer dans une institution, à l'opposé du jugement professionnel, des « standards de pratique ». Voilà une des conséquences de la rationalité technique qui envahit les services professionnels. L'approche technique suppose qu'il y a une meilleure procédure à adopter dans un cas particulier. Tout professionnel qui procéderait autrement serait dès lors « incompétent ». Ainsi, la rationalité technique conduit à uniformiser les pratiques et à définir, à la limite, les gestes que doit poser un professionnel dans chaque cas. Dans la mesure où les ordres professionnels établissent de tels standards et s'en servent pour évaluer la compétence professionnelle, ils menacent eux-mêmes le jugement professionnel. Le phénomène inquiétant observé dans les institutions et qui consiste à recourir à des techniciennes et à des techniciens (en soins de la santé, en travail social, en psychologie, etc.) se comprend si le travail demandé est déjà tout prévu dans des standards de pratique.

Depuis longtemps déjà, les membres du corps professoral dans les milieux professionnels déplorent cette demande des étudiants et des étudiantes pour des recettes. En effet, conformément à la rationalité technique, être pratique, pour eux, c'est obtenir à la fin d'un cours les renseignements sur ce que l'on doit absolument faire dans tel cas précis.

3. L'EXPLOSION DES SERVICES

L'identité professionnelle est aussi menacée par un troisième facteur : l'explosion des services. Aujourd'hui, on n'achète pas une voiture comme un simple produit, on achète un service. En effet, la promotion des ventes de voiture se fait à partir de plans de financement (achat ou location), de plans d'entretien, de services de dépannage d'urgence, etc. Dans bien des compagnies, l'approche service a déjà remplacé l'approche production de biens. La publicité tentera de vous convaincre que le bien a été pensé pour vous à partir de vos demandes et de vos requêtes.

Il existe de multiples exemples de ce phénomène. Parmi ceux-ci, le cas des éboueurs et des vidangeurs est très révélateur. Ramasser les ordures ménagères ou vider les fosses d'aisances serait, selon les critères que nous avons développés, des jobs plutôt que des métiers, encore moins des professions. Pourtant, les compagnies qui effectuent ces opérations s'identifient comme des services à l'environnement. Plusieurs personnes seront enclines à interpréter ce phénomène comme de la récupération idéologique afin d'être au goût du jour. Certes, cela existe mais il y a aussi autre chose. De plus en plus, on se rend compte que l'ensemble des produits s'inscrit dans des styles de vie et qu'il importe de souligner la manière dont ce produit est au service de ce style de vie plutôt que de le présenter en lui-même. Ainsi, la crise de l'automobile aux États-Unis provoquée par les concurrents japonais s'explique en grande partie par cette approche du service au client et par le souci du client dans la fabrication qui a permis aux produits japonais de dominer le marché.

Quelle compagnie aujourd'hui n'accorde pas une importance capitale au service à la clientèle ? Les plaintes des clients sont prises au sérieux, du moins par le biais de lignes d'écoute et de renseignements. Sur beaucoup de produits, on indique aujourd'hui des numéros de téléphone afin de conseiller l'usager du produit ou de recevoir ses commentaires.

Dans la mesure où la production des biens se rapproche de l'idée de service, un autre critère de la distinction entre profession et emploi perd de sa pertinence. Ce phénomène s'amplifie étant donné que la création d'emplois s'observe de plus en plus dans le domaine des services. Depuis les années 1970, les transformations économiques et sociales ont créé de nouveaux besoins en services. Combien de compagnies de « consultants » ont fait leur apparition sur le marché ? Le développement des connaissances dans tous les domaines est mis au service des populations. De plus, les services qui auparavant n'exigeaient pas de connaissances spécialisées se sont transformés ; il suffit de penser à la vente, au marketing, à la publicité. En effet, non seulement ces domaines ont intégré des connaissances spécialisées, mais plusieurs services secondaires se sont également développés. Que dire de tous les services d'assurances, des services en placements, des services bancaires, etc. ?

L'explosion des services intégrant des connaissances spécialisées a un double effet sur la relation professionnelle : elle ébranle le critère de la connaissance spécialisée et celui du professionnalisme. En effet, les professions se sont toujours distinguées des métiers ou des jobs par l'importance des connaissances requises pour leur pratique. Certes, dans une société peu scolarisée, il est facile de reconnaître les professionnels des non-professionnels à partir de ce critère. Mais, aujourd'hui, avec l'accès facilité à la formation universitaire, nos sociétés sont fortement scolarisées. Les connaissances spécialisées, en étant essentielles à beaucoup de services, contribuent à semer la confusion. Ainsi, lorsqu'on demande dans des formations ce qui caractérise un professionnel, plusieurs répondent « les études universitaires ». Toute personne qui possède une formation universitaire et qui travaille dans un domaine précis serait conséquemment un professionnel. Un directeur général est-il un professionnel ? Un policier ? Pour plusieurs, oui, pour d'autres, non, ainsi que nous l'a montré un débat houleux qui s'est déroulé au cours d'une activité pédagogique portant sur ces questions avec des personnes provenant de divers milieux occupationnels. Force est donc d'admettre que les professions reconnues ne sont plus les seules activités de service qui exigent une formation spécialisée.

Par ailleurs, l'explosion des services exigeant des connaissances spécialisées a pour effet de rendre les gens plus sensibles aux dangers d'abus qui deviennent équivalents à ceux de la relation professionnelle. Le professionnalisme ou l'éthique professionnelle apparaît de plus en plus nécessaire à la structure même des services. La prolifération des codes d'éthique dans tous les milieux, de l'entreprise privée aux services publics, témoigne de ce phénomène. Toute relation de service au sein de laquelle le client n'est pas en mesure d'évaluer par lui-même certains enjeux qui l'affectent comporte un aspect de dépendance. Le développement de l'éthique dans les milieux des affaires et dans les milieux professionnels vient encore embrouiller la situation en ce qui a trait à l'identité professionnelle.

Conclusion

Que deviendront les professions de l'an 2000 ? Quelle évolution subiront-elles ? On ne peut nier que les professions traversent une crise d'identité. Les cas récents dont nous avons pu être un témoin privilégié, comme la reconnaissance des sages-femmes et celle des enseignants et enseignantes, sont révélateurs de cette crise. Deux aspects semblent irrémédiablement confondus dans ces requêtes pour devenir un ordre professionnel : la reconnaissance sociale et la reconnaissance de la profession. En effet, les personnes consultées et les écrits[3] dans le domaine laissent souvent entendre que c'est par la création d'un ordre professionnel reconnu que, finalement, la profession prendra un sens.

On ne peut nier que, dans plusieurs domaines, la bureaucratisation a eu pour effet pervers de dévaloriser, tant aux yeux des personnes qu'aux yeux du public, des services importants pour la société. Dans la mesure où la bureaucratisation s'est associée à la norme client, les caractéristiques du service professionnel, connaissances requises et formation, jugement professionnel et engagement professionnel, font place au modèle de la consommation des services experts. La crise de reconnaissance de la profession de sage-femme ou de la profession d'enseignement m'apparaît relever de la perte généralisée du sens qu'on accorde socialement aux services non techniques. La reconnaissance professionnelle, du moins telle qu'elle est établie dans les exigences de l'Office des professions actuellement, force l'adoption du modèle technique comme approche professionnelle. Doit-on, pour être reconnu socialement, abandonner la spécificité de notre service ? De plus, si l'on suit cette voie, ne risque-t-on pas en quelque sorte de vendre son droit d'aînesse pour un plat de lentilles ?

L'identité professionnelle a besoin d'être redéfinie, cela est indiscutable. De même, la nature des ordres professionnels, dont on aurait tort de penser qu'ils font les professions, car ils représentent en fait un mécanisme social visant à assurer le contrôle des professions

3. Christiane Gohier, « Identité professionnelle et globale du futur maître : une conjugaison nécessaire », dans Aline Giroux (sous la direction de), *Repenser l'éducation*, Ottawa, Presses de l'Université d'Ottawa, 1998, p. 189 ; Marie-Paule Desaulniers, France Jutras, Pierre Lebuis, Georges A. Legault (sous la direction de), « Éthique et déontologie : l'acte éducatif et la formation de maîtres professionnellement interpellés », dans *Les défis éthiques en éducation*, Sainte-Foy, Presses de l'Université du Québec, 1997, p. 191.

qu'une société sent le besoin de reconnaître et de protéger. Le phénomène de la professionnalisation dépasse ainsi les professions reconnues nécessitant un ordre professionnel. C'est pourquoi le progrès des connaissances intégrées dans des pratiques autonomes et de service à des personnes ou à des sociétés aura pour effet de créer de nouvelles pratiques ou de renouveler des anciennes. Ces pratiques satisferont en partie aux critères de reconnaissance des professions sans qu'elles soient nécessairement reconnues dans la société par l'Office de professions. Quoi qu'il en soit, ces « professions » de fait non reconnues auront besoin comme service à autrui d'assurer, tout comme la médecine à ses débuts, le professionnalisme de ses membres, sans quoi elles seront menacées.

Conclusion de la première partie

Qu'est-ce que le professionnalisme ? Quels liens peut-on établir entre le « professionnalisme » et le retour du questionnement éthique sur les professions ? Comment peut-on penser l'éthique professionnelle aujourd'hui ? Voilà quelques questions auxquelles la première partie a apporté des éléments de réponse.

Les transformations de notre société québécoise et celles des sociétés occidentales sont si considérables qu'il est difficile de prendre un recul suffisant pour mieux orienter nos actions professionnelles. La professionnalisation nous a montré de quelle manière les professions font partie intégrante d'une vie économique et sociale et qu'elles naissent ou meurent, qu'elles sont reconnues ou non selon la perception de leur rôle ou de leur mission sociale. Malgré ces transformations, le législateur québécois a maintenu le Code des professions, en 1994, en y apportant des changements mineurs.

L'État québécois confirme la pertinence de reconnaître certaines professions et considère que les « dangers » en cause exigent qu'un ordre professionnel soit créé pour assurer la sécurité du public. Cela signifie que, pour l'État québécois, une profession se distingue encore, malgré les frontières floues, des « métiers » et des « jobs ». Les caractéristiques fondamentales des professions demeurent intactes : les connaissances spécialisées, la dimension d'intervention dans la vie du client, qui est au cœur de la relation, et le niveau d'autonomie décisionnelle du professionnel. C'est de tous ces facteurs qu'émanent les « dangers » de la relation professionnelle si on ne garantit pas la compétence des savoirs et l'intégrité de la pratique.

Dans la mesure où l'on doit faire la distinction entre les « professions » qui doivent être reconnues par l'État pour exiger la création d'un ordre professionnel des professions reconnues socialement, mais dont le niveau de transactions n'est pas suffisamment imposant pour instaurer un mécanisme complexe de surveillance, on doit reconnaître que le mécanisme légal devant assurer le « professionnalisme » ne concerne pas tous les « professionnels ». Par conséquent, l'éthique professionnelle touche beaucoup plus de personnes que les professions reconnues. Ce phénomène se répand à mesure que se développent des services aux autres. Cette explosion des services explique d'ailleurs pourquoi l'éthique professionnelle et l'éthique des affaires sont considérées comme formant l'un des grands secteurs de l'éthique appliquée d'aujourd'hui, à côté de la bioéthique et de l'éthique de l'environnement.

La qualité éthique des services dépend donc de la formation des personnes qui l'assurent. Nous avons vu comment la dimension éthique des services est étroitement liée au contexte social dans lequel elle s'inscrit. La fonction symbolique d'une relation professionnelle ou d'affaire est au cœur du « professionnalisme ». La crise d'identité professionnelle ne facilite donc pas l'intégration d'un ethos ou de valeurs partagées garantissant le professionnalisme des personnes fournissant le service. Il faut donc plus que cela.

Certes, le système réglementaire, en tant que partie intégrante du système légal d'une société, permet, comme nous l'avons vu, de traiter, par les réglementations, les « gros cas » d'abus professionnel. Mais ce type de mécanisme ne peut garantir la qualité éthique idéale des services. Un mécanisme qui contrôle l'agir professionnel de l'extérieur, au moyen de lois et de sanctions, ne peut avoir la même portée que l'autorégulation de la personne. Le sens fort de l'autonomie réside dans l'étymologie de ce mot : se donner ses propres normes.

Le professionnalisme ne peut être vivant dans une société que si les personnes qui assurent les services sont formées à l'éthique professionnelle. Celle-ci passe alors par le développement de ce qu'on nommait jadis « la conscience professionnelle », que l'on peut traduire en termes de psychologie morale comme le développement d'une compétence éthique.

Une façon de favoriser cette compétence éthique consiste à stimuler le développement de décisions responsables. C'est à cette démarche de « délibération éthique » que la deuxième partie vous initiera.

PARTIE

2

La démarche de la délibération éthique

La démarche de la délibération éthique proposée ici s'inscrit dans le prolongement des recherches en éthique appliquée qui enracinent nécessairement la réflexion éthique dans les contextes de vie. C'est ce qui explique l'importance de l'analyse de cas pour cette approche. Cette priorité à la résolution de cas suscite évidemment des controverses et des oppositions. C'est pourquoi il est important, dans un premier chapitre, de situer la démarche de la délibération par rapport à d'autres démarches proposées en éthique. Une fois la démarche de la délibération en éthique posée, le second chapitre présentera systématiquement la démarche en phases, étapes et questionnements opératoires. À première vue, cette démarche peut paraître complexe et difficile à intégrer. Cependant, cette impression se dissipe rapidement lorsqu'on amorce le processus étape par étape et qu'on se rend compte que toute cette classification sert à systématiser une réflexion souvent spontanée sur des dilemmes complexes. Toute approche proposant un ensemble d'opérations et d'étapes de compréhension, que l'on nomme grille d'analyse, est validée par des expériences pratiques et des études plus théoriques. Puisque certains points de la démarche suscitent plus d'interrogations sur la théorie, nous les indiquerons par un renvoi aux endroits appropriés de la troisième partie du livre qui traite de ces aspects théoriques. La mise en perspective théorique nécessaire à une meilleure compréhension de la démarche pour certains pourra alors se faire au fur et à mesure du développement.

CHAPITRE

5

L'éthique et la démarche de la décision délibérée

OBJECTIFS

Après avoir lu ce chapitre, vous devriez être en mesure de :

- *saisir le rôle de l'éthique comme moyen de régulation de l'agir ;*
- *comprendre la différence entre deux modes de raisonnement pratique : juridique et éthique ;*
- *mieux connaître l'approche décisionnelle en éthique ;*
- *connaître les bases de la démarche de la décision délibérée en éthique.*

1. L'ÉTHIQUE ET LA RÉGULATION DE L'AGIR

Y a-t-il une différence entre la morale, l'éthique, la déontologie, l'éthique fondamentale et l'éthique appliquée ? Pour plusieurs, cette question est réservée aux spécialistes puisqu'ils ont l'impression qu'il s'agit au fond de la même chose. L'intuition ici ne trompe pas, car tous ces termes sont souvent utilisés comme synonymes. Mais l'intuition est imprécise, puisque, ce qu'elle saisit ici, c'est uniquement le dénominateur commun de ces termes, soit la régulation des rapports humains. De tout temps, le questionnement moral ou éthique a été relié aux rapports qu'établissent les humains entre eux et, de ce fait, aux comportements. C'est le rapport de soi à autrui qui est au cœur de la réflexion. Existe-t-il une limite à ce qu'un humain peut faire à autrui ? Autrement dit, existe-t-il une limite au pouvoir qu'une personne peut exercer sur l'autre ? Est-ce qu'un humain peut se servir d'autres humains à ses propres fins ? Cette question est aujourd'hui centrale à la réflexion en éthique de la recherche sur l'humain tout comme elle était omniprésente chez ceux et celles qui s'opposaient à l'esclavage des peuples conquis ou des Noirs d'Afrique et comme elle le sera dans un futur pas trop lointain lorsqu'on voudra déterminer le pouvoir d'une personne sur son propre clone. Ce n'est pas uniquement le pouvoir de l'humain sur les autres êtres humains qui est l'enjeu de l'éthique mais également son pouvoir sur l'ensemble de l'environnement. C'est la réflexion éthique sur l'environnement qui nous amène à poser la question suivante : « Est-ce que les humains peuvent faire ce qu'ils veulent des animaux et des plantes ? »

Les distinctions entre les termes mentionnés sont importantes, non pas tellement pour cerner l'objet général sur lequel se penche la morale ou l'éthique, mais surtout pour comprendre les différentes manières que nous avons de réfléchir et de poser les limites (la régulation) du pouvoir humain sur autrui. Depuis les tout premiers débuts de l'humanité, les humains ont créé des règles pour assurer leur cohésion afin de survivre dans un environnement hostile. Aucune société ni aucun groupe ne peut fonctionner s'il n'a pas certaines règles qui assurent à chacun que l'autre ne le tuera pas ou ne le réduira pas en esclavage. Les règles de droit sont les mieux connues comme mode de régulation des rapports de pouvoir entre les humains et leur environnement. Le code du roi Hammourabi de Babylone est le plus vieux code, retracé en 1902, dont nous disposions. Hammourabi régna de 1793 à 1750 avant Jésus-Christ. Écrit sur une stèle diorite, le code proclamait sur la place publique les règles juridiques de la société. Il prévoyait même que les animaux qui tuaient des personnes devaient à leur tour être mis à mort. La notion de responsabilité légale n'était pas la même qu'aujourd'hui. Il est cependant intéressant de noter que l'importance de la sanction pour l'inobservance des règles était déjà, à cette époque, une caractéristique fondamentale du droit et que le droit apparaît, dès son origine, comme un contrôle des comportements des membres d'une société assurée par d'autres personnes (roi, magistrats) qui édictent des règles et en surveillent l'application. Si l'une des principales motivations au respect du droit demeure la crainte des sanctions infligées en cas de violation des lois, il existe aussi celle qui invoque le rattachement du droit à la divinité, comme c'était le cas pour le code d'Hammourabi et comme ce l'est aujourd'hui pour la *Charte canadienne des droits et libertés*. Qu'on respecte la loi par crainte des sanctions ou parce qu'elle est rattachée à la divinité, dans un cas comme dans l'autre la motivation d'obéir au droit passe par une autorité externe à la personne.

L'éthique et la morale, chacune à sa manière, se distingue du droit en misant sur l'autodiscipline des personnes plutôt que sur le caractère externe de contrôle. Prenons l'exemple d'une entente verbale ou d'un contrat accepté par les parties mais qui avantage largement une personne aux dépens de l'autre. Que faire dans une telle situation ? Ce problème pourrait être soumis aux tribunaux qui pourraient décider si le contrat a été établi conformément aux règles du Code civil. En droit, un contrat, même très désavantageux pour une partie, demeure légal et ne peut être considéré comme invalide que si l'écart est tellement grand qu'il fait douter de la capacité de la personne à contracter. Même si le contrat est légal, on peut se demander si l'imposition à l'autre d'en remplir les exigences est éthique. La personne avantagée qui renoncerait à son droit légal viserait probablement à assurer plus de justice dans les rapports contractuels ; seule la force de motivation de la valeur de la justice pourrait amener cette personne à renoncer à son droit. Cet exemple permet d'illustrer comment l'éthique renvoie toujours la personne à elle-même, à son propre désir d'être juste et de créer des liens significatifs avec les autres et avec son environnement. L'autodiscipline consiste alors à choisir librement d'agir en tenant compte des autres, de l'environnement et des rapports de qualité que nous désirons établir. En ce sens, l'éthique s'ouvre directement sur des modes idéaux de vie que nous cherchons à actualiser dans et par nos décisions.

La distinction entre le droit et l'éthique est importante dans notre contexte culturel, car une grande partie de notre tradition déontologique au Québec s'inscrit dans l'horizon du droit, depuis la première loi sur les corporations professionnelles, en 1973. Un code de déontologie d'une profession est une réglementation soumise à des sanctions (comité de discipline) et obligatoire en vertu de la loi sur les ordres professionnels (Code des professions). L'éthique professionnelle comprise comme une décision professionnelle responsable prend ainsi un autre sens.

Il suffit de consulter les dictionnaires pour se rendre compte que les termes « morale » et « éthique » n'ont pas de définitions qui font l'unanimité. Certains auteurs, comme Pierre Fortin[1], distinguent principalement la morale et l'éthique en se référant à la manière de penser l'autodiscipline. C'est le concept d'obligation qui est au cœur de la morale. La morale nous parle toujours de nos DEVOIRS, de ce que nous devons faire, de ce que nous sommes obligés de faire. Elle situe notre décision personnelle (autodiscipline) en fonction d'obligations que nous reconnaissons comme nous gouvernant. Les morales religieuses sont habituellement de ce type même s'il existe des exceptions comme dans cette forme de christianisme où les feux de l'enfer menaçaient les fidèles d'une sanction divine, analogue aux sanctions du droit. Une personne ayant de fortes convictions religieuses agira donc en fonction de celles-ci. Ainsi, elle pourra renoncer à un droit, privi-

1. Pierre Fortin, *La morale, l'éthique, l'éthicologie*, Sainte-Foy, Presses de l'Université du Québec, 1995.

légier autrui au détriment de soi ou même aller jusqu'à accepter la mort (par exemple, le refus de transfusion sanguine des témoins de Jéhovah). Si l'on demandait à une telle personne pourquoi elle a décidé d'agir ainsi, elle répondrait certainement : par devoir. C'est Jéhovah, Dieu ou la Nature qui édicte les règles, les obligations à suivre pour le plein épanouissement de notre vie personnelle et sociale.

Pour certains auteurs, dont nous faisons partie, l'éthique se distingue de la morale en renvoyant à des valeurs plutôt qu'à des obligations ; ainsi, elle situe nos décisions d'agir par rapport aux valeurs que nous désirons mettre en pratique. Ce que nous désignons par « actualiser des valeurs » signifie, ici, faire passer la valeur, qui est un idéal, à la réalité par l'action, autrement dit, « passer à l'acte ». Reprenons l'exemple, cité plus haut, de la personne qui refuse d'exiger que son contrat soit respecté. Si on lui demandait pourquoi elle a décidé d'agir ainsi, elle dirait probablement qu'elle a voulu apporter un peu plus de justice en ce monde. Bien qu'il eût été légal pour cette personne d'exiger le respect du contrat, il lui aurait paru injuste de le faire. C'est l'idéal de justice que la décision actualise (passe à l'acte).

Cette distinction entre la morale et l'éthique est importante puisqu'elle détermine, comme nous le verrons plus loin, la manière de poser un dilemme en éthique.

Il existe de nombreux débats autour de la notion d'« éthique appliquée » et de sa distinction, voire de son opposition à « l'éthique fondamentale » ; certains d'entre eux sont très passionnés et très polémiques. Ce débat présente un intérêt historique puisqu'il permet de saisir l'évolution de l'éthique au XXe siècle. Il est toutefois plus important pour nous, puisqu'il permet de cristalliser deux manières différentes de rattacher l'éthique à la pratique. Cette distinction entre éthique fondamentale et éthique appliquée se comprend mieux en se référant à la distinction établie précédemment entre éthique et morale, car l'éthique fondamentale utilise habituellement la notion d'obligation.

Revenons à l'exemple du devoir ou de l'obligation morale : « Tu ne tueras point. » Selon différentes conceptions, cette obligation sera fondée sur un commandement de Dieu ou sur une loi inscrite dans la Nature. L'éthique fondamentale cherche d'abord à identifier la source de l'obligation morale. Mais qu'arrive-t-il une fois que nous l'avons fait ? Comment cette obligation morale guide-t-elle la pratique ? Peut-on tuer quelqu'un par légitime défense ? Peut-on mener une guerre défensive ? Dans la pratique, aucun principe ne peut exercer une tyrannie absolue sans engendrer des difficultés. En éthique fondamentale, connaissant la règle, l'obligation d'abord, on cherche ensuite à voir comment celle-ci s'applique dans la situation concrète des vies humaines.

En éthique appliquée, c'est l'inverse qui se produit, car c'est la situation qui occupe la première place. Les questions éthiques y apparaissent toujours dans le feu de l'action, au cœur de la pratique, c'est-à-dire en situation. C'est dans une situation complexe – personnelle, institutionnelle et sociale – que se pose le choix d'agir. Il faut choisir une solution et la décision prise aura des conséquences sur soi, sur les autres et sur l'environnement. La question éthique surgit dès lors : Est-ce la meilleure chose à faire dans les circonstances ?

Les distinctions que nous venons d'exposer ne sont pas réservées aux spécialistes puisqu'elles ont une grande portée pratique permettant à toute personne de reconnaître sa posture éthique. En effet, l'éthique renvoie à la manière d'exercer l'autonomie dans et par les décisions. Héritée de la culture par la vie familiale et sociale, critiquée par l'expérience de vie et le cheminement personnel, l'éthique est cette partie de vous qui se manifeste dans vos décisions d'agir. Il n'y a pas de point neutre en éthique ; vos actions et vos manières de décider indiquent déjà implicitement votre posture en éthique. Pensez-vous pratiquement les rapports humains en termes de droit ou d'éthique ? Quelle place faites-vous à l'autodiscipline ? Les humains sont-ils soumis à des devoirs et obligations morales qui s'imposent à eux ? Les êtres humains peuvent-ils décider d'agir pour actualiser des formes idéales de vie ? Les êtres humains décident-ils toujours en fonction d'eux-mêmes ?

Il est important de répondre spontanément à ces questions afin de saisir, au moins intuitivement, où l'on se situe sur le plan éthique avant d'entreprendre la démarche proposée. Car, bien que la démarche de réflexion ait été conçue pour respecter toutes les positions en éthique, sa présentation s'élabore dans le contexte de l'éthique appliquée. Cela a pour effet de rendre plus difficile la compréhension de la démarche pour certaines personnes qui ont une approche axée sur des obligations morales.

2. DEUX MODES DE RAISONNEMENT : JURIDIQUE ET ÉTHIQUE

L'éthique professionnelle, telle qu'elle apparaît dans le contexte de la réforme de nos institutions et comme nous l'avons déjà présentée dans la première partie, est traversée par l'approche juridique et l'approche éthique. Ces deux modes de régulation des conduites ont permis l'élaboration de codes de déontologie, de codes d'éthique ainsi que la formation de divers comités favorisant le développement de l'éthique. Toute l'évolution de l'éthique appliquée depuis plus de trente ans s'enracine dans ces deux approches. La section précédente nous a permis de voir en quoi le droit et l'éthique sont différents dans la mesure où chacun fait appel à des modes particuliers de régulation ou de contrôle de l'agir. Ayant déjà compris que le droit, tout comme la morale ou l'éthique fondamentale, propose de concevoir la régulation des actions par l'appel aux devoirs ou aux obligations, voyons maintenant comment un certain courant de l'éthique appliquée propose de réguler les actions en faisant appel aux valeurs (les valeurs visées dans les décisions d'action). Il sera alors plus facile de comprendre comment raisonne une personne qui décide en fonction d'une obligation juridique ou morale comparativement à celle qui décide en référence à des valeurs. Examinons de plus près ces deux manières de raisonner, car elles reviennent constamment dans la résolution des problèmes éthiques qui se posent à nous.

Toutes nos décisions d'agir ne sont pas réfléchies ; plusieurs sont « spontanées » puisqu'elles nous semblent évidentes. C'est l'habitude qui guide souvent la décision d'agir de telle façon, dans telles circonstances ; le besoin de réflexion ne s'impose plus. Cependant, il arrive que ces réactions, ancrées dans des habitudes léguées de notre héritage familial, semblent ne pas convenir. Le doute s'installe alors et enclenche le processus de réflexion. Le seul fait de se demander « Qu'est-ce que je vais faire ? » signale déjà que la réponse spontanée n'est plus aussi évidente. Dès l'instant où l'on cherche à répondre à cette question, on amorce un raisonnement pratique. En effet, pour trouver réponse à cette question, on doit identifier l'action et préciser les raisons qui motivent la décision. Autrement dit, on doit répondre à deux sous-questions : « Quelle action vais-je faire ? », « Pourquoi faire cette action plutôt qu'une autre ? »

Dans la décision spontanée, tout est évident : il n'y a aucune incertitude. À la question : « Es-tu certain de cela ? » on répond souvent par « Bien sûr, puisque c'est évident ! » Se demander « Qu'est-ce que je vais faire ? » fait ressortir le propre de toute décision, c'est-à-dire trouver une solution à l'incertitude ressentie au sujet de la meilleure action à poser dans les circonstances. Décider, c'est choisir une option permettant de résoudre l'incertitude qui inhibe l'action. Certaines personnes, devant leur incapacité à résoudre l'incertitude par l'analyse ou la réflexion, trancheront le nœud au lieu de le défaire, d'autres « choisiront » en jouant à pile ou face, remettant la solution entre les mains du Hasard et de la Destinée.

Dans une culture comme la nôtre où le droit est le mode privilégié de régulation sociale, l'incertitude devant notre agir naît souvent des conséquences juridiques potentielles de l'action. Les questions suivantes « Est-ce que je peux faire ceci ? » et « Est-ce que je dois faire cela ? » illustrent bien ce doute quant à la légalité de l'action envisagée. Dans diverses législations, on trouve différentes manières de réguler l'action. Certaines lois interdisent de faire quelque chose sous peine de sanction : le meurtre, par exemple, est interdit. Nous avons là une obligation de ne pas faire. Nous trouvons dans plusieurs codes de déontologie des obligations positives, des obligations de faire comme, par exemple, l'obligation qui suit, tirée du Code de déontologie des infirmières et infirmiers du Québec : « L'infirmière doit fournir à son client les explications nécessaires à la compréhension et à l'appréciation des services qu'elle lui rend » (art. 3.03.02). Nous trouvons aussi d'autres formes d'obligations, celles qui sont stipulées dans les contrats, les contrats personnels comme les contrats de travail ou les conventions collectives. Nos vies professionnelles sont ainsi encadrées par une série de législations et de réglementations régulant nos conduites. Pas étonnant qu'on se demande souvent s'il est légal d'agir ainsi dans les décisions professionnelles, ce qui explique le fait que, depuis quelques années, plusieurs facultés ou écoles professionnelles offrent des activités pédagogiques sur les dimensions légales (lois, réglementations et coutumes) de la pratique professionnelle.

Comment résout-on l'incertitude vécue au regard du caractère juridique d'une action envisagée ? Sauf dans le contexte du droit pénal et des lois analogues, il existe peu de lois qui précisent clairement quels sont les comportements défendus. Dans plusieurs législations, on énonce les droits de la personne ou les devoirs, mais de manière générale. Ne disposant pas d'un code précis de comportements prescrits ou interdits, nous sommes obligés d'adopter, en droit, le raisonnement pratique suivant : *i)* identifier les obligations juridiques portant sur l'action envisagée, *ii)* comprendre le sens de l'obligation juridique, *iii)* appliquer l'obligation aux éléments de la situation présente.

Il arrive à tous les professionnels d'éprouver des difficultés personnelles qui ont des répercussions sur leur travail. Dans une telle situation, le code de déontologie peut-il aider à clarifier la conduite idéale ? Plusieurs codes reproduisent l'article 3.01.03 de celui des infirmiers et infirmières : « L'infirmière doit s'abstenir d'exercer dans des états susceptibles de compromettre la qualité de ses services. » Le raisonnement pratique en droit exige d'identifier, comme nous venons de le faire, l'article pertinent à la situation. Mais il faut comprendre le sens de l'obligation juridique. Est-ce que cet article exige de s'abstenir à chaque fois que nous ne sommes pas capables de fournir un rendement maximal ? Il faut donc préciser ici le degré de qualité acceptable pour un service. C'est seulement après qu'il sera possible de vérifier si, dans la situation concrète, les problèmes personnels pourront entraîner une baisse inacceptable de la qualité du service.

Cet exemple nous montre que le raisonnement pratique visant à résoudre l'incertitude juridique ne peut pas l'éliminer complètement. Chacune des opérations requises par ce raisonnement pratique peut être plus ou moins réussie. D'abord, pouvons-nous identifier toutes les obligations juridiques se rapportant à l'action envisagée ? Pour éliminer toute incertitude, il faudrait qu'un professionnel dans le domaine de la santé et des services sociaux connaisse toutes les lois et tous les règlements, y compris les dispositions des contrats et de la convention collective relatives à sa pratique. Qui d'entre nous possède une telle connaissance des obligations juridiques rattachées à notre pratique ? À moins d'être un avocat spécialisé dans le domaine en question ou d'être responsable des affaires juridiques de l'institution, il faudrait plusieurs heures de recherche pour connaître toutes les dispositions légales qui concernent nos pratiques.

Une fois identifiées les dispositions légales prévoyant les obligations, il est nécessaire, pour évaluer leur portée sur l'action envisagée, de les comprendre et de les interpréter. Revenons aux articles des codes de déontologie déjà cités : « L'infirmière doit fournir à son client les explications nécessaires à la compréhension et à l'appréciation des services qu'elle lui rend » (art. 3.03.02) ; « L'infirmière doit s'abstenir d'exercer dans des états susceptibles de compromettre la qualité de ses services» (art. 3.01.03). Nous constatons, dans ces deux cas, que plus un article vise un ensemble de comportements, plus il est général, donc, vague. Le code de déontologie est différent ici d'un code pénal où l'on retrouve explicité ce qui constitue un meurtre ou tout autre acte criminel. La généralité des termes utilisés dans la loi exige une interprétation. Que signifie l'article ? Quel sens lui donne-t-on ?

C'est une des fonctions principales du tribunal que d'interpréter la loi et d'en fixer le sens après que les avocats auront présenté leurs arguments respectifs au juge sur le sens à donner aux termes. La valeur de l'interprétation donnée à un article d'une loi ou d'un règlement varie selon la connaissance que l'on possède de l'interprétation juridique. Une personne sans connaissance du droit interprétera à sa manière le sens d'un article et cette interprétation pourra être très différente de celle donnée par une autre personne. Même les avocats, spécialistes du droit, ne donnent pas le même sens aux articles de loi, c'est pourquoi on fait appel au système judiciaire. Et encore, il ne faut pas oublier que l'interprète final demeure toujours la Cour suprême du Canada. Depuis 1982, moment où la *Déclaration canadienne des droits et libertés* a été enchâssée dans la nouvelle constitution, on a vu s'accroître le pouvoir des juges, car ils sont les ultimes interprètes du sens de ces droits fondamentaux.

L'incertitude juridique et le fait qu'elle ne soit souvent levée qu'après la décision d'action révoltent parfois certaines personnes. Prenons l'exemple suivant : lors d'une consultation, un client révèle au professionnel qu'il a l'intention de tuer une personne. Le professionnel interprète la clause du secret professionnel prévu dans son code comme lui interdisant toute démarche auprès de la victime potentielle. Son client la tue. La famille de la victime découvre que le professionnel savait, mais qu'il n'a rien fait. Il est donc poursuivi en justice. Le tribunal devrait-il le condamner pour n'avoir rien fait alors qu'une telle menace pesait sur la victime potentielle ? Le tribunal devrait-il accepter que le secret professionnel soit un absolu empêchant toute mesure préventive, même anonyme, destinée à la victime potentielle ? Les tribunaux ont condamné le professionnel malgré la longue pratique de considérer le secret professionnel comme un absolu. Cet exemple[2] nous montre comment l'incertitude juridique

---

2. Cas Tarasoff présenté dans Taylor, Browniee et Mauro-Hopkins, « Confidentialité et devoir de protection », *Le Travailleur social*, vol. 64, n° 4, hiver, 1996.

n'est pas éliminée complètement dans nos décisions pratiques. Il révèle en outre que l'application stricte et automatique des textes n'est pas la plus prudente, puisqu'il ne suffit pas de trouver un article pour en faire l'application, mais qu'il faut, de plus, bien en comprendre le sens avant de l'appliquer à des situations multiples.

La troisième composante du raisonnement pratique en droit possède aussi son degré d'incertitude, puisqu'il faut passer d'une obligation générale et abstraite à un cas concret et particulier. On doit alors se demander si l'action spécifique, dans les circonstances particulières, tombe sous le coup de l'obligation. Dans un film intitulé *Star Chamber* (La Chambre étoilée), on illustre ce problème de l'application d'une règle générale à un cas particulier de manière saisissante. On sait que les policiers doivent avoir une autorisation pour perquisitionner chez un particulier. Ainsi, aucun policier ne peut fouiller dans une propriété privée sans mandat, sinon la preuve recueillie serait illégale. Dans le scénario américain, deux policiers poursuivent un homme qu'ils soupçonnent d'avoir commis une infraction. Pendant la chasse à l'homme, le présumé criminel dépose dans sa poubelle, devant sa maison, le pistolet qui pourrait l'incriminer. Les policiers peuvent-ils oui ou non fouiller dans la poubelle sans mandat ? Autrement dit, le principe de la propriété privée s'arrête où ? S'agit-il de **mes** poubelles sur le bord du trottoir ? N'importe qui peut-il se servir dans **mes** poubelles sans permission ? À quel moment **mes** poubelles quittent-elles la sphère de la propriété privée pour devenir de simples déchets ou propriété publique ?

Ces questions sont loin d'être futiles. Pour qu'un principe s'applique à une situation concrète, il faut déterminer jusqu'où il s'étend. Il faut être capable d'établir concrètement la limite du principe. Dans un cas comme celui-ci, exemple type de la priorisation des valeurs en droit, nous sommes devant deux valeurs en conflit : la protection de la vie privée et la sécurité publique. Si les poubelles sont publiques dès qu'on les dépose sur le bord du trottoir, alors les policiers peuvent fouiller sans mandat et ramasser l'arme pour la présenter comme preuve légitime. Dans le cas contraire, il faut un mandat. Souvent, c'est seulement une fois le geste accompli que les tribunaux décident si la personne a transgressé la loi dans ces circonstances.

Le raisonnement pratique en droit procède ainsi en trois étapes : *i)* identifier les obligations en cause, *ii)* interpréter le sens des articles en cause, *iii)* appliquer ce sens aux situations afin de préciser le champ d'action. Il n'y a aucune évidence et encore moins de certitude absolue en ce qui concerne chacune de ces opérations. Il peut y avoir des lois ou règlements que nous n'avons pas consultés ; il peut y avoir une autre interprétation du sens des articles que la nôtre ; il se peut que les tribunaux ne se soient jamais prononcés sur la question ; enfin, il peut y avoir une autre application de la loi à la situation. Pas étonnant que la complexité du raisonnement pratique en droit nécessite le recours à des spécialistes pouvant aider les personnes à réduire la marge d'incertitude face aux conséquences juridiques de leur action, sans toutefois pouvoir garantir le résultat.

Les distinctions que nous avons déjà présentées – entre le droit et l'éthique ou la morale, comme modes hétéronome et autonome de régulation, et entre la morale, le droit et l'éthique, comme approches axées d'une part sur l'obligation et d'autre part sur les valeurs – nous permettent de mieux établir les composantes du raisonnement pratique en éthique appliquée. C'est le point de départ qui est totalement différent entre les deux modes de raison pratique.

En éthique appliquée, la réflexion menant à la décision ne part pas d'une obligation légale ou morale. La personne réfléchit à son action et aux conséquences qu'elle entraînera. Si elle pose un geste comme briser le secret professionnel, que risque-t-il d'arriver ? Toute action entraîne une série de conséquences, quelquefois prévues, d'autres fois imprévisibles. Le raisonnement pratique en éthique appliquée prend source dans cette identification des conséquences positives et négatives prévisibles de l'action envisagée ; l'identification claire des conséquences en constitue la première étape. Mais identifier les conséquences, ce n'est pas les désirer. La seconde étape nous fait quitter le simple lieu de la description des conséquences pour passer à leur évaluation. On cherche alors à déterminer les conséquences que l'on désire faire advenir par l'action.

Dans un dilemme éthique, on est toujours confronté à une action qui entraînera des conséquences positives et négatives, sur soi, sur autrui ou sur l'environnement. Il nous arrive à tous de souhaiter uniquement des conséquences positives à nos gestes, mais hélas ! ce n'est pas toujours le cas. Si, en dévoilant le secret professionnel, une professionnelle ou un professionnel peut aider une tierce personne à se protéger, elle peut du même coup, par ce bris du secret professionnel, risquer d'hypothéquer gravement la confiance que nous avons dans les professionnels de la santé. Quelles conséquences désire-t-on voir advenir dans le monde et pourquoi ? La clarification des valeurs visées par l'action conduit à déterminer la valeur prioritaire de la décision. La délibération en éthique débouche alors sur le choix d'accorder plus d'importance à une valeur plutôt qu'à une autre dans la situation donnée. Ainsi, le professionnel, dans notre exemple, a privilégié la valeur de la confidentialité (le professionnalisme) plutôt que la valeur de la vie d'autrui. Tous les cas ne sont pas aussi tragiques que celui-là. Mais pourquoi avoir ainsi préféré cette valeur à l'autre ? Pour répondre à cette question, il faut exprimer les raisons d'agir. Le raisonnement pratique, tel qu'il s'est élaboré tout au long de la délibération lors des étapes précédentes, culmine ici dans l'énonciation des raisons du choix des valeurs avant de préciser, dans un autre raisonnement plus technique, le choix du meilleur moyen pour atteindre la fin visée et réaliser l'équilibre dans la priorité des valeurs.

La différence entre ces modes de raisonnement pratique est au cœur de la démarche de délibération éthique que nous vous proposons. Il ne faudrait pas croire pour autant qu'il s'agit de choisir nécessairement l'un à l'exclusion de l'autre. La complexité des situations de vie et la diversité des mentalités, issues des divers héritages culturels et des développements personnels, rendent caduques les approches qui prétendent répondre à toutes les questions en choisissant simplement un système de croyances. Le développement des sciences humaines, tant en psychologie qu'en sociologie, nous conduit à des modèles plus complexes et plus respectueux des diverses expériences, à ce système ouvert qui met moins l'accent sur les comportements jugés bons ou mauvais en eux-mêmes que sur les choix personnels d'action en société. C'est pourquoi il devient important de pouvoir apprendre à exposer clairement la justification réelle des choix posés. C'est ce que vise la décision éthique délibérée : *i)* développer les habiletés de discerner les enjeux éthiques dans une situation, *ii)* délibérer sur le meilleur choix d'action possible dans les circonstances et *iii)* dialoguer avec autrui afin d'assumer collectivement les motifs de la décision.

3. LA DÉLIBÉRATION ÉTHIQUE DANS LE CONTEXTE DES SOCIÉTÉS DÉMOCRATIQUES

Dans un livre récent, Lajeunesse et Sosoe[3] soulignent que le développement de l'éthique appliquée, tel que nous le connaissons à travers celui de la bioéthique en Amérique du Nord, prend sa source dans les sociétés démocratiques privilégiant les droits fondamentaux de la personne. Au Québec et au Canada, nous sommes fiers de notre *Charte des droits et libertés* et de notre *Charte canadienne des droits et libertés de la personne*. Dans notre culture des droits et libertés, nous avons fait primer les droits de l'individu sur les droits collectifs ; c'est la raison pour laquelle il revient à la société de justifier toute limite qu'elle impose aux droits individuels. Notre société canadienne est ici aux antipodes des sociétés qui privilégient les droits collectifs. On retrouve donc, à l'opposé de la nôtre, des sociétés qui imposent des règles légales issues d'une tradition religieuse où le droit civil et le droit pénal sont alors ceux prévus par la loi divine dans la religion obligatoire de l'État. Les chartes québécoise et canadienne ayant prévu la liberté de croyance et de religion, il devient donc évident que nos États ne pourraient pas imposer une conception de la vie « bonne » à l'ensemble des citoyennes et citoyens, même si cette conception religieuse était partagée par la majorité.

Dans les sociétés démocratiques comme la nôtre, nous accordons une valeur particulière à l'autonomie, c'est-à-dire au libre choix des personnes. Nous postulons qu'une personne adulte est seule responsable des décisions dont elle subira les conséquences. Elle est donc seule à déterminer *i)* comment elle guidera sa vie, et *ii)* en fonction de quelles croyances et de quelles opinions elle le fera. L'État se doit d'intervenir au minimum afin de s'assurer que l'exercice de la liberté des uns ne se fera pas au détriment de celle des autres. Comme l'exprime l'adage : « la liberté des uns s'arrête là où commence celle des autres ». Dans une société où l'autonomie de la personne est primordiale, le droit devra établir les contraintes de la vie en société et évaluer leurs conséquences sur les règles à suivre pour assurer l'harmonie sociale. L'ensemble des lois apparaît, de ce point de vue, comme l'expression de la vie sociale, comme un mode de régulation

3. Y. Lajeunesse et L.K. Sosoe, *Bioéthique et culture démocratique*, Montréal, Harmattan, 1996.

entre les droits individuels et la vie en société. En ce sens, les lois fixent un modèle du vivre-ensemble, une sphère de partage. C'est pourquoi le droit issu de la tradition démocratique est, pour certains, l'expression des valeurs sociales par excellence.

Ce rapport entre la liberté de l'individu et le partage minimal exigé dans toute vie sociale nous aide à mieux comprendre les différentes formes que prend l'exercice de la liberté. Pour certains, l'autonomie consiste à pouvoir décider sans contrainte, à faire tout ce que l'on désire, que cela soit permis ou non. L'exercice de l'autonomie se résume dans le libre choix personnel axé sur le seul désir. Dans cet exercice de la liberté, la personne n'agit qu'en fonction d'elle-même, peu importe le contexte social. Lorsqu'on exerce la liberté de cette manière, toute loi sociale apparaîtra comme une contrainte à cause de la menace de sanction, obligeant à faire une chose plutôt qu'une autre, violant en quelque sorte la liberté. La société, l'État ou toute autre organisation imposant des règlements seront vus comme des menaces à cette liberté, comme une limitation de l'être humain.

Pour d'autres, l'autonomie ne se comprend que comme liberté dans un système de droit auquel nous participons. Personne n'a une liberté absolue, la liberté étant toujours limitée par les contraintes de la vie sociale que le droit définit. L'autonomie prend alors son vrai sens : se donner ses propres normes. Comment est-ce possible si c'est le droit qui définit les normes ? Il n'y a aucune contradiction ici puisque la personne comprend son autonomie comme la liberté exercée dans une société démocratique à laquelle elle participe. Le droit n'est plus une contrainte purement externe, comme dans la perception précédente, mais un idéal de vivre ensemble, intériorisé par le fait d'apprécier de vivre dans une société démocratique.

Pour d'autres encore, l'autonomie, c'est décider en tenant compte de soi, d'autrui et de l'environnement (naturel et social). Nous avons déjà présenté, dans l'exemple du contrat privilégiant une partie au détriment de l'autre, une situation où une personne pouvait légalement faire quelque chose mais qu'elle y renonçait parce qu'elle jugeait cela « injuste ». Il existe dans l'histoire beaucoup de cas de « désobéissance civile », des cas où des personnes ont volontairement brisé une loi démocratique au nom d'un idéal de justice. Martin Luther King et Gandhi sont de grandes figures que l'on présente souvent comme des modèles. Mais, plus près de nous, il y a des personnes qui ont refusé d'aller combattre au Viêt-nam ou qui, comme Henri Morgentaler, ont pratiqué au su de tous des avortements en défiant la loi canadienne et qui ont été emprisonnées à cause de ces gestes. Ces personnes ont décidé d'agir publiquement en violation des lois, au nom d'autre chose, en invoquant ainsi un raisonnement moral ou éthique pour justifier leur décision dans une société démocratique.

De telles décisions ne sont pas que l'expression d'un désir spontané mais celle d'un désir réfléchi, c'est-à-dire délibéré. Ce genre de décision se prend à partir du raisonnement pratique axé sur l'éthique plutôt que sur le droit. Décider d'agir, c'est tenir compte alors de soi, bien sûr aussi, de son désir, cause première du passage de l'intention à l'action, mais *i)* en le pondérant à la lumière de l'ensemble des conséquences que cette action aura pour soi et pour les autres et *ii)* en délibérant sur la meilleure conduite à suivre comme humain dans une société. L'autonomie responsable se distancie de la décision spontanée pour accéder à la décision réfléchie ; la décision devient délibérative au sens fort du terme, ouvrant même sur la contestation possible du droit.

Conclusion

Vers l'autonomie responsable

Dans un ouvrage remarquable, Charles Taylor présente en ces termes le défi de la liberté dans nos sociétés : « La nature d'une société libre repose sur le fait qu'elle sera toujours le théâtre d'un conflit entre les formes élevées et les formes basses de la liberté. On ne peut abolir ni l'une ni l'autre, mais on peut en déplacer la ligne de partage, non pas définitivement mais, en tout cas, pour quelques individus, pour quelque temps, dans un sens ou dans l'autre[4]. » Les qualificatifs « élevées » et « basses » peuvent surprendre et même choquer plus d'un, à cause de l'évaluation péjorative de la seconde expression face à la première. Comment pouvons-nous juger si la première forme de liberté est « vraiment » la plus haute ? Cette évaluation peut paraître arbitraire à première vue, mais elle peut se comprendre plus aisément lorsque les trois modes d'exercice de la liberté que nous avons présentés sont comparés.

---

4. Charles Taylor, *Grandeur et misère de la modernité*, Montréal, Bellarmin, 1992, p. 99.

Le rapport à autrui, ce rapport intersubjectif, est au cœur de nos vies personnelles, professionnelles et sociales. Il est indéracinable. Toute action pourra être analysée relativement à lui. Dans le premier mode d'exercice de la liberté, on décide des rapports aux autres uniquement en fonction de soi à partir de ses intérêts. Autrui sert alors à la réalisation de nos désirs personnels. Cet exercice de la liberté conduit à traiter les autres comme des objets pour atteindre nos fins. Il n'y a, dans ce mode de liberté, aucune reconnaissance de l'autre en tant qu'autre. Dès que l'exercice de la liberté se fait en tenant compte des autres, nous sommes en présence d'une liberté qui s'ouvre à répondre de son exercice. L'autre peut toujours demander « Pourquoi as-tu décidé de poser ce geste ? » ou dire « Réponds de l'exercice de ta liberté puisque j'en subis les conséquences ».

C'est ainsi que s'ouvre la voie de l'autonomie responsable, où la décision délibérée est exprimée clairement afin de répondre aux autres du sens de la décision prise, puisque les conséquences de cette décision d'agir les toucheront. Acquérir une liberté responsable devient le propre d'une démarche éthique dans laquelle l'apprentissage de la délibération et l'ouverture au dialogue deviennent des points d'ancrage du changement.

CHAPITRE

6

Prendre une décision éthique

OBJECTIFS

Après avoir lu cette partie, vous devriez être en mesure de :

- *comprendre pourquoi chacune des phases de la décision délibérée est nécessaire à la réalisation de la démarche éthique retenue ;*
- *comprendre les critères logiques permettant de classer l'information selon chacune des étapes de la délibération formalisée en grille d'analyse ;*
- *appliquer la grille d'analyse à une décision éthique personnelle en suivant systématiquement chacune des étapes ;*
- *présenter à d'autres personnes la justification précise de votre décision, résolvant un dilemme éthique, et d'entrer en dialogue avec les autres pour mieux évaluer la « justesse » de votre décision.*

Les chapitres précédents vous ont permis de comprendre certains aspects qui justifient la démarche de réflexion que nous vous proposons. Rappelons-en quelques-uns. Dans une société démocratique comme la nôtre, personne ne pourrait revenir, au risque de perdre sa crédibilité, à éduquer l'autonomie responsable par l'imposition d'une seule manière de voir les choses. Par contre, la diversité des mentalités et le respect des différentes façons de voir posent un autre problème : comment éviter que la liberté ne s'exerce sur le seul mode du pouvoir ?

Pour que l'exercice de la liberté se réalise dans des rapports harmonieux, il faut que la personne poursuive son développement personnel. Le développement de la dimension éthique d'une personne est postulé, ici, tout comme celui de la connaissance et de la structure psychique. Certains facteurs en favorisent le développement, d'autres l'inhibent. La réflexion sur soi, mieux exprimée par l'expression « la connaissance de soi », est centrale à plusieurs théories du développement. Nous ne pouvons pas, en effet, nous développer, c'est-à-dire passer d'un état à un autre, sans avoir au préalable identifié l'état dans lequel nous sommes. Cette identification aide à cheminer vers notre transformation dans la mesure où nous sommes capables d'« assumer » ou de « modifier » notre héritage.

La démarche que nous vous proposons vise d'abord la connaissance de soi. En ce sens, elle devrait vous permettre de clarifier votre manière actuelle de résoudre un dilemme en éthique. Rendre explicite le raisonnement pratique tel qu'il s'élabore spontanément en nous, voilà ce qui donne accès à une transformation éventuelle. Rendre explicite l'implicite ne provoque pas toujours des surprises. Dans ce cas, on se rend compte qu'il n'y a aucune dissonance entre la décision prise, sa justification et sa connaissance de soi. Autrement dit, on est bien avec la décision, par rapport à soi et à autrui. Dans d'autres situations, il existe un malaise. Notre manière de résoudre un dilemme peut nous montrer que nous portons activement en nous des valeurs et des conceptions dont, non seulement, nous ignorions l'existence, mais de plus auxquelles nous nous opposons, du moins verbalement. La prise de conscience de cette dissonance conduit souvent à la recherche de plus d'unisson. En outre, il existe souvent des situations dans lesquelles, individuellement, nous sommes à l'aise avec une décision mais en discordance avec les autres. Je pourrais, par exemple, me sentir à l'aise en « trichant » un peu lorsque je remplis ma déclaration de revenu sans l'être assez toutefois pour l'avouer publiquement. La dissonance n'est plus cette fois uniquement en soi mais dans un rapport public. Or, c'est souvent cette dissonance dans le rapport public, face à autrui, qui entraîne toutes sortes de rationalisations qui réussissent, quelquefois mieux que d'autres, à cacher nos intentions réelles pour les rendre publiquement plus acceptables. L'idéal de la formation à l'autonomie responsable pourrait se résumer ainsi : développer la capacité de prendre des décisions dans lesquelles il existe le moins de dissonance possible entre le soi actuel et son héritage passé et le soi actuel et ses rapports aux autres en privé comme en public.

Comment comprendre et arriver à réfléchir notre mode de prise de décision dans des situations complexes quand ces décisions sont prises spontanément ? La situation est analogue ici à celle du client qui consulte un psychologue pour comprendre certains des mécanismes inconscients qui le poussent à agir de telle manière alors qu'il aimerait se comporter autrement. Il ne peut atteindre la connaissance de ces mécanismes sans l'aide d'une personne qui, grâce à une série de questions systématiques, favorise la prise de conscience chez le client. Il n'existe aucune démarche d'intervention en psychologie qui ne repose sur une façon d'analyser et de questionner afin de faire émerger la « structure » de la motivation. Autrement dit, pour connaître quelque chose dans un ensemble complexe, il faut entreprendre une démarche systématique qui favorise la réflexion de l'allocutaire. C'est cet ensemble de questions regroupées dans un modèle cohérent que nous désignons par « grille d'analyse ». Tout comme d'autres aides à la prise de décision, il s'agit essentiellement d'un instrument qui favorise la décision dans la mesure où l'on tente, au moyen de la grille, de considérer toutes les variables importantes d'une prise de décision. Un tel modèle est un support précieux, parce qu'il permet d'inventorier l'information et d'indiquer la nature des choix à effectuer. La grille d'analyse sert en fait à analyser sa décision ; ce n'est pas une grille de calcul dont il suffit de remplir chacune des cases pour obtenir, automatiquement, la bonne décision.

Puisque la grille d'analyse est le support nécessaire au classement de l'information dans une décision délibérée, il est important, dans un premier temps (section 1), de comprendre l'ensemble du modèle de la décision délibérée. Cette première compréhension globale devrait permettre une meilleure intégration des divers types de questions qui se posent à un décideur lorsqu'il se place en position dialogique en vue de justifier sa décision.

La décision délibérée exige de maîtriser certaines opérations logiques qui permettent le classement et l'évaluation, soit l'information nécessaire à une prise de décision. Si nous voulons nous assurer que notre décision repose sur toutes les informations pertinentes, nous devons posséder un moyen d'évaluer ce qui est pertinent ou non dans la décision. C'est ce que la maîtrise des opérations logiques devrait permettre d'acquérir. L'acquisition de ces habiletés logiques est nécessaire, comme nous le verrons plus en détail dans une autre section, pour assurer le dialogue réel dans la vie de tous les jours. Comment peut-on répondre de façon satisfaisante à une personne qui nous demande sur quelles données repose la décision, si on ne peut pas les exprimer clairement ?

La maîtrise des opérations logiques relève du développement d'une habileté intellectuelle, tout comme celle des opérations du raisonnement formel. Pour bien prendre conscience de notre manière de décider, il devient essentiel d'apprendre à appliquer ces opérations logiques à une situation concrète personnelle. Comme nous l'avons mentionné, la démarche de la connaissance de soi fait quelquefois ressortir des dissonances que nous ne voulons peut-être pas reconnaître. Certaines personnes utilisent la grille d'analyse sans s'investir dans un dilemme éthique qui les touche, ce qui rend la démarche impersonnelle. Si celle-ci permet d'acquérir une compréhension technique et intellectuelle des opérations logiques, elle n'amènera pas pour autant l'utilisateur à réaliser un cheminement personnel. La démarche éthique passe obligatoirement par la connaissance de soi, démarche difficile très souvent. Sans investissement dans un cas personnel et concret, cette démarche n'aura aucune valeur véritable.

La deuxième section de ce chapitre vous permettra de comprendre toutes les opérations logiques nécessaires à l'identification et au classement des informations pertinentes à la décision réfléchie. Des exemples vous seront présentés afin que vous puissiez mieux saisir les liens entre les précisions données et l'application. Pour entreprendre votre démarche personnelle et pour mieux vérifier votre maîtrise de la grille d'analyse, vous êtes invité à choisir un dilemme éthique personnel et à faire l'exercice étape par étape. C'est par la pratique que l'on peut mesurer la maîtrise d'une compréhension notionnelle.

La démarche de décision délibérée serait incomplète si elle demeurait exclusivement une démarche de réflexion sur soi. Ainsi que nous l'avons précisé, la démarche de connaissance de soi est le point de départ du changement qui vise une autonomie responsable. Cet objectif ne peut s'atteindre que dans la mesure où l'on apprend à répondre de ses décisions à autrui. C'est pourquoi la démarche éthique exige pour compléter la maîtrise de la décision délibérée de s'inscrire, cette fois, dans une démarche dialogique de décision collective (section 3). C'est d'ailleurs habituellement de cette façon que se posent, dans la vie personnelle, professionnelle et sociale, les questionnements éthiques.

La première partie nous a montré comment les transformations des institutions et du travail nous obligent à fonctionner en comité et en équipe. Quelles décisions prendrons-nous ensemble ? Sur quelles informations reposeront-elles ? Comment arriver à une décision collective alors que nous n'avons pas la même vision des choses ? Ce n'est que dans la mesure où un groupe, un comité ou une équipe entame une démarche de décision collective délibérée qu'il est possible de dépasser la diversité des individus et de leur liberté personnelle pour créer ensemble un espace d'autonomie responsable. Le passage d'une démarche individuelle à une démarche collective par le dialogue sera développé dans la phase IV.

1. LE MODÈLE DE LA DÉCISION DÉLIBÉRÉE

Est-il possible de déterminer des paramètres de la décision qui puissent favoriser la meilleure décision pour toutes les personnes concernées dans les circonstances ? Il existe plusieurs modèles d'aide à la décision et chacun reflète l'enracinement des auteurs dans une tradition culturelle tout en insistant sur une caractéristique du processus complexe de l'action; la décision délibérée est l'un de ces modèles. Elle s'élabore dans la tradition philosophique et juridique qui a fait germer, en Occident, la décision motivée telle que nous la retrouvons dans la pratique des tribunaux. Lorsqu'un juge ou un jury se retirent pour « délibérer », ils vont analyser les faits d'une situation, revoir les témoignages qui leur permettront de se faire une idée plus ou moins fiable des intentions des personnes, et ils vont finalement juger, à la lumière de tout ceci, si un verdict de culpabilité peut être rendu. Après une telle délibération, il est normal que le public s'attende à ce que cette décision soit motivée par un raisonnement démontrant que l'ensemble des faits, des témoignages, des règles de droit et de l'expérience des personnes dans ce domaine justifie la décision finale. On s'attend évidemment à ce que la gravité de la sentence soit aussi motivée par un raisonnement analogue. Notre tradition occidentale exige qu'une décision judiciaire soit suffisamment motivée et que, dans le cas contraire, elle puisse être révisée par une instance supérieure. Cela démontre bien l'importance des raisons justifiant la décision. D'une part, ce sont ces raisons qui nous permettent de dire que la décision est fondée sur quelque chose de rationnel. D'autre part, c'est en proposant au grand public les raisons de la décision prise que le système judiciaire espère la faire accepter comme étant la meilleure dans les circonstances.

La longue quête de la décision judiciaire motivée, dans l'histoire, illustre un cheminement dans la civilisation. Le pouvoir judiciaire consistait jadis en un acte d'autorité puisque le juge disait le droit sans autres justifications. La décision était la meilleure parce qu'elle émanait de l'autorité légitime; en d'autres termes, la légitimité de l'autorité fondait celle de la décision. Par conséquent, la décision était un exercice du pouvoir qui, souvent, pouvait prendre l'aspect de l'injustice. Le juge exerce certes un pouvoir en disant le droit mais, en motivant sa décision, il soumet l'exercice du pouvoir à la critique. Par ses motifs, il rend publiques la force et la faiblesse de sa délibération et des raisons invoquées pour la justifier. En motivant sa décision, le juge espère fournir au grand public les raisons qu'il devrait reconnaître comme légitimes dans notre société pour décider de cas analogues.

1.1. Les quatre phases de la démarche éthique[1]

La démarche de délibération que nous vous proposons s'inspire de cette tradition de la décision motivée. Tout comme un juge ou un jury, il faut trouver la meilleure décision possible dans les circonstances et soumettre à la discussion les motifs raisonnables d'assumer les conséquences de cette décision. Nous représentons cette démarche en quatre phases qui renvoient, chacune à leur manière, à une dimension précise de la décision motivée :

1. Prendre conscience de la situation ;
2. Clarifier les valeurs conflictuelles de la situation ;
3. Prendre une décision éthique par la résolution rationnelle du conflit des valeurs dans la situation ;
4. Établir un dialogue réel avec les personnes impliquées.

1.1.1. *Phase I : Prendre conscience de la situation*

Décider, c'est opter pour une action dans un contexte donné. L'urgence de décider sera prescrite par la situation elle-même. Bien analyser le contexte permet de s'assurer de la pertinence de la décision dans une situation où existent plusieurs personnes, des groupes de personnes, des institutions et des lois. Prendre conscience de la situation, c'est prendre conscience des conséquences possibles du choix d'action sur les personnes, les groupes et les institutions impliqués. Mais au-delà des conséquences prévisibles de l'action choisie, cela demande que soient identifiées toutes les formes de normativités (règlements d'association, règlements légaux, us et coutumes des groupes ou des institutions, normativité religieuse ou normes de la conscience personnelle) qui pourront intervenir dans la prise de décision. Autrement dit, en prenant conscience de la situation non seulement prend-on conscience des conséquences positives ou négatives de l'action envisagée sur les personnes, les groupes et les institutions, mais on prend aussi conscience de l'écart potentiel pouvant exister entre l'action éventuelle et les normes morales, légales ou associatives qui sont en cause dans le contexte.

---

1. Voir l'annexe I.

1.1.2. *Phase II : Clarifier les valeurs conflictuelles de la situation*

Qui dit choix dit alternatives. Qui dit dilemme dit choix entre des propositions contradictoires. La difficulté de choisir tient souvent au fait que notre décision nous obligera à assumer à la fois des conséquences positives et des conséquences négatives. Qui profitera des conséquences positives ? Qui subira les conséquences négatives ? La décision délibérée exige alors de nommer et de pondérer les valeurs qui mobilisent l'action. On peut utiliser la relation intentionnelle suivante : moyen → fin pour mieux comprendre la dynamique des valeurs dans la décision. L'action envisagée serait alors conçue comme un moyen et l'objectif visé par la décision, la fin, constituerait la valeur visée par l'action. Dans l'exemple de la personne qui renonce à un contrat lucratif parce qu'elle juge la situation injuste, on pourrait dire que renoncer au contrat est un moyen qui vise une fin : apporter un peu plus de « justice » dans le monde. La valeur de la « justice » est la fin visée par l'action. Cependant, si cette valeur idéale n'est pas vécue comme valeur agissante dans la structure affective de la personne, il y aura dissonance entre la valeur réelle mobilisatrice de l'action et la valeur énoncée (rationalisée, diraient les psychanalystes). C'est cette dissonance entre les valeurs agissantes, effectives et les valeurs idéales qui nous aide à comprendre pourquoi certaines personnes avouent : « C'est peut-être ce qu'il faut faire en principe, mais en pratique, c'est autre chose. »

Une décision entraîne l'action, c'est pourquoi clarifier les valeurs agissantes est important, car c'est de cette clarification qu'émergera le conflit principal de valeurs, nœud de tout dilemme. Lors d'une prise de décision, la difficulté réside dans le fait que nous devons choisir entre deux valeurs qui nous motivent mais auxquelles nous ne pouvons pas donner la même importance dans la situation. D'où la tension du dilemme éthique. Souvenez-vous de l'exemple tiré du film américain *Star Chamber* concernant le caractère privé des poubelles. La société, tout comme les personnes, doit trancher entre deux valeurs lorsqu'elle élabore ses lois. À quelle valeur accordera-t-elle une priorité, à celle de l'autonomie des personnes ou à la sécurité publique ?

1.1.3. *Phase III : Prendre une décision éthique par la résolution rationnelle du conflit des valeurs dans la situation*

La phase III est décisive puisque c'est à cette étape que le conflit de valeurs est résolu, ce qui entraîne un choix conséquent de la conduite et des modalités d'action respectueuses de la priorité donnée aux valeurs ou hiérarchisation des valeurs. Au nom de quoi accorde-t-on la prépondérance à une valeur plutôt qu'à une autre ? Puisque la valeur représente la finalité visée par l'action, il devient évident de se poser la question suivante : « Au nom de quoi choisir une fin plutôt qu'une autre ? »

Dans l'horizon éthique de la décision délibérée, le choix des valeurs fait aussi l'objet de délibération. On choisit d'accorder le statut de fin première à une valeur en la privilégiant au détriment de la seconde. Au nom de quoi la société préfère-t-elle l'autonomie à la sécurité publique ? La démarche éthique exige que l'on précise, autant à soi qu'aux autres, les critères de prédilection d'une valeur et, dans la mesure où ceux-ci devraient servir de base à un partage commun des motifs de la décision, ils revêtent un caractère rationnel, communicable et dialogique.

1.1.4. *Phase IV: Établir un dialogue réel avec les personnes impliquées*

Comme nous l'avons précisé dans l'introduction, la démarche éthique que nous vous proposons par la décision délibérée consiste d'abord à vous faire prendre conscience de votre mode de résolution de dilemmes éthiques. C'est pourquoi nous insistons, dans un premier temps, sur la connaissance de soi que stimule l'application systématique de la grille d'analyse à un cas personnel. Cependant, dans la vie quotidienne, rappelons-le, que ce soit en équipe, en groupe ou en comité, nous sommes amenés à discuter de décisions affectant nos vies dans leurs dimensions personnelles, professionnelles et sociales. Autrement dit, dans la vie, c'est l'interpellation de l'autre qui nous incite à faire une réflexion plus systématique sur nos décisions. Souvent des personnes nous demandent : « Pourquoi as-tu fait ceci ? » ; ce qui signifie : « Quelles sont les raisons qui motivent ta décision, puisque nous ne les comprenons pas ? » On cherche ainsi à comprendre les raisons d'une décision afin de pouvoir réagir en conséquence.

Ce genre de question nous surprend, car, étant convaincus de l'évidence des raisons de nos décisions, nous pensons que les autres le sont également. La question brise ainsi la quiétude de l'évidence pour nous inscrire, au moins, dans un échange sur les motifs de notre décision. La réponse est souvent balbutiée et tarabiscotée parce qu'en fait nous n'avons pas délibéré, laissant l'habitude exercer son empire. Le questionnement de l'autre, l'ouverture à l'échange et peut-être au dialogue, devient dès lors le moteur pour amorcer une démarche de décision délibérée. L'échange est souvent ce qui est visé par le questionnement sur les motifs de nos décisions, mais un groupe, une équipe ou un comité peut désirer plus que l'échange en cherchant à délibérer collectivement sur la meilleure décision possible dans les circonstances. L'échange du groupe devient dès lors dialogue : une co-élaboration du sens de la décision.

1.2. La grille d'analyse d'un cas en éthique : les étapes

On peut retrouver dans d'autres textes des positions qui se rapprochent de celle-ci, car les auteurs font appel à l'importance de la situation, à l'analyse des valeurs, à la décision et même à l'échange et au dialogue. Il n'y a rien là d'étonnant puisque les auteurs en éthique appliquée se concentrent sur l'analyse de cas. Pour assurer à une démarche générale et globale plus d'efficacité dans la pratique, il est nécessaire de systématiser des opérations logiques permettant de développer des habiletés d'analyse et d'évaluation, nécessaires à la réflexion éthique. C'est dans ce but que nous avons subdivisé les quatre phases de la démarche éthique en étapes précises renvoyant à des opérations logiques qui garantissent une meilleure connaissance et une meilleure prise sur la délibération personnelle ou collective des décisions.

La grille d'analyse, avec ses 13 étapes, doit être comprise de deux manières : *i)* comme aide à l'analyse et à la délibération personnelle et *ii)* comme aide au dialogue sur une décision délibérée. La première façon de la voir lui donne effectivement un caractère statique, l'annexe II le démontre bien. Chacune des étapes est décrite en termes d'opérations concernant la délibération : énumérer, inventorier, résumer, analyser, etc. Cet aspect de la grille lui donne un caractère technique et instrumental, mais fort utile pour développer des habiletés de discernement et de délibération dans des situations complexes. Mais toutes ces opérations n'ont de sens que si on les replace dans le contexte vivant de la décision motivée et du dialogue. D'une part, les étapes sont utiles pour nous assurer que nous possédons toutes les informations pertinentes à l'élaboration des motifs de notre décision. D'autre part, elles correspondent toutes à des questions qu'un allocutaire pourrait adresser à un locuteur concernant justement la « justesse » de la décision. Enfin, ces questions correspondent à celles que divers locuteurs et allocutaires, participant à un comité, pourraient se poser afin de trouver une réponse collective à leur dilemme éthique.

2. LA MAÎTRISE DES OPÉRATIONS DE LA GRILLE D'ANALYSE

Dans la première partie, nous avons présenté le contexte social et institutionnel dans lequel se situent les attentes à l'égard du renouveau de l'éthique professionnelle. Dans le cadre de nos sociétés démocratiques, l'éthique passe par le développement d'une autonomie responsable. La grille d'analyse qui vous est présentée dans cette section est, rappelons-le, un outil qui favorise *i)* la connaissance de votre mode de décision en éthique et *ii)* la réflexion critique sur votre héritage culturel et votre développement personnel.

Les dilemmes éthiques que nous devons résoudre dans notre vie personnelle ou professionnelle ne sont pas des dilemmes abstraits, inventés de toutes pièces par des pédagogues à des fins d'apprentissage. Ils sont plus ou moins tragiques, mais ils sont toujours éprouvants. Résoudre un dilemme éthique est une épreuve où nous faisons face à l'incertitude de l'action, à la tension conflictuelle de la décision et à la certitude que cette décision n'aura pas que des conséquences heureuses pour toutes les personnes impliquées. Cependant, si nous voulons voir plus clair dans nos décisions et atteindre un niveau de délibération qui accroisse notre liberté d'action, il faut apprendre à distinguer les différentes facettes de ces dilemmes et à évaluer systématiquement les différentes variables déterminantes de notre décision.

Le cheminement qui vous est proposé ici par la démarche éthique est personnel, même si le contexte demeure celui d'une décision collective, car toutes les personnes dans une équipe ou dans un groupe devront vivre avec leurs décisions. Comment prétendre favoriser le cheminement personnel avec un livre qui, par sa nature même, est impersonnel et monologique ? L'interaction nécessaire à tout apprentissage dépend ici de vous, de votre désir de suivre cette démarche. Nous avons conçu ce manuel afin de favoriser votre apprentissage de manière graduelle. Nous vous proposons la démarche en trois temps pour maîtriser la grille d'analyse.

Tout d'abord, il faut comprendre comment utiliser la grille en question pour classer les informations diverses d'un dilemme éthique. Pour atteindre cet objectif, nous vous présenterons, dans la section 2.1, un cas fictif basé sur la vie professionnelle d'un travailleur social. Puisqu'il s'agit d'une grille permettant de recueillir et de traiter l'information se rapportant à une décision, nous vous proposons un modèle de fiche d'application comme support matériel à l'utilisation de la grille d'analyse. Nous vous présentons chacune des étapes de chaque phase de la même manière : d'abord nous exposons l'objectif de l'étape pour bien saisir non seulement le type d'information à repérer dans la grille, mais surtout la raison d'être de ce repérage ; puis vous retrouverez l'opération logique ou la question dialogique qui permet de bien répertorier l'information pertinente et d'expliciter sur quelle raison repose la sélection des données ; ensuite nous illustrons l'application de l'étape en donnant une réponse fictive, créée à des fins pédagogiques, au cas de travail social ; enfin, nous expliquons les principales difficultés éprouvées par des personnes lorsqu'elles appliquent la démarche à leur cas personnel. Ces précisions devraient faciliter votre compréhension et votre maîtrise de la grille pour l'appliquer à votre cas personnel.

À regarder une personne faire quelque chose, nous pensons souvent que nous pourrions le faire aisément. Cependant, ce n'est que lorsque nous avons à le faire nous-mêmes que nous nous rendons compte que la compréhension de quelque chose est différente de la maîtrise nécessaire à l'intégration dans la pratique. Pour vous permettre une meilleure intégration de votre compréhension des étapes, nous vous proposons un second exercice : la correction d'une grille d'analyse. Nous vous présenterons, à la section 2.5, la fiche d'application que nous avons rédigée d'un deuxième cas. Il s'agit ici d'un cas contrôle. Nous avons inscrit dans ce cas contrôle des renseignements qui ne correspondent pas toujours à l'opération logique ou à la question dialogique. Autrement dit, il y a des données non pertinentes dans la fiche. Vous devez les identifier, suggérer des corrections et, surtout, préciser la raison qui vous incite à juger impertinente cette information ou formulation. Évidemment, certaines informations sont pertinentes. Nous avons donné à la fin de la section les réponses à l'exercice ; elles vous permettront de contrôler votre apprentissage de la grille en question.

Enfin, la dernière étape de la maîtrise de la grille passe par l'application à un cas personnel, seul ou en équipe. Dans ce cas, il s'agit, pour optimiser la formation, de prendre un cas réel dans lequel vous êtes impliqué et d'utiliser la démarche pour réaliser une décision délibérée. Seul ce type d'exercice peut stimuler un développement personnel de connaissance de soi et de réflexion critique. Afin de faciliter le travail dialogique, nous avons précisé certaines de ses exigences.

2.1. Compréhension de la grille d'analyse – Le cas de Claude

Claude est un travailleur social qui œuvre dans un organisme communautaire dévoué aux personnes polytoxicomanes. C'est dans ce contexte de travail professionnel de relation d'aide, où la misère humaine est présente sous diverses formes, que Claude est placé devant la situation suivante : Paul, qui est en processus de désintoxication, est accompagné par Claude. Récemment, il a appris qu'il est séropositif. Cause probable : l'utilisation de la seringue d'une autre personne. Paul vit avec une compagne qui l'aide à se sortir de sa toxicomanie. Lors d'une rencontre, Paul révèle à Claude qu'il est séropositif et il lui demande son soutien de professionnel pour l'accompagner dans cette nouvelle réalité qui bouleverse sa vie. Après quelques rencontres qui ont permis à Paul de dépasser le premier état de choc, Claude soulève enfin la question délicate des relations sexuelles avec son amie et aborde avec lui le sujet des rapports sexuels protégés afin d'éviter la transmission du VIH. Plus tard, il lui demande s'il ne serait pas préférable qu'il informe sa partenaire de son état. Mais la crainte de perdre son amie, la peur de la solitude, de l'abandon et du retour aux drogues, comme seul moyen de survie, empêchent Paul d'avouer son état à sa partenaire. Plus tard, il avouera même à Claude qu'il a déjà eu des rapports sexuels non protégés avec elle. Claude est secoué par cet aveu et il se met à réfléchir.

Voici le cas qui nous servira d'exemple dans cette section pour vous aider à comprendre la décision délibérée à l'aide de la grille d'analyse. Prenons la grille d'analyse telle que nous la retrouvons à l'annexe II et appliquons-la systématiquement à ce cas selon la procédure prévue : précision de l'objectif de l'étape ; opération logique ou question dialogique nécessaire pour bien identifier, évaluer ou pondérer l'information ; illustration dans le cas de Claude et présentation des difficultés éprouvées par certaines personnes lorsqu'elles remplissent la fiche.

LE TITRE DU CAS

➢ *Objectif*

Il est bien évident que, si l'on donne un nom à un cas, cela sert d'abord à l'identifier. On peut identifier un cas, comme nous l'avons fait, par le nom de la personne qui est porteuse de la décision. Dans notre cas, il s'agit de Claude. Le nom renvoie alors au décideur. Si l'on veut mettre en valeur la profession concernée par le cas, on pourrait intituler le cas « travail social ». Par contre, il arrive souvent qu'un dilemme semblable se pose dans plusieurs professions. Le cas de Claude ici pourrait très bien être vécu par d'autres professionnels de la santé – psychologue, infirmière, médecin, etc. C'est pourquoi on conseille plutôt de donner un titre qui correspond le mieux possible à la nature de l'acte envisagé. Cela ne sera pas simple au départ. En général, ce n'est qu'après avoir terminé l'étape 2, la formulation du dilemme, qu'il sera possible de trouver un titre qui corresponde vraiment au dilemme.

➢ *Opération logique ou question dialogique*

Dans une situation comme celle de Claude, un ami ou un conseiller pourrait lui demander : « Quel est le genre de dilemme éthique auquel tu fais face ? » Identifier le genre de dilemme, c'est préciser le centre nerveux de la démarche de délibération. La vie professionnelle nous pose différents dilemmes, comme nous le montrent les codes de déontologie. Nous pouvons avoir affaire à la falsification de données, qu'il s'agisse de rapports d'évaluation de toutes sortes ou de rapports de recherche, tout comme nous pouvons envisager de tirer profit d'un client vulnérable, que ce profit soit sur le plan économique ou sexuel. Et que dire de situations où nous pourrions être amenés à exercer notre profession dans des états psychologiques ou physiques pouvant nuire au rendement. Il y a aussi toutes les questions de signalement (dévoiler à quelqu'un d'autre une information privilégiée) qui sont à l'origine de plusieurs dilemmes éthiques.

➢ *Inscription dans la fiche d'application*

Cas : *Claude et le signalement*

Il est suggéré de désigner temporairement le cas par le nom du décideur ou par sa profession en attendant l'étape 2 qui va permettre d'identifier clairement le dilemme.

PHASE I PRENDRE CONSCIENCE DE LA SITUATION

ÉTAPE 1 Inventorier les principaux éléments de la situation

➢ *Objectif*

Dans des situations de vie, il y a plusieurs éléments complexes qui forment la toile de fond de la situation. La première étape vise à discerner les principaux éléments de la situation, réelle ou fictive dans l'apprentissage, qui permettent de formuler le problème éthique. Les éléments retenus décrivent la situation et correspondent à ceux qui éveillent le doute sur la conduite à suivre. Ces éléments seront pondérés et évalués dans les étapes ultérieures par une analyse systématique. Il importe de les inventorier d'abord, afin d'être en mesure de bien formuler le dilemme éthique à l'étape 2.

➢ *Opération logique ou question dialogique*

L'ami ou le conseiller pourrait poser la question suivante : « Quels sont les éléments essentiels de la situation ? » Lorsqu'une personne pose cette question, elle veut amener le groupe ou le décideur à préciser les faits de la situation qui provoquent cette tension entre deux voies contradictoires qui caractérise tout dilemme. Parmi ces faits, certains peuvent être marqués d'incertitude, principalement lorsqu'il s'agit de décider à partir d'une expertise ou d'une projection dans le futur. Il faut donc repérer, à cette étape, les éléments majeurs de manière *i)* à sentir quels sont ces faits qui provoquent cette tension et *ii)* à bien montrer les faits qui sont marqués d'incertitude. Cette opération est importante car la manière que nous avons de poser un problème (*problem setting*) impose déjà un cheminement. Dans plusieurs situations, les équipes s'affrontent d'abord à ce niveau. Ne partant pas des mêmes éléments majeurs, nous ne nous entendons pas sur la manière de poser le problème ou le dilemme à résoudre. La différence de points de vue peut aussi porter sur des faits marqués d'incertitude. Par exemple, des personnes peuvent être en désaccord sur la valeur du pronostic d'un médecin dans une situation de cessation de traitement. Elles s'inquiètent et se demandent s'il n'y aurait pas une possibilité d'erreur.

➢ *Inscription dans la fiche d'application*

Voici la réponse fictive de Claude qui tient compte de l'objectif de l'étape et de l'opération logique ou de la question dialogique.

Dans une situation fictive comme celle de Claude, il faut occuper la position de Claude, c'est-à-dire se projeter dans cette situation professionnelle comme si nous étions Claude. Lorsque nous nous projetons dans un scénario comme celui-là, ce que nous inscrivons dans la fiche correspond à ce que nous pensons et ressentons. Évidemment, nous l'avons fait ici à des fins pédagogiques, pour vous aider à comprendre la démarche ; il ne s'agit pas d'une « bonne réponse ». Vos réactions seront probablement différentes. Il faut les noter, car vous pourrez prendre mieux conscience de votre manière de décider et ainsi mieux comprendre ce qui fait diverger les points de vue sur une même question.

Étape 1. Inventorier les principaux éléments de la situation

Quels sont les principaux éléments de la situation ?

1. *Comme professionnel je suis engagé dans un processus avec Paul.*
2. *Paul me confie qu'il est séropositif.*
3. *Paul me confie qu'il a eu des rapports sexuels non protégés avec son amie.*
4. *Paul ne peut pas avouer à son amie son état, ni prendre les moyens pour la protéger.*
5. *Son amie, si elle ne l'est pas déjà, risque d'être contaminée.*
6. *Est-ce que le diagnostic de la séropositivité de Paul est bien établi ?*

Les éléments retenus ici montrent bien le tiraillement de Claude dans cette situation. Il est un professionnel à qui l'on transmet une information privilégiée. Maintenant qu'il sait, il se demande quoi faire, étant donné que cette information pourrait aider quelqu'un. Mais toute cette situation dépend d'une chose : la séropositivité de Paul (fait marqué d'incertitude).

➢ *Difficultés éprouvées*

À cette étape, certaines personnes seront tentées non pas de relever les faits de la situation, mais d'évaluer celle-ci ou même de proposer une décision. Par exemple, certains pourraient dire : « Paul est un irresponsable incapable de prendre ses responsabilités » ou bien : « Il faut absolument faire quelque chose, on ne peut pas laisser cela comme ça ». Il faut justement éviter toute évaluation et toute prise de décision hâtives. L'opération de l'étape 1 consiste tout simplement à noter les faits et à les présenter comme des faits marquants de la situation.

Il est quelquefois difficile de discerner les éléments essentiels d'une situation parce que nous ne portons attention qu'aux faits sur lesquels nous voudrions insister pour arriver à notre conclusion. Devant un dilemme, nous avons tous une solution spontanée. Dès que vous avez lu le cas de Claude, vous avez probablement choisi une option, dans votre for intérieur. Puisqu'il est difficile de nous distancier de notre décision spontanée, nous ne nous centrons souvent que sur les faits qui la soutiennent.

Le plus souvent, on ignore les faits qui sont marqués d'incertitude et qui, pourtant, sont cruciaux pour la décision. Dans le cas de Claude, Paul a pu lui dire qu'il était séropositif, mais on peut se demander si ce diagnostic a réellement été posé. Si cette donnée est fausse, il n'y a plus de problème. Par exemple, Paul aurait pu apprendre, après coup, que son ami Charles, qui lui avait prêté sa seringue un soir de « fête », est sidéen, et il en a conclu qu'il était séropositif. Il faudrait des tests de dépistage pour en être certain. Dans plusieurs dilemmes, nous sommes placés dans des situations où nos décisions dépendent d'avis professionnels. Plusieurs problèmes en bioéthique, par exemple les décisions relatives au choix de mourir (cessation de traitement, suicide assisté, euthanasie), dépendent de la valeur du diagnostic et du pronostic. Toute discussion sur ces données doit avoir lieu à l'étape 1, car ces éléments déterminent toute la problématique. Elle permet de cerner l'ampleur de l'incertitude à assumer dans la décision délibérée en éthique.

PHASE I — PRENDRE CONSCIENCE DE LA SITUATION

ÉTAPE 2 — Formuler le dilemme

➢ *Objectif*

Dans cette étape, il s'agit d'énoncer clairement le dilemme d'action auquel nous sommes confrontés dans la situation. La formulation du dilemme est importante, car elle détermine le problème à résoudre. Lorsque la tension vécue dans la situation est bien exprimée dans l'étape 1, la formulation du dilemme devrait couler de source. Avec l'étape 2 s'achève la formulation du problème de décision en éthique que nous avons à résoudre.

➢ *Opération logique ou question dialogique*

Pour nous aider à formuler le dilemme, quelqu'un pourrait nous poser les deux questions : « Est-ce que la situation nous confronte vraiment à un dilemme éthique d'action ? » « Si oui, le dilemme est-il formulé en termes d'actions générales qui s'opposent dans la situation ? ». Pour répondre adéquatement à notre interlocuteur, il faut bien saisir la notion de dilemme en éthique, car, en l'absence d'accord sur cette notion, locuteurs et allocutaires risquent de ne pas se comprendre. Qu'est-ce qu'un dilemme en éthique ? Cette notion renferme deux composantes : le dilemme, d'abord, et sa relation avec l'éthique, ensuite. Un dilemme, selon le sens usuel, renvoie à l'idée d'alternative et de contradiction. Ainsi, la formulation du dilemme que nous retenons ici est celle qui oppose de façon contradictoire deux énoncés touchant l'action envisagée dans la situation. C'est pourquoi, dans la fiche d'application, nous précisons : Proposition A (faire quelque chose) et Proposition –A qui signifie la négation de A (ne pas faire ce qui est mentionné en A). Si toute décision concrète comporte un dilemme d'action, toute décision d'action ne pose pas nécessairement un dilemme éthique. Lorsqu'on regarde dans le réfrigérateur pour savoir ce qu'on va cuisiner pour le souper, on doit choisir. Mais ce choix qui nous conduit quelquefois au dilemme de faire à souper ou de commander quelque chose n'est pas forcément un dilemme éthique. Pourquoi ? Un choix d'action pose un dilemme éthique lorsque l'action envisagée entraîne des conséquences à la fois positives et négatives sur soi, autrui et son environnement. L'éthique, rappelons-le, a pour objet la régulation des rapports entre les humains. Or, ces rapports sont constitués, entre autres, par les actions issues de nos décisions.

Les deux questions de notre interlocuteur nous invitent à effectuer deux opérations logiques différentes. D'abord, il faut s'assurer que la situation nous confronte réellement à un choix entre deux actions contradictoires qui ont des conséquences à la fois positives et négatives sur soi, sur autrui ou sur l'environnement. Il faut donc démontrer que les éléments majeurs précisés à l'étape 1 conduisent au choix d'action dans ce dilemme éthique. De plus, il faut pouvoir nommer la catégorie générale d'action qui est envisagée. Rappelez-vous ce qui a été mentionné au sujet du titre d'un cas : le meilleur titre est celui qui correspond à la nature du dilemme d'action envisagée.

➢ *Inscription dans la fiche d'application*

Voici la réponse fictive de Claude qui tient compte de l'objectif de l'étape et de l'opération logique ou de la question dialogique.

Si l'on revient aux éléments majeurs de la situation de l'étape 1, Claude constate que l'amie de Paul risque d'être contaminée si Paul ne dit rien. De plus, il sait que Paul a été incapable de dire à son amie qu'il était séropositif. Il sait aussi que le comportement sexuel de Paul peut la menacer. Claude pourrait peut-être protéger l'amie en question s'il osait lui dévoiler l'état de Paul. Par contre, il est lié par le secret professionnel. Quel est alors le dilemme d'action ? Quel acte pourrait-il poser ou ne pas poser dans la situation ? Prévenir l'amie de Paul ou ne pas la prévenir ?

ÉTAPE 2. FORMULER LE DILEMME

Mon dilemme est : Proposition A : *Je préviens l'amie de Paul.*
Proposition –A : *Je ne préviens pas l'amie de Paul.*

➢ *Difficultés éprouvées*

Nous avons déjà précisé, dans les sections précédentes, l'orientation de notre démarche éthique en éthique appliquée qui nous incite à privilégier la délibération éthique dans le contexte d'une prise de décision en fonction de l'action à entreprendre dans une situation complexe. Pour plusieurs personnes, cette façon d'exposer le dilemme éthique est très différente de leur manière spontanée de considérer les problèmes éthiques. Pour elles, la première difficulté réside donc dans la formulation du dilemme en termes d'action envisagée. Pour certaines personnes, un dilemme éthique correspond à un dilemme entre des obligations ou devoirs moraux, et elles auront donc tendance à formuler leur dilemme en termes de devoir ou d'obligation. Par exemple, elles diront : « Est-ce que Claude doit (est obligé de) dévoiler l'état de Paul à son amie ? » Pour d'autres centrées sur les valeurs, le dilemme sera formulé conséquemment et pourra s'énoncer ainsi : « Est-ce que la loyauté de Claude pour Paul passe avant la santé de son amie ? »

Pour d'autres, enfin, la difficulté provient du fait qu'elles ont tendance à poser les problèmes en fonction des moyens (modalités) d'action plutôt que du genre d'action à faire. Ainsi, ils ont du mal à distinguer la catégorie générale d'action du moyen précis à employer pour exécuter l'action. Certains auront donc tendance à formuler le dilemme comme ceci : « Est-ce que Claude téléphone à l'amie de Paul ? » Une telle formulation risque de faire dériver la discussion sur la question du moyen plutôt que sur le problème éthique réel : prévenir ou non l'amie de Paul. En effet, il arrive souvent dans les discussions que nous passions beaucoup de temps à discuter du moyen plutôt que du genre d'action : « Non, il ne faut pas dire ça au téléphone, mais au bureau. » « Oui, mais le téléphone est anonyme… » Autrement dit, toute la discussion se focalise sur le moyen alors que le fond du problème n'est pas traité.

Rappelons enfin que le dilemme doit être un dilemme éthique, c'est-à-dire que l'action envisagée dans le dilemme aura des conséquences à la fois positives et négatives sur soi, sur autrui ou sur l'environnement. Lorsque le dilemme consiste en un choix d'actions qui n'ont de conséquences que sur soi, nous sommes devant un dilemme de préférence.

PHASE I PRENDRE CONSCIENCE DE LA SITUATION

ÉTAPE 3 Résumer la prise de décision spontanée

➢ *Objectif*

On dit souvent que la nature a horreur du vide pour désigner que tout ce que l'on vide a tendance à se remplir immédiatement à moins de baliser le vide par des parois solides. Par analogie, on pourrait dire que l'humain a horreur de l'incertitude. Devant une situation problématique, il sera enclin à résoudre la difficulté selon sa structure décisionnelle héritée du passé et de son expérience. On admire souvent ces gens qui ont de l'intuition et qui, dans une situation d'urgence, posent les gestes requis sans hésitation. Cette tendance à résoudre, à partir de ce que nous sommes, les situations d'incertitude et de doute nous amène à prendre des décisions spontanées dès que nous faisons face à une situation problématique. Qui n'a pas, après avoir pris connaissance du cas de Claude, opté pour une voie d'action plutôt qu'une autre ? Spontanément, on dirait : « Moi, spontanément, j'aurais tendance à faire A, si j'étais à la place de Claude. » D'autres, spontanément, diraient le contraire. Dans une démarche éthique comme celle-ci, où il s'agit de prendre conscience de notre mode décisionnel en éthique par la réflexion systématique, il est important d'identifier cette décision spontanée, car elle constitue le reflet de notre structure décisionnelle.

➢ *Opération logique ou question dialogique*

« Spontanément, tu ferais quoi à la place de Claude ? » En équipe, il est souvent utile de faire un tour de table pour bien connaître et mesurer les différents points de vue qui seront exposés dans le processus de délibération collective. En effet, l'explicitation de sa décision spontanée et des principales raisons favorise le dialogue. Il est, en outre, possible de relever s'il y a déjà dans le groupe un consensus face à la résolution du problème ou non. Cela permet également de vérifier à quel degré les personnes s'entendent spontanément sur les mêmes raisons de choisir l'option en cause.

➢ *Inscription dans la fiche d'application*

Voici la réponse fictive de Claude qui tient compte de l'objectif de l'étape et de l'opération logique ou de la question dialogique.

ÉTAPE 3. RÉSUMER LA PRISE DE DÉCISION SPONTANÉE

Spontanément, je retiens la proposition : (encerclez) A ou –A

Qu'est-ce qui me fait dire que c'est réellement la meilleure option ?

Je ne peux accepter que l'amie de Paul soit une victime innocente dans cette histoire. J'ai tout fait pour que Paul comprenne, mais puisqu'il ne veut rien entendre, je parlerai à son amie. Elle pourra agir en conséquence.

➢ *Difficultés éprouvées*

Il n'y a pas de difficultés à cette étape, puisqu'il s'agit de décrire notre réaction spontanée. Évidemment, toute cette démarche exige de la transparence : avec soi, d'abord, et avec les autres, ensuite. La dissonance, dont nous parlions précédemment, peut nous amener à ne pas dévoiler toutes nos raisons spontanées.

PHASE I PRENDRE CONSCIENCE DE LA SITUATION
ÉTAPE 4 Analyser la situation des parties

➢ *Objectif*

Avec l'étape 4, nous entamons des opérations d'analyse de la situation visant à assurer que nous avons en main toutes les informations nécessaires pour prendre la meilleure décision possible dans les circonstances. Puisqu'il s'agit d'analyser la situation, le travail consistera à discerner tous les éléments pertinents à une décision et à écarter les informations non pertinentes. C'est à l'étape 4 que nous allons répertorier deux catégories d'informations essentielles à une décision, soit les parties et les intérêts impliqués.

Dans un dilemme éthique, avons-nous précisé à l'étape 2, l'action envisagée aura des conséquences à la fois positives et négatives sur soi, sur autrui ou sur l'environnement. Puisque la tension vécue dans la situation vient du fait que l'action n'est pas neutre et que nous devrons assumer personnellement les conséquences de nos actions, il est indispensable d'identifier avec précision *i)* d'abord quelles seront les personnes impliquées, y compris le décideur, les institutions ou les autres éléments de l'environnement qui pourront subir des conséquences de la décision et *ii)* la manière dont les conséquences les affecteront.

➢ *Opération logique ou question dialogique*

Pour nous aider à identifier les personnes concernées par la décision, nous pouvons nous poser la question suivante : « Quelles sont les personnes qui pourraient me réclamer de justifier ma décision puisqu'elles en supporteront les conséquences ? » Cette interrogation reprend ce que différents éthiciens anglo-saxons ont désigné comme étant la théorie des actionnaires (*shareholders*). N'ayant pas oublié que l'éthique vise toujours la régulation de nos rapports humains, nous pouvons alors imaginer que tous les êtres humains possèdent une part dans cette coopérative de la vie planétaire, ce qui justifie de prendre part à la discussion et de remettre en question les décisions qui affecteront les autres actionnaires.

Le terme « intérêts » que nous utilisons pour désigner la nature de l'information à répertorier dans cette étape est emprunté au domaine juridique plutôt qu'au domaine économique. Par exemple, un ami peut très bien être victime d'un abus ou d'un bris de contrat et refuser de se défendre. Est-ce que je peux, moi, engager un avocat pour poursuivre la personne qui abuse ainsi de mon ami ? Non ! Pourquoi ? Tout simplement, répondra le juge, parce que je n'ai pas un « intérêt matériel » dans la cause. Comment le juge évalue-t-il cet intérêt dans la cause ? Par les conséquences du bris de contrat : ont intérêt dans une cause toutes les personnes qui risquent de tirer des avantages ou de subir des inconvénients du bris de contrat, autrement dit, seulement ceux et celles qui ont un « intérêt matériel » à défendre, intérêt qui se mesure en droit par un gain ou par une perte. Un créancier de mon ami pourrait, lui, tenter de faire quelque chose, puisqu'il a, contrairement à moi, un intérêt matériel dans la cause.

Cette étape 4 exige que l'on procède de la même manière qu'un juge, c'est-à-dire mesurer l'intérêt matériel des personnes impliquées par la décision de faire A ou –A, en tenant compte de celles que les conséquences positives et négatives affecteront, et en précisant la nature de ces mêmes conséquences.

Dans un premier temps, l'opération logique consiste, à partir des conséquences prévisibles de A et –A, à identifier les personnes qui seront touchées par la décision et la manière dont elles le seront.

Ensuite, il faut expliciter certaines caractéristiques des conséquences retenues. Dans une décision délibérée, en plus de différencier les conséquences directes et indirectes de l'action, on doit connaître le degré de probabilité que telle conséquence se produise. Ces deux caractéristiques des conséquences retenues permettent de cerner le degré d'incertitude de nos décisions.

Lorsque nous analysons une situation et que nous essayons de voir comment un choix d'action affectera une personne ou une institution, il est relativement simple de répertorier les conséquences directes, c'est-à-dire celles qui, dans les circonstances, découlent directement de l'action. Mais certaines conséquences de nos actions se manifesteront plus tard, à certaines conditions. La première caractéristique des conséquences situe donc l'action dans une chaîne de causalité que nous devons comprendre. Par exemple, une action pourrait entraîner dans le temps de nouvelles conséquences si quelque chose d'autre arrivait. Plus une conséquence est éloignée dans le temps par rapport à l'action qui l'a entraînée, plus sa réalisation dépend de facteurs contingents, ce à quoi renvoient les « si ». Cette distinction entre conséquences directes (d) et indirectes (in) est importante, car elle servira de base pour évaluer les conséquences à l'étape 7, ce qui ne l'empêche pas d'être déjà utile pour nous aider à limiter la quantité d'information à retenir. Notre imagination peut être très fertile en « si », et les pires catastrophes sont quelquefois imaginables à partir d'une décision toute simple.

La seconde caractéristique importante des conséquences retenues est leur degré de probabilité. Dans quelle mesure la conséquence retenue risque-t-elle de se matérialiser ? Est-ce que telle conséquence est très probable (++), fort probable (+) probable (=) ou peu probable (–) ? La discussion sur les effets nocifs de la cigarette illustre bien l'importance des conséquences probables dans une décision. S'il est impossible de prédire que tel fumeur développera nécessairement un cancer ou une maladie cardiaque à cause de la cigarette, on peut démontrer qu'il est très probable qu'une personne qui fume une certaine quantité de cigarettes développera un cancer ou une maladie cardiaque. Mais jamais on ne peut dire que telle personne fera partie des statistiques.

Identifier ainsi le degré de probabilité des conséquences nous fournit un indicateur important sur les conséquences à retenir dans la prise de décision. Plus les conséquences sont probables, plus elles sont déterminantes pour la décision.

Il y a certes un lien entre les conséquences directes (d) et indirectes (in) et le degré de probabilité, car plus une conséquence est éloignée dans le temps, plus elle dépend d'autres facteurs et moins elle devient probable. Il est cependant important de distinguer les deux caractéristiques des conséquences, parce qu'elles jouent un rôle différent dans leur évaluation. En effet, la probabilité qu'une conséquence se produise est une chose très différente du risque que l'on est prêt à assumer en prenant une décision. Par exemple, chaque fois que l'on prend sa voiture, on assume le risque d'avoir un accident ; de même, plus un fumeur fume, plus il assume le risque de souffrir d'une maladie pulmonaire ou cardiaque. Il y a certains risques que nous sommes donc prêts à assumer, individuellement ou collectivement, tandis que d'autres, même s'ils sont peu probables, nous feront reculer. Le cas des manipulations génétiques des animaux soulève des questions du genre suivant : « Pouvons-nous créer des animaux nouveaux en modifiant leur code génétique et prendre le risque qu'ils s'échappent dans l'environnement ? » Les conséquences négatives pour l'environnement sont souvent très peu probables, soutiennent les spécialistes, mais sommes-nous prêts à prendre ce risque ? Même chose pour la personne chère qui est dans un état végétatif et sous respirateur artificiel ; en arrêtant le respirateur, nous savons pertinemment qu'elle va mourir. La question « Et si elle s'était réveillée de cet état ? » se posera toujours. Cette incertitude marque toujours la finitude de nos décisions. C'est pourquoi distinguer la probabilité des conséquences et leur caractère direct (d) ou indirect (in) permet de mieux identifier les risques que nous sommes prêts à assumer.

Une conséquence est directe lorsqu'on sait qu'en posant telle action elle se produira à coup sûr. Par contre, plusieurs des conséquences de nos actions dépendent d'autres facteurs et sont souvent conditionnelles à l'intervention d'une autre personne. Dans notre exemple, la possibilité d'une poursuite par l'ordre professionnel dépend de Paul. Va-t-il déposer une plainte ? L'évaluation de la probabilité d'une conséquence dépend ici de l'analyse de son caractère indirect.

➢ *Inscription dans la fiche d'application*

Voici la réponse fictive de Claude qui tient compte de l'objectif de l'étape et de l'opération logique ou de la question dialogique.

Dans toute décision, le décideur, comme il est la première partie impliquée, doit donc évaluer les conséquences sur lui-même. Dans le cas qui nous occupe, Claude sait aussi que d'autres personnes et d'autres institutions seront touchées par son action de dévoiler ou non l'information qu'il détient. Claude se demande alors : « Si je dévoile l'état de Paul à son amie, que risque-t-il de se produire (conséquences prévisibles) ? » En le sachant l'amie de Paul pourra peut-être se protéger à temps. Paul risque de se sentir trahi et de ne plus vouloir de moi comme accompagnateur. Est-ce que Paul pourrait se plaindre à l'Ordre des travailleurs sociaux ? En y pensant bien, est-ce que toutes les personnes séropositives ne risquent pas d'être touchées si, moi, en tant que professionnel, je dévoile des renseignements confidentiels ? N'y a-t-il pas d'autres conséquences sociales plus étendues ?

L'identification des conséquences retenues qui sont classées dans les intérêts impliqués découlent de l'analyse suivante. Claude se demande : « Quelles sont les conséquences prévisibles qui m'affecteront en dévoilant ou non l'état de Paul à son amie ? » Connaissant très bien le tempérament vif de Paul, je dois m'attendre à une violente réaction négative pouvant aller jusqu'à la rupture de la relation d'aide. « Subir les foudres de Paul » et « L'arrêt de la relation professionnelle avec lui » apparaissent comme deux conséquences prévisibles. La première est directe et très probable, compte tenu de la nature excessive de Paul. Qu'en est-il maintenant de la seconde ? Est-ce que Paul va vraiment mettre un terme à la relation professionnelle ? Cette conséquence est indirecte, elle dépend de sa capacité à comprendre pourquoi Claude a jugé bon de prendre cette décision. Claude, comme tout décideur, doit évaluer le degré de probabilité que cette conséquence se matérialise. Cela fait partie d'un élément du risque dans une décision. Plus la probabilité est forte, plus on retiendra la conséquence dans les intérêts en jeu. Le même raisonnement logique conduira Claude à préciser si, compte tenu des autres personnes, il risque d'être accusé de transgresser son code de déontologie et d'en subir les sanctions importantes. Dans le contexte actuel, il ne croit pas qu'il pourrait être sanctionné.

D'après sa connaissance des personnes et des institutions, Claude doit également établir les conséquences prévisibles que peut avoir son geste sur elles. S'il se tait, l'amie de Paul risque d'être contaminée, tandis que, s'il lui parle, elle peut avoir des chances de se protéger contre le VIH. Dans cette seconde éventualité, il devient fort probable que Paul, en plus de mettre fin à la relation professionnelle d'aide, ne fasse plus jamais confiance à quiconque et s'enfonce encore plus profondément dans sa toxicomanie, résultat qui ne manquera pas d'avoir de graves répercussions. Conséquemment à cette décision, l'image des travailleurs sociaux ne risque-t-elle pas d'être ternie ? À cette question, Claude ne peut pas répondre, n'en sachant pas davantage sur son ordre qu'il n'est au courant des discussions sur de tels sujets. Toujours dans cette seconde possibilité, on peut se demander si les personnes séropositives ne risquent pas, si on venait à généraliser une telle pratique, d'en venir à se méfier des professionnels de la santé au point de ne plus vouloir les consulter.

Les conséquences que Claude vient d'énumérer ici, par des opérations logiques ou des réponse aux questions dialogiques, permettent de bien identifier les parties impliquées dans le dilemme.

ÉTAPE 4. ANALYSER LA SITUATION DES PARTIES

Parties impliquées	Intérêts impliqués			
	Conséquences + et – Si A	Indices de probabilité et de causalité (++/+/=/–/) et (d/in)		Conséquences + ou – Si –A
Décideur : Moi – Claude	Subir les foudres de Paul.	(++/d)	(++/d)	Ne pas subir les foudres de Paul.
	Mettre fin à la relation thérapeutique.	(+/in)	(++/d)	Poursuivre la relation thérapeutique.
	Aucune sanction de l'Ordre pour violation du secret professionnel.	(+/in)	(++/d)	Aucune sanction de l'Ordre pour violation du secret professionnel.
Autrui :				
L'amie de Paul	Pouvoir se protéger du vih.	(+/d)	(++/d)	Être contaminée par le vih.
Paul	Enfoncer dans sa toxicomanie.	(=/in)	(++/d)	Maintenir ses chances de s'en sortir.
Ordre des travailleurs sociaux	Pas identifiables actuellement.			Pas identifiables actuellement.
Les personnes séropositives	Augmentation de la méfiance envers les professionnels de la santé.	(=/in)	(+/d)	Maintien de la confiance actuelle envers les professionnels de la santé.

➢ *Difficultés éprouvées*

Par définition, il n'est pas aisé d'analyser des situations complexes et c'est pourquoi nous éprouvons plusieurs types de difficultés dans l'analyse de la situation des parties.

Une première difficulté vient du fait qu'on oublie souvent l'objectif de l'étape 4, qui est d'analyser la situation des parties afin de ne retenir que les éléments pertinents à la décision. Lors d'un congrès récent, un conférencier nous expliquait que les membres de conseils d'administration étaient souvent inondés d'informations, de rapports et de tableaux de toutes sortes. Quelles informations dans tout ce fatras sont pertinentes à la décision à prendre ? Ils n'ont pas d'autre choix que de *i)* lire toute la documentation (ce qui prendrait des heures et des heures), *ii)* se fier au Bureau de direction ou *iii)* faire confiance à leur propre intuition.

La surinformation est quelquefois une stratégie utilisée pour empêcher un comité de prendre une décision autonome. En revanche, trop peu d'information risque de nuire à la décision en ne fournissant pas aux décideurs tous les éléments pertinents. Entre ces deux excès, il s'agit de viser l'équilibre en se concentrant, d'une part, sur les conséquences directes à très fortes probabilités et, d'autre part, sur les conséquences indirectes à fortes probabilités ou sur celles qui, sans avoir une forte probabilité de se réaliser, peuvent tout de même se produire et que nous jugeons préférable de ne pas négliger.

Une autre difficulté apparaît souvent lorsque certaines personnes se rendent compte que toute prise de décision dépend de l'évaluation par le décideur de la probabilité des conséquences de son action sur les autres. « Je pense, monsieur, disait un étudiant, que l'autre va réagir comme cela mais je n'en ai pas la certitude. Comment puis-je décider si je ne suis pas certain des conséquences ? » Cette réaction démontre bien qu'une des causes de l'incertitude de nos décisions réside dans notre ignorance des conséquences de nos actions sur les personnes. En fait, lorsqu'on décide, on parie sur nos perceptions. Les draveurs de jadis ne connaissent pas et ne pouvaient pas connaître les conséquences de la drave sur le lit des rivières, tout comme les premiers radiologues ne pouvaient soupçonner que leur travail était cancérigène pour eux-mêmes. C'est pourquoi le temps est le juge ultime de la justesse de nos décisions. La réflexion sur les conséquences permet au moins de découvrir les raisons sur lesquelles nous nous appuyons pour retenir telles conséquences et les juger pertinentes à la décision.

Certaines personnes, férues de psychologie, ont tendance à chercher l'intérêt psychologique de la personne au lieu de l'intérêt matériel. Par exemple, elles énumèrent souvent les séquelles affectives que pourra subir la personne, comme se sentir déçue, frustrée, marquée, etc. Ces conséquences émotives, bien que réelles, ne constituent pas l'intérêt de la personne que nous recherchons, à moins que les conséquences affectives soient de nature à modifier les relations de la personne avec son entourage. La crise prévisible de Paul est retenue en tant que conséquence sur Claude, car il en sera éventuellement affecté.

PHASE I — PRENDRE CONSCIENCE DE LA SITUATION

ÉTAPE 5 — Analyser la dimension normative de la situation

➢ *Objectif*

Nos pratiques professionnelles, institutionnelles et sociales sont traversées par un ensemble de normes qui en tracent les balises. On parle de plus en plus de normativités[2] pour désigner la manière dont ces différentes normes sont intégrées dans la pratique, à tel point qu'elles constituent la matrice de décision spontanée. Dans une situation donnée, par exemple, l'importance d'une norme légale peut être tellement évidente que la normativité juridique écarte, pour le décideur, toute autre possibilité d'action. Mais il n'y a pas que les normes juridiques qui occupent une place importante, bien que cette place soit prépondérante dans une société de droit comme la nôtre. Ainsi, la culture d'un milieu renvoie au fait qu'un groupe ou un sous-groupe possède une façon particulière de voir et de régler certaines conduites en institution. Le fait d'appartenir à tel groupe d'employés ou d'occuper telle fonction nous inscrit dans un réseau associatif qui impose certaines règles. Cette mentalité se traduit souvent par des attentes de

2. L. Bégin, « Les normativités dans les comités d'éthique clinique », dans M.H. Parizeau (dir.), *Hôpital et éthique*, Sainte-Foy, Presses de l'Université Laval, 1995, p. 32-57.

certaines conduites aussi bien que par des interdictions. Manquer à ces règles implicites, jamais écrites, aura des conséquences sur les relations dans le travail.

L'analyse de la situation à l'étape 4 aura probablement déjà permis de cerner, par la crainte des sanctions de la loi ou du groupe, certains éléments normatifs liés à des sanctions ou à des représailles. Cependant, il ne faut pas croire que toutes les normativités sont nécessairement reliées à un système de punition ou de récompense. Certaines valeurs associatives, certains idéaux de pratique auxquels un groupe s'identifie peuvent être vécus comme guides nécessaires à la pratique, en raison de notre association au groupe donné.

Sur le plan plus personnel des systèmes de croyances religieux ou laïques, il est possible que le simple fait d'envisager l'une des actions A ou –A déclenche une réaction voisine de l'une des expressions suivantes : « Non, je ne peux pas faire ça, je ne pourrais plus me regarder en pleine face. » « Faire ça, c'est trahir mes convictions les plus profondes. » « Je me sentirais tellement coupable après que je ne peux pas envisager cela ! ». Ces expressions nous font comprendre que « le regret », « le remords » ou la « culpabilité » se manifestent au moment d'envisager une voie d'action possible.

Ces manifestations sont importantes, car elles nous ouvrent la voie sur deux phénomènes : la normativité morale (étape 5) et la base affective des décisions (étape 6). Plusieurs auteurs en morale ou en éthique, de même que toute la tradition britannique en droit, soutiennent que cette réaction émotive du regret, du remords, de la culpabilité ou celle plus positive de prendre conscience du caractère « choquant », « outrageux » ou « indigne » du geste indiquent la présence d'une obligation morale inscrite au fond de nous. La réaction émotive sert ainsi au rappel de cette obligation morale implicite que la réflexion peut mettre au jour.

Dans la mesure où notre système de croyance personnel est régi par une normativité morale, il devient important de rendre explicites les normes en cause, car elles devront être considérées dans la décision.

➢ *Opération logique ou question dialogique*

Les trois interrogations suivantes, « Quel écart existe-t-il entre l'action envisagée et les règles légales ? », « Quel écart existe-t-il entre l'action envisagée et les normes ou attentes du milieu ? », « Quel écart existe-t-il entre l'action envisagée et les normes ou obligations morales véhiculées par mes croyances personnelles ? », permettent de situer l'action envisagée, A et –A, par rapport aux diverses normativités en cause dans la situation. Il ne faut pas oublier que le but de cette étape est de prendre conscience des normativités qui entrent en jeu. Comme nous l'avons dit précédemment, il existe plusieurs lois, plusieurs règlements, plusieurs règles implicitement liées à divers milieux ainsi que plusieurs croyances personnelles. Lorsqu'on recherche les éléments concernés par une situation, il s'agit vraiment de rechercher les normativités qui ont du poids, qui ont le pouvoir d'influencer notre décision.

Évidemment, le but de l'étape 5 n'est pas de dresser un inventaire de toutes les normativités existantes, mais plutôt de mesurer *i)* si l'action envisagée enfreint, ou risque d'enfreindre, une de ces normes « légales », « associatives » ou « morales » et, si tel est le cas, *ii)* de vérifier de quelle manière on perçoit cette violation éventuelle de la norme. Si l'on redoute les sanctions possibles comme *i)* les poursuites légales devant un tribunal régulier ou devant le comité de discipline ou *ii)* l'exclusion du groupe pour avoir transgressé une règle implicite, on devrait alors confirmer l'importance de ces normes dans la décision par la présence de conséquences négatives à l'étape 4. Si ce n'est pas la crainte des sanctions qui a un impact sur la décision, mais la force de la conviction de la valeur intrinsèque de ces normes, alors ces renseignements seront utiles à l'étape 7 pour nommer les valeurs en présence dans la décision.

➢ *Inscription dans la fiche d'application*

Voici la réponse fictive de Claude qui tient compte de l'objectif de l'étape ainsi que de l'opération logique ou de la question dialogique.

ÉTAPE 5. ANALYSER LA DIMENSION NORMATIVE DE LA SITUATION

- Énumérer les dispositions légales et réglementaires en cause :

  Le code de déontologie des travailleurs sociaux prévoit aux articles 3.06.01, 3.06.02, 3.06.03, 3.06.04. des obligations imposant le secret professionnel. Par contre, l'arrêt Tarasoff aux États-Unis a condamné un travailleur social qui savait que son client avait manifesté l'intention de tuer son épouse et qui n'a pas pris les moyens de le faire savoir à la future victime.

- Énumérer les règles non écrites du milieu en cause (le cas échéant) :

  Dans le milieu de pratique, bien qu'on valorise le secret professionnel, il n'y a pas consensus sur la question.

- Énumérer les normes morales en cause (le cas échéant) :

  Je me sens obligé d'aider autrui devant une menace grave pour sa santé ou sa vie. Je ne peux rester tout simplement là à ne rien faire : il faut que je fasse quelque chose.

➢ *Difficultés éprouvées*

À l'étape 5, comme à l'étape 4, certaines personnes auront tendance à vouloir énumérer tous les articles de loi et toutes les normes possibles. S'il est important d'être méticuleux pour s'assurer que notre action n'enfreint pas de règles juridiques, associatives ou morales, il ne faut pas oublier qu'il s'agit de cerner, dans cet ensemble, celles qui ont un poids (pondération) dans la décision. D'autres personnes, plus expéditives, ne retiendront que ce qui leur apparaît, à première vue, avoir du poids dans la décision sans faire un effort de distanciation pour s'assurer de faire le tour de l'ensemble des normativités.

Pour les personnes vivant dans des systèmes de croyances instituées en religion, l'étape 5 devrait permettre de situer leur décision à l'égard des normes officielles. Ainsi, elles découvriront l'écart qui existe entre les normes qui leur sont personnelles et celles plus officielles véhiculées par l'instance religieuse. Il ne sert à rien d'énoncer les normes officielles – comme celle de l'Église catholique, en matière d'avortement, de contraception ou sur le caractère sacré de la vie, par exemple – si on ne saisit pas jusqu'à quel point cette normativité peut influencer la décision en cause et, en certaines circonstances, la limiter. L'écart dont il est question ici n'est pas différent de celui qui existe entre les normes juridiques de la société et leur intégration comme normativité au regard de notre conduite éventuelle.

Il ne faut pas oublier qu'il ne s'agit, à cette étape-ci, que d'énumérer le plus clairement possible les diverses normativités qui traversent effectivement le processus de décision pour la situation en cause. Ce n'est ni le lieu de justifier l'importance de ces normativités, ni celui de décider à partir d'elles. Il est important, puisque nous voulons favoriser la prise de conscience du modèle de décision, d'offrir une grille d'analyse qui permette aux personnes dont les décisions se prennent à partir de systèmes de croyances de pouvoir spécifier ces obligations morales.

2.2. Que signifie clarifier ses valeurs ?

La première phase de la décision délibérée nous a permis de situer le contexte de la décision principalement par l'analyse des conséquences prévisibles, positives et négatives de l'action envisagée dans le dilemme, pour différentes personnes. Elle nous a aussi permis de cerner l'ensemble des normes et des obligations, légales, associatives et morales, qui influencent la décision. La phase II nous invite à poursuivre notre réflexion sur la composante affective qui, cette fois, est la source de notre motivation d'agir. Tout dilemme en éthique est marqué par une tension qui apparaît dans les comportements comportant l'alternative suivante : faire A ou –A. Cette tension se manifeste sur le plan affectif par un conflit entre deux motivations : celle qui nous pousse à faire A et celle qui nous pousse à ne pas faire A.

La valeur occupe une place privilégiée dans un modèle de décision délibérée, puisqu'elle est la principale composante du caractère intentionnel de l'action. Nous pouvons analyser une action, soit comme un événement qui se produit, soit comme le résultat d'un choix réfléchi. Dans le premier cas, l'action ou le geste est analysé comme tout autre phénomène naturel : c'est un événement qui se produit dont on recherche les causes. La recherche sert à expliquer l'action humaine, comme on expliquerait le phénomène du mouvement d'une balle de billard, sans faire appel à un facteur décisionnel, humain. Il existe des explications psychologiques qui soutiennent effectivement que certains éléments sont déterminants de l'agir humain tout comme les instincts le sont du comportement animal. Par contre, dans le second cas, dès que l'on postule une liberté d'action, une possibilité de choix, on estime que l'être humain agit avec une intention, une visée. C'est d'ailleurs le sens fort d'une question comme celle-ci : « Pourquoi as-tu fait cela ? » qui cherche à savoir quelle était l'intention, la visée de l'action. Alors que l'analyse d'un événement se fait par la relation de causalité, qui fixe les causes de l'effet, l'analyse de l'intentionnalité part de l'action comme moyen d'atteindre ou d'actualiser une fin. À la question : « Pourquoi as-tu fait cela ? » on peut répondre : « Pour te faire plaisir, parce que je t'aime. » La raison de l'action, la fin visée par l'action était de « faire plaisir à l'autre ». Malheureusement, il peut arriver que l'on pose un geste dans une intention louable mais son effet est tout à fait contraire.

L'exemple de cette réponse à l'interlocuteur nous permet de mieux comprendre la complexité de la notion de valeur. Dans la relation intentionnelle, la valeur est la finalité visée par le geste. L'action est, par conséquent, un moyen pour rendre actuelle la valeur. Dans l'exemple cité plus haut, l'action était un moyen choisi par une personne dans le but de faire plaisir à une autre personne et cette personne ne désirait que faire plaisir dans le but de rendre actuel son amour pour l'autre. Les expressions « Faire quelque chose par amour » et « Faire quelque chose par amitié » indiquent que l'amour ou l'amitié est cette valeur visée, autrement dit, la finalité de l'action. Ces valeurs, amour et amitié, agissent dès lors, dans la décision, comme finalités visées par l'action. La place de la valeur dans la structure intentionnelle de l'action pourrait se comparer à une intersection de deux artères principales : celle de la motivation d'agir (le rapport à soi) et celle du partage du sens de l'action (le rapport à l'autre).

Décider, ce n'est pas seulement considérer des possibilités d'action, c'est en choisir une qui se concrétisera. Une décision qui ne se traduit pas par un geste n'est pas, du point de vue envisagé ici, une décision réelle. En effet, la motivation est une partie intrinsèque de la décision effective, sinon on décide dans l'abstrait. La motivation d'agir dépend ainsi étroitement de la force affective accordée à la valeur dans notre structure psychique. Plus on tient à une valeur ou plus une valeur nous tient, plus on agira pour l'actualiser. Cela aide à comprendre pourquoi la valeur de l'« excellence » a été mise en avant, depuis plusieurs années, comme valeur mobilisatrice dans le domaine du travail, car son actualisation exige l'augmentation de la performance tant en qualité qu'en quantité. La carence de cette valeur entraînait, selon les études, la baisse de productivité dans tous les domaines.

Clarifier les valeurs conflictuelles dans la résolution d'un dilemme, c'est donc arriver à nommer le plus clairement possible la finalité de l'action envisagée. Nommer la fin visée n'est pas une opération uniquement introspective, car son expression nous inscrit dans la relation à l'autre et nous ouvre au partage du sens de l'agir. Seule la valeur visée permet de comprendre le sens du geste : ce qu'il signifie et ce qui le motive. Ce sens n'est pas seulement solitaire, il peut devenir solidaire. En effet, le sens ainsi exprimé par la valeur peut être partagé par toutes les personnes impliquées dans la décision. En partageant la valeur mobilisatrice de la décision, les personnes impliquées peuvent comprendre les raisons d'agir, même si certaines en subissent des conséquences négatives. Dans plusieurs institutions, l'élaboration d'un code de valeurs partagées est issue de la volonté commune d'un groupe de décrire les valeurs mobilisatrices qui guideront les décisions des membres de ce groupe.

La clarification des valeurs conflictuelles de la situation exige une relecture de l'ensemble de la situation, notamment des étapes 4 et 5, afin d'évaluer les conséquences et d'identifier les valeurs actualisées par les normativités pour mettre en relief les valeurs qui s'opposent dans le dilemme. La tension propre au dilemme apparaît alors comme un double conflit visant la motivation et le sens de l'action. Cette réflexion sur les valeurs mobilisatrices nous invite à mieux cerner notre mode réel d'évaluation lors d'une décision.

PHASE II CLARIFIER LES VALEURS CONFLICTUELLES DE LA SITUATION

ÉTAPE 6 Identifier les émotions dominantes dans la situation

➢ *Objectif*

Résoudre un dilemme éthique dans la vie personnelle, professionnelle ou institutionnelle n'est pas un exercice abstrait. Être contraint de trouver une solution qui aura des conséquences négatives sur des personnes est sans conteste une situation difficile. Tout dilemme éthique se vit d'ailleurs comme une épreuve où la sensibilité et la structure affective sont les premières concernées. La tension émotive témoigne du degré de difficulté de la décision où craintes, remords, regrets, frustrations côtoient la sympathie, la tendresse, la joie. Comme nous l'avons vu, la motivation d'agir prend racine dans la structure affective ; c'est pourquoi il est important d'identifier les émotions dominantes dans la situation, car elles peuvent être révélatrices de la manière d'évaluer les différents aspects de la situation. D'une part, les émotions dominantes peuvent déjà avoir teinté la première phase, notamment lors de l'analyse des conséquences. Par exemple, une personne très craintive peut avoir tellement peur des conséquences négatives de son action qu'elle n'a retenu que celles-ci à l'étape 4. Autrement dit, elle n'a considéré que cet aspect, conformément à sa crainte. Au contraire, des personnes sûres d'elles et sans craintes n'auront retenu que les conséquences positives de l'action. D'autre part, la structure affective est la source de la motivation. Les affects ou émois ressentis indiquent un chemin permettant d'identifier et de nommer les valeurs dans la situation.

➢ *Opération logique ou question dialogique*

Voici quelques questions qui illustrent la nature de l'information recherchée à cette étape : « Dans quelle mesure telle émotion dominante biaise ta lecture de la situation ? », « Est-ce que tu n'exagères pas un peu ? », « Est-ce que cette émotion dominante indique une valeur importante dans la situation ? »

La première question nous oblige à faire une réflexion critique sur la phase I, plus précisément sur l'analyse des conséquences (étape 4) et sur l'inventaire des normativités (étape 5). Mais d'abord, qu'est-ce qu'une réflexion critique ? C'est un moment d'arrêt et de retour sur une activité, ici l'opération de la phase I, afin de vérifier si elle a été accomplie de la meilleure façon possible. Puisqu'une émotion dominante peut biaiser notre lecture des événements, il est important de contrôler les données si nous voulons nous y appuyer pour bien délibérer par la suite. La dernière question nous invite à réfléchir sur le lien qui existe entre les émotions dominantes et la source de notre motivation qui se manifestera dans les valeurs impliquées dans la situation. Nous avons déjà vu que plus une personne éprouve de regret, de remords et de culpabilité devant un choix, plus cette personne véhicule des valeurs qui lui interdisent certaines conduites. Cette identification des émotions dominantes sera très utile à l'étape 7 où nous devons nommer les valeurs conflictuelles dans la situation.

➢ *Inscription dans la fiche d'application*

Voici la réponse fictive de Claude qui tient compte de l'objectif de l'étape et de l'opération logique ou de la question dialogique.

ÉTAPE 6. IDENTIFIER LES ÉMOTIONS DOMINANTES DANS LA SITUATION

a) Quelles sont les émotions dominantes vécues dans la situation ?

J'ai peur que l'amie de Paul soit contaminée. Si cela arrivait, je me le reprocherais toute ma vie.

J'ai peur aussi pour Paul. Que va-t-il lui arriver s'il prend ça mal ?

b) Rôle des émotions dans la délibération

- Réflexion critique : est-ce que ma lecture de la situation (étapes 4 et 5) est influencée par une émotion dominante qui en fausserait l'analyse ?

  C'est vrai que j'ai peur des conséquences de mon action sur l'amie de Paul bien plus que pour lui. J'ai moins peur pour moi dans cette situation que pour les autres, j'en suis conscient.

- Source de valeurs : est-ce que ces émotions donnent des indications sur les valeurs en présence ?

  Par contre, je réalise que j'éprouve à l'avance le remords que j'aurais si l'amie de Paul devenait séropositive parce que je n'ai rien fait. Il y a quelque chose, là, d'intolérable pour moi.

➢ *Difficultés éprouvées*

Nous retrouvons à cette étape, comme dans les autres, les personnes qui écrivent trop peu et celles qui écrivent beaucoup trop. Il ne faut pas oublier que cette grille d'analyse vise à faciliter le processus d'identification des éléments importants, de ceux qui ont du poids (pondération) dans la décision. Une situation de dilemme éveille plusieurs émotions et sentiments. Plus une personne est près de son univers affectif, plus elle a tendance à identifier les émotions en cause. Par contre, plusieurs personnes, peu habituées à réfléchir à leurs sentiments, à les voir à l'œuvre dans leur décision de vie, auront tendance à identifier de vagues émotions sans nécessairement relever celles qui sont les plus agissantes dans la situation.

De plus, il est difficile de faire une réflexion critique, car cela peut nous remettre en cause. C'est pourquoi certains ont tendance à répondre automatiquement : non, aucune émotion n'influence la lecture de la phase I. Il ne faut pas oublier qu'il s'agit d'une démarche éthique et non d'un simple exercice théorique. Seul l'effort de la distance critique peut être source de changement.

Puisque l'identification des émotions dominantes ouvre la voie à l'identification des valeurs en présence dans la situation, il arrive souvent que la réflexion sur les émotions conduise certaines personnes à nommer des valeurs précises à cette étape. Comme ces valeurs paraissent directement associées aux émotions, elles peuvent être identifiées, ici, mais il sera important de les adjoindre à celles que permettront de découvrir les opérations de l'étape suivante.

PHASE II CLARIFIER LES VALEURS CONFLICTUELLES DE LA SITUATION

ÉTAPE 7 Nommer les valeurs agissantes dans la situation

➢ *Objectif*

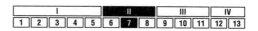

Identifier les valeurs agissantes dans la décision et trouver le nom qui les désigne le mieux constituent les objectifs de cette étape de délibération. Avec l'étape 7, nous avançons dans le processus même de la délibération, puisque nous procédons à l'évaluation et à la pondération des divers éléments de la situation. Si la phase I avait pour objectif d'identifier le plus clairement possible les faits, la phase II les reprend, cette fois, dans le but d'éliminer certains éléments non déterminants de la décision (pondérer l'importance dans la décision) et d'évaluer les éléments retenus (leur attribuer une valeur).

Pour être pertinente, une décision doit tenir compte de plusieurs éléments sans toutefois leur accorder la même importance dans la délibération. Dans une décision, certains éléments auront plus de poids que d'autres et feront pencher la balance. Il faut donc, dans un premier temps, éliminer les éléments qui ont le moins de poids dans la décision. Ensuite, on attribuera une valeur aux différents éléments retenus. Deux processus, entre autres, favorisent la nomination des valeurs : l'attribution d'une valeur aux conséquences positives et négatives retenues et l'attribution d'une valeur à une norme retenue. Il ne faut pas oublier que cette attribution de valeurs vise à nommer celles qui sont agissantes dans la situation car elles sont mobilisatrices de l'action. Nous sommes loin ici d'un catalogue de valeurs générales, abstraites et purement idéales.

➢ *Opération logique ou question dialogique*

Sur le plan dialogique la question est simple : « Quelles sont les valeurs agissantes dans la décision, autant celles qui sont orientées vers toi que vers autrui ? » Plusieurs opérations sont nécessaires pour répondre à cette question puisque, comme nous l'avons mentionné dans l'objectif de l'étape 7, nous devons pondérer certaines données pour en éliminer quelques-unes et ensuite attribuer une valeur à celles que nous avons retenues.

À la phase I, nous avons relevé deux types de données : les conséquences prévisibles de la décision sur soi et sur autrui et les normes impliquées dans la décision. Les opérations logiques nécessaires à l'élaboration de la réponse à la question posée varient selon la nature des données à pondérer et auxquelles on attribue une valeur.

– Nomination des valeurs finales attribuées aux conséquences positives et négatives retenues

Pour réaliser cette première partie de l'étape 7, il faut revenir aux informations inscrites dans la fiche d'application de la grille d'analyse à l'étape 4. Plusieurs conséquences prévisibles, positives et négatives, affectant soi et autrui ont été analysées. Est-ce que toutes ces conséquences ont le même poids dans la décision à prendre ? Autrement dit, il faut évaluer l'importance réelle d'une donnée dans la décision. Pour chacune d'elles, il faut mettre en balance les conséquences relatives. Si nous pensons que tel élément pourrait être absent sans que cela diminue la tension dans la décision, nous tenons là un indice pour l'éliminer. Un autre indice nous vient de l'étape 6 (les émotions dominantes identifiées). La réaction affective peut en effet servir de guide pour faire ressortir ce qui est important dans la décision. La crainte des conséquences négatives sur soi ou sur autrui révèle l'importance de ces conséquences dans la décision, comparativement à d'autres éléments. Les conséquences positives et négatives retenues recoupent la tension vécue dans le dilemme. On souhaiterait voir se réaliser telles conséquences positives pour soi et pour autrui, en même temps qu'on déteste l'idée de voir telles conséquences négatives se réaliser. Or, dans la situation, décider, c'est souvent opter pour l'une des deux séries de conséquences. Toutes les conséquences inscrites à l'étape 4 qui n'ont pas de poids dans la décision sont écartées de l'analyse subséquente.

Une fois que toutes les conséquences sur soi et sur autrui ont été soupesées, celles retenues feront l'objet d'une attribution de valeur. Pour accomplir cette opération, il faut se rappeler la définition de la valeur que nous proposons ici : « La valeur est un élément de la motivation effective, permettant de passer de la décision à l'acte. Elle constitue la fin visée par l'action envisagée dans la décision, et se traduit verbalement comme raison d'agir et comme sens de l'action en créant une ouverture au partage de sens pour toutes les personnes impliquées par la décision. » Pour nommer la valeur associée aux conséquences positives ou négatives reconnues comme déterminantes dans la décision, nous devons procéder à l'analyse de la finalité des actions, autrement dit, rechercher la dernière fin visée par l'action. Par exemple, un professeur demande souvent à ses étudiants : « Pourquoi suivez-vous mon cours ? » Comment répondre à cette question sur la finalité du choix du cours, sinon en affirmant que suivre ce cours est un moyen pour atteindre un autre but. Diverses raisons sont invoquées, selon le choix des étudiantes et des étudiants. Le choix de cours peut avoir été fait dans le but d'obtenir aisément une bonne note dans un cours (« On m'a dit que c'étaient trois crédits de donnés avec A assuré. ») Le but du choix, la valeur visée, ici, c'est la réussite garantie. Pour une personne, cette valeur peut être la valeur vraiment agissante dans la décision. Pour d'autres personnes, c'est différent. Le choix du cours peut être basé sur le désir d'acquérir les compétences nécessaires au futur travail. La valeur visée est alors différente : c'est la recherche de la compétence professionnelle qui est mobilisatrice. Pour d'autres, la valeur visée se situe dans un horizon plus vaste. C'est le cas, par exemple, de la personne qui choisit un cours tout simplement pour terminer son programme, ce qui lui permettra d'entrer sur le marché du travail, situation qui lui procurera, espère-t-elle, salaire, réalisation de soi, reconnaissance ou pouvoir.

Par ces divers exemples, nous voyons que, pour nommer une valeur associée à une conséquence positive ou négative, on doit partir de chacune de celles retenues à l'étape 4 et se demander si l'on désire que cette conséquence arrive ou non. L'identification de la valeur transite ici par la relation entre le moyen et la fin. Une action est un moyen pour atteindre une fin qui, elle, peut servir à l'atteinte d'une autre fin. Ce n'est que lorsque la fin est désirée pour elle-même que la valeur finale est trouvée : la valeur finale est toujours recherchée pour elle-même.

– Nomination des valeurs actualisées par les normes retenues

Il n'y a pas que les conséquences prévisibles de nos actions qui déterminent une décision. L'écart potentiel entre l'action envisagée et les normes intervenant dans la situation affecte aussi la délibération, tant en ce qui a trait à la pondération qu'à l'identification des valeurs agissantes dans la décision. Il ne faudrait pas confondre ici deux rapports différents de l'action envisagée avec les normes inventoriées à l'étape 5. Lorsqu'une action viole une norme légale ou associative, il y a possibilité de sanctions. Celles-ci peuvent être officielles ; en voici trois exemples : *i)* passer devant un comité de discipline en déontologie professionnelle ; *ii)* faire l'objet d'une enquête dans le milieu du travail pour avoir manqué au code d'éthique ; *iii)* subir des pressions du groupe, harcèlement et critiques, pour avoir enfreint une règle implicite. Les sanctions possibles font partie de l'analyse des conséquences prévisibles de l'action. L'intensité de la crainte des sanctions, dans une décision qui violerait une norme légale ou associative, est pondérée comme les autres conséquences à l'étape 4.

L'opération logique visée à ce stade consiste à identifier les valeurs associées aux diverses normes (légales, associatives ou morales) qui sont inévitables dans la situation. Il faut bien évaluer de quelle manière l'écart entre l'action envisagée et les normes intervient dans la prise de décision, car les normes n'ont pas toutes le même poids dans celle-ci. Par conséquent, encore une fois, il faut partir des normes retenues et se demander quelle est leur importance réelle dans la décision. Certaines seront éliminées, n'étant pas déterminantes dans la motivation d'agir, tandis que d'autres, les normes inévitables, s'imposeront au cœur du dilemme. Reprenons le cas de Claude pour illustrer ce fait. Si Claude prévient l'amie de Paul (le signalement), il manque au secret professionnel prévu dans son code de déontologie. Il se peut que Claude ne craigne pas les sanctions, mais que le bris du secret professionnel le dérange. Dans ce cas, l'obligation au secret professionnel n'est plus vue envisagée sous l'angle des sanctions possibles, mais sous celui de la valeur associée à l'obligation.

En théorie éthique, on dit souvent que la valeur fonde l'obligation ou la norme, et qu'en ce sens toute norme sert à actualiser une valeur. C'est juste, et comme une valeur est générale et source de motivation, on peut comprendre que le comportement rendu obligatoire par une norme soit associé à une valeur générale mobilisatrice de l'action énoncée dans l'obligation. L'obligation légale ou associative a du sens parce que la personne est consciente que la valeur actualisée par la norme est une valeur agissante pour elle dans la situation.

➢ *Inscription dans la fiche d'application*

Voici la réponse fictive de Claude qui tient compte de l'objectif de l'étape et de l'opération logique ou de la question dialogique. L'inscription dans la fiche d'application exige que l'on procède à partir des étapes 4 et 5 et selon des opérations logiques différentes pour chacune des étapes afin de bien identifier les valeurs agissantes dans la situation. Ainsi, nous allons reprendre la fiche d'application de l'étape 4, exécuter ensuite l'opération logique pour répondre à la question dialogique et remplir la partie correspondante de la fiche de l'étape 7. Nous procéderons ensuite de la même manière avec l'étape 5.

Voici les inscriptions de Claude dans sa fiche d'application à l'étape 4.

ÉTAPE 4. ANALYSER LA SITUATION DES PARTIES

Parties impliquées	Intérêts impliqués			
	Conséquences + et – Si A	Indices de probabilité et de causalité (++/+/=/–/) et (d/in)		Conséquences + ou – Si –A
Décideur : *Moi – Claude*	*Subir les foudres de Paul.*	(++/d)	(++/d)	*Ne pas subir les foudres de Paul.*
	Mettre fin à la relation thérapeutique.	(+/in)	(++/d)	*Poursuivre la relation thérapeutique.*
	Aucune sanction de l'Ordre pour violation du secret professionnel.	(+/in)	(++/d)	*Aucune sanction de l'Ordre pour violation du secret professionnel.*
Autrui :				
L'amie de Paul	*Pouvoir se protéger du vih.*	(+/d)	(++/d)	*Être contaminée par le vih.*
Paul	*Enfoncer dans sa toxicomanie.*	(=/in)	(++/d)	*Maintenir ses chances de s'en sortir.*
Ordre des travailleurs sociaux	*Pas identifiables actuellement.*			*Pas identifiables actuellement.*
Les personnes séropositives	*Augmentation de la méfiance envers les professionnels de la santé.*	(=/in)	(+/d)	*Maintien de la confiance actuelle envers les professionnels de la santé.*

Voici les opérations logiques de Claude reliées aux données de l'étape 4. Il commence par les conséquences sur lui et poursuit avec celles affectant autrui.

– SUR SOI

Si j'examine l'ensemble des conséquences positives et négatives sur moi, je me rends compte que je serai très affecté si Paul rompt la relation professionnelle. Je désire donc que cette relation professionnelle continue, mais pourquoi ? Qu'est-ce que je vise par le maintien de la relation professionnelle ? (Questionnement moyen → fin.) La réussite de l'intervention bien sûr, soit la réhabilitation de Paul. Mais, même si Paul ne se réhabilitait pas, cela ne diminuerait pas le sens de mon action professionnelle. Donc, la réussite n'est pas la valeur visée. Je dirais plutôt que je cherche à me réaliser dans cette profession. La réalisation de soi m'apparaît comme étant ici la valeur mobilisatrice.

Subir les foudres de Paul me dérangerait certainement, mais ce n'est pas ce qu'il y a de plus déterminant dans ma décision. Quant aux sanctions possibles pour violation du secret professionnel, il est évident que j'en tiens compte. Mais j'ai déjà estimé qu'elles étaient peu probables et si jamais elles devaient m'être imposées, je risquerais au pire d'être réprimandé, si je me fie aux décisions habituelles du comité disciplinaire dans des cas semblables. Autrement dit, la sanction ne joue pas un rôle crucial dans ma décision.

– SUR AUTRUI

Il est clair, pour moi que je ne veux pas que l'amie de Paul soit contaminée. Cette conséquence est à éviter parce qu'elle signifie pour une personne la perte de la qualité de vie ; c'est un bien important pour toute personne et ma décision peut mettre en péril cette qualité de vie.

Il est clair aussi que ma décision altérera la vie de Paul et cela me préoccupe. La qualité de vie de Paul est en jeu ici tout comme celle de son amie.

Je ne voyais pas, à l'étape 4, l'importance de ma décision au regard de l'ordre professionnel, mais je ne peux pas ignorer que le bris d'un secret professionnel peut susciter de la méfiance chez les futurs clients. Le respect de la confidentialité des informations est un moyen d'atteindre et de maintenir la confiance des clients dans leur personne-ressource professionnelle. Dès lors, la confiance apparaît comme étant la valeur agissante.

Je peux donc inscrire ceci dans la première partie de la fiche d'application de l'étape 7 :

ÉTAPE 7. NOMMER LES VALEURS AGISSANTES DANS LA DÉCISION

a) Quelles sont les valeurs finales associées aux conséquences positives et négatives retenues ?
- *i)* Sur soi : *réalisation de soi dans l'activité professionnelle.*
- *ii)* Sur autrui : *la qualité de vie de l'amie de Paul,*
  la qualité de vie de Paul,
  la confiance de la clientèle dans les professionnels de la santé.

b) Quelles sont les valeurs actualisées par les normativités retenues ?
- *i)* Par les normativités juridiques :
- *ii)* Par les normativités du milieu :
- *iii)* Par les normativités morales :

Ayant terminé l'identification des valeurs finales associées aux conséquences de sa décision sur lui et sur autrui, Claude procède à l'identification des valeurs associées cette fois aux normativités. Cette identification exige de partir des données inscrites à l'étape 5. Voici ce que Claude a inscrit à cette étape :

ÉTAPE 5. ANALYSER LA DIMENSION NORMATIVE DE LA SITUATION

- Énumérer les dispositions légales et réglementaires en cause :
  Le code de déontologie des travailleurs sociaux prévoit aux articles 3.06.01, 3.06.02, 3.06.03, 3.06.04. des obligations imposant le secret professionnel. Par contre, l'arrêt Tarasoff aux États-Unis a condamné un travailleur social qui savait que son client avait manifesté l'intention de tuer son épouse et qui n'a pas pris les moyens de le faire savoir à la future victime.
- Énumérer les règles non écrites du milieu en cause (le cas échéant) :
  Dans le milieu de pratique, bien qu'on valorise le secret professionnel, il n'y a pas consensus sur la question.
- Énumérer les normes morales en cause (le cas échéant) :
  Je me sens obligé d'aider autrui devant une menace grave pour sa santé ou sa vie. Je ne peux rester tout simplement là à ne rien faire : il faut que je fasse quelque chose.

La deuxième partie de l'étape 7 requiert d'identifier les valeurs actualisées par les normativités retenues comme influantes dans la décision. Voici l'analyse de Claude.

L'attribution des valeurs aux conséquences positives et négatives m'a permis de voir que les normes déontologiques n'affectent ma décision que si je songe aux conséquences sur moi, et j'en ai déjà disposé dans la pondération des conséquences. Quant aux règles du milieu, elles ne sont pas inévitables dans ma décision. Restent donc les normes morales. Il me semble que je suis obligé de faire quelque chose pour l'amie de Paul. C'était clair à l'étape 6 : je me sentirais vraiment coupable si je ne faisais rien et qu'elle devenait séropositive par la suite. Mais quelle est la valeur qui fonde cette obligation d'aider l'amie de Paul ? Ou, plus précisément, quelle est la valeur que j'actualiserais en respectant cette obligation d'aider l'amie de Paul ?

L'entraide certainement, mais ce n'est pas là la valeur finale. Mon acte d'altruisme s'appuie sur une valeur plus mobilisatrice. À bien y penser, c'est la qualité de vie de l'amie de Paul que je veux assurer par le respect de cette obligation morale.

Après avoir fait cette analyse, je peux inscrire les informations suivantes et remplir la fiche d'application.

ÉTAPE 7. NOMMER LES VALEURS AGISSANTES DANS LA DÉCISION

a) Quelles sont les valeurs finales associées aux conséquences positives et négatives retenues ?

i) Sur soi : *réalisation de soi dans l'activité professionnelle.*

ii) Sur autrui : *la qualité de vie de l'amie de Paul,*
la qualité de vie de Paul,
la confiance de la clientèle dans les professionnels de la santé.

b) Quelles sont les valeurs actualisées par les normativités retenues

i) Par les normativités juridiques : *aucune.*

ii) Par les normativités du milieu : *aucune.*

iii) Par les normativités morales : *la qualité de vie de l'amie de Paul.*

➢ *Difficultés éprouvées*

La première difficulté relève de la réaction suivante : « C'est trop compliqué ! » Certaines personnes cherchent des valeurs pour la situation évoquée sans suivre les opérations logiques que nous avons proposées, tandis que d'autres exécutent rapidement les opérations sans retenir les raisons justifiant l'élimination de certains éléments ou l'attribution de la valeur. Cette absence d'information se fera durement sentir lorsque nous nous retrouverons en dialogue sur la décision en phase IV.

La seconde difficulté se rapporte au nom donné à la valeur. Certains attribuent à la valeur un nom très général comme l'Amitié, l'Amour, la Justice, le Bonheur, la Solidarité, etc. Plus une valeur est générale et abstraite, plus elle englobe d'éléments différents et plus il y a risque de tout englober dans une valeur unique. Par exemple, si Claude avait nommé sa valeur « Qualité de la vie », il se serait aperçu que cette même valeur avait un sens différent dans sa situation lorsque cette qualité de vie concerne Paul ou son amie. Puisqu'une valeur générale peut toucher différemment les personnes dans un dilemme, il importe de bien identifier la dimension concrète à laquelle se rattache cette valeur.

D'autres oublient qu'il est question des valeurs mobilisatrices de la décision (valeurs agissantes), alors que certains autres, plus proches de la théorie éthique, ont tendance à dresser un catalogue des valeurs ou à remonter la chaîne moyen → fin jusqu'à l'identification d'une valeur très générale. Or, ces valeurs ne sont pas nécessairement celles qui sont mobilisatrices de l'action.

PHASE II CLARIFIER LES VALEURS CONFLICTUELLES DE LA SITUATION

ÉTAPE 8 Identifier le principal conflit de valeurs agissantes dans la décision

➢ *Objectif*

Être devant un dilemme, c'est être dans une situation où nous devons prendre une décision, comme nous l'avons vu à l'étape 3, et choisir entre deux actions qui s'opposent : faire A ou faire son contraire –A. Lorsqu'on replace une action dans le contexte de l'agir intentionnel, on a pu voir dès le début de la phase II que l'action a pour finalité d'actualiser. Il n'est donc pas étonnant que le dilemme d'action se transpose sur le plan intentionnel et devienne un dilemme de valeurs. Il s'agit alors d'identifier ces deux valeurs qui s'opposent et constituent le noyau de la décision, sur le plan intentionnel. Ainsi, ce dilemme s'exprime dans un conflit principal de valeurs. Évidemment, selon la complexité des situations et des décisions, il est possible qu'une décision suscite plusieurs conflits de valeurs. Tout comme aux étapes précédentes, nous devons éliminer ici les éléments secondaires qui n'ont qu'un poids relatif dans la décision.

➢ *Opération logique ou question dialogique*

« Quelles sont les principales valeurs qui entrent en contradiction lorsqu'on analyse celles qui sont visées et celles qui sont non visées par la décision de faire A ou de ne pas le faire ? » Pour répondre à cette question, il suffit de revenir au dilemme d'action : faire A et faire –A. En partant de la liste des valeurs énumérées à l'étape 7, on se demande : « Quelles valeurs seront visées (atteintes ou actualisées) et quelles sont celles qui ne le seront pas si je fais A ? » Puisque nous sommes devant un dilemme, certaines valeurs seront visées par A, tandis que d'autres ne pourront pas l'être. On se repose la même question pour –A. En enregistrant ces informations sur la fiche, on devrait obtenir un schéma d'opposition des valeurs, car, en effet, si du point de vue logique toutes les valeurs visées par A et pour toutes celles visées par –A (l'action contraire) sont en contradiction, il en va de même pour toutes les valeurs non visées par A et pour toutes celles non visées par –A.

Il se peut que certaines valeurs énumérées à l'étape 7 soient visées par A et non visées par –A. Lorsque cela se produit, on se rend compte, en comparant les valeurs visées par A avec les valeurs non visées par –A, qu'elles ne sont pas identiques. Les valeurs vraiment en conflit dans la situation apparaissent clairement, dans la fiche d'application, lorsqu'on compare systématiquement les valeurs visées par A avec les valeurs non visées par –A ainsi que les valeurs non visées par A avec les valeurs visées par –A.

Parmi ces valeurs en conflit vous devez éliminer celles qui ne traduisent pas le conflit principal de votre décision. Le conflit principal de valeurs qui émergera devrait dès lors correspondre à la tension caractéristique de votre hésitation à choisir entre A et –A.

➢ *Inscription dans la fiche d'application*

Voici la réponse fictive de Claude qui tient compte de l'objectif de l'étape et de l'opération logique ou de la question dialogique. Puisque l'analyse de l'étape 8 exige de partir des valeurs nommées à l'étape 7, Claude poursuit sa réflexion à partir des informations qu'il avait inscrites dans la fiche.

ÉTAPE 7. NOMMER LES VALEURS AGISSANTES DANS LA DÉCISION

a) Quelles sont les valeurs finales associées aux conséquences positives et négatives retenues ?

- *i)* Sur soi : *réalisation de soi dans l'activité professionnelle.*
- *ii)* Sur autrui : *la qualité de vie de l'amie de Paul,*
  la qualité de vie de Paul,
  la confiance de la clientèle dans les professionnels de la santé.

b) Quelles sont les valeurs actualisées par les normativités retenues

- *i)* Par les normativités juridiques : *aucune.*
- *ii)* Par les normativités du milieu : *aucune.*
- *iii)* Par les normativités morales : *la qualité de vie de l'amie de Paul.*

Au total, quatre valeurs différentes apparaissent dans mon dilemme. Si l'on me demande quelles sont les valeurs qui sont visées (atteintes ou actualisées) par A, je dirai qu'en prévenant l'amie de Paul je vise « la qualité de vie de l'amie de Paul ». En m'interrogeant sur les valeurs que je ne vise pas en prévenant l'amie de Paul, je me rends compte que « la réalisation de soi dans l'activité professionnelle », « la qualité de vie de Paul » et « la confiance de la clientèle dans les professionnels de la santé » ne seront pas atteintes.

En examinant de près ce qui arrive, cette fois, aux valeurs visées et non visées par –A, je me rends compte que ne pas prévenir l'amie de Paul permettra d'atteindre les valeurs « la réalisation de soi dans l'activité professionnelle », « la qualité de vie de Paul » et « la confiance de la clientèle dans les professionnels de la santé », tandis que « la qualité de vie de l'amie de Paul » sera la valeur qui ne sera pas actualisée. Je peux donc remplir la fiche d'application ainsi.

ÉTAPE 8. IDENTIFIER LE PRINCIPAL CONFLIT DE VALEURS AGISSANTES DANS LA DÉCISION

a) Établir l'opposition entre les valeurs dans la décision.		
	Faire A	Faire –A
Valeurs visées ou actualisées par l'action envisagée.	*La qualité de vie de l'amie de Paul.*	*La réalisation de soi dans l'activité professionnelle ;* *la qualité de vie de Paul ;* *la confiance de la clientèle dans les professionnels de la santé.*
Valeurs non visées ou non actualisées par l'action envisagée.	*La réalisation de soi dans l'activité professionnelle ;* *la qualité de vie de Paul ;* *la confiance de la clientèle dans les professionnels de la santé.*	*La qualité de vie de l'amie de Paul.*
b) Identifier le principal conflit de valeurs constituant le dilemme.		
La valeur ________________	opposée à	la valeur ________________

I					II			III			IV	
1	2	3	4	5	6	7	**8**	9	10	11	12	13

Voici la réflexion de Claude pour identifier cette fois le principal conflit de valeurs. D'un côté de la balance, il n'y a qu'une seule valeur, « la qualité de vie de l'amie de Paul ». De l'autre, il y en a trois, « la réalisation de soi dans l'activité professionnelle », « la qualité de vie de Paul » et « la confiance de la clientèle dans les professionnels de la santé ». Est-ce que toutes ces valeurs ont le même poids dans la balance ? Lorsque j'y pense bien, la qualité de vie de Paul ne me semble pas aussi importante que les deux autres, puisqu'il a lui-même choisi de vivre sa vie à sa manière.

Par contre, je ne sais pas comment analyser les deux valeurs restantes, à savoir « la réalisation de soi dans l'activité professionnelle » et « la confiance de la clientèle dans les professionnels de la santé ».

Évidemment, la première valeur me concerne directement. J'aime mon travail professionnel et l'aide que j'apporte aux autres dans ce travail me valorise, même si parfois je trouve cela très lourd. Je suis toujours affecté par les échecs, comme lorsqu'une personne en relation avec moi se suicide, rechute ou cesse tout simplement de consulter. L'échec de la relation d'aide avec Paul ne me laissera pas non plus indifférent.

La seconde valeur, « la confiance de la clientèle dans les professionnels de la santé », ne me touche pas aussi directement que la première. En ce sens, elle m'apparaît plus lointaine, plus abstraite. Pourtant, en y pensant bien, cette valeur est primordiale lorsque cela nous tient à cœur que les diverses professions puissent accomplir leur travail dans la société. Comment les professionnels pourraient-ils espérer aider la population si celle-ci n'a plus confiance en eux ? Comment Paul et les autres qui, comme lui, sont séropositifs pourraient-ils entrer en relation d'aide avec un organisme ou des professionnels s'ils ne peuvent avoir la certitude que leurs confidences, ce qui a trait à leur état de santé, ne seront pas dévoilées à leur proches ou à d'autres personnes dans l'institution ? Comment espérer ralentir la propagation du VIH, si les personnes atteintes refusent désormais d'avoir recours aux divers services qui pourraient les aider ?

À la lumière de cette analyse, je me rends bien vite à l'évidence que c'est décidément « la confiance de la clientèle dans les professionnels de la santé » qui entre en conflit avec la valeur « la qualité de vie de l'amie de Paul». Je viens donc de trouver, grâce au tableau de l'opposition des valeurs retenues, le principal conflit de valeurs constituant mon dilemme. Je peux alors terminer l'inscription de la fiche d'application de la façon suivante :

ÉTAPE 8. IDENTIFIER LE PRINCIPAL CONFLIT DE VALEURS AGISSANTES DANS LA DÉCISION

a) Établir l'opposition entre les valeurs dans la décision.

	Faire A	Faire –A
Valeurs visées ou actualisées par l'action envisagée	*La qualité de vie de l'amie de Paul.*	*La réalisation de soi dans l'activité professionnelle ;* *la qualité de vie de Paul ;* *la confiance de la clientèle dans les professionnels de la santé.*
Valeurs non visées ou non actualisées par l'action envisagée	*La réalisation de soi dans l'activité professionnelle ;* *la qualité de vie de Paul ;* *la confiance de la clientèle dans les professionnels de la santé.*	*La qualité de vie de l'amie de Paul.*

b) Identifier le principal conflit de valeurs constituant le dilemme.

La valeur	opposée à	la valeur
La qualité de la vie de l'amie de Paul.		*La confiance de la clientèle dans les professionnels de la santé.*

➢ *Difficultés éprouvées*

Les principales difficultés éprouvées, à cette étape, proviennent principalement des faits suivants. Certains oublient de commencer leur analyse des valeurs conflictuelles en utilisant les valeurs énumérées à l'étape 7. D'autres retournent, en fait, à l'étape 3 et reprennent les valeurs énumérées spontanément. D'autres encore ne suivent pas méthodiquement l'opération logique, comme nous le recommandons.

Plusieurs trouvent étrange que certaines valeurs apparaissent dans toutes les positions, c'est-à-dire comme valeurs visées et non visées, et ce, aussi bien pour A que pour –A. Comment une valeur peut-elle se retrouver partout ? Il y a deux explications à ce phénomène.

Premièrement, une valeur peut parfois viser deux actions contraires, A ou –A. Par exemple, la satisfaction de soi pourrait, dans certaines situations, être réalisée peu importe la décision. Autrement dit, certaines valeurs sont toujours partiellement réalisées peu importe l'action envisagée. Dans ces cas, la valeur n'est pas déterminante dans la décision puisqu'elle ne peut motiver le choix d'une action plutôt que d'une autre. Cela signifie que ces valeurs doivent être écartées de l'analyse.

Deuxièmement, nous pouvons faire face à un problème de classification à l'étape 7. Nous avons déjà fait une mise en garde au sujet des noms trop généraux et trop abstraits donnés aux valeurs. Par exemple, si Claude avait nommé la valeur identifiée dans le cas de l'amie de Paul « altruisme » au lieu de « qualité de vie de l'amie de Paul », et « altruisme » à la place de « confiance de la clientèle dans les professionnels de la santé », il aurait rapidement constaté que cette valeur (« altruisme ») apparaissait partout dans le tableau d'opposition. Dans cette situation, c'est l'« altruisme » envers l'amie de Paul (assurer sa qualité de vie) qui s'oppose à l'« altruisme » envers les futurs clients des services de santé (confiance de la clientèle). C'est pourquoi il est essentiel de s'assurer, tout au long du processus, de désigner le plus précisément possible les valeurs en situation, élément important de l'éthique appliquée.

Enfin, plusieurs personnes éprouvent des difficultés à identifier le principal conflit de valeurs. C'est normal parce que cet exercice exige de nous une grande transparence et une authenticité face aux motifs réels qui sous-tendent nos choix. Cette activité suscite donc plusieurs émois, dont l'angoisse de la décision. Mettre au jour le principal conflit de valeurs, c'est dévoiler le débat intérieur qui nous assaille, c'est découvrir le prix de la liberté : choisir en toute lucidité les conséquences de la décision sur soi, sur les autres et sur son environnement.

2.3. La résolution rationnelle du conflit de valeurs dans la situation

La phase II a permis de clarifier les valeurs conflictuelles du dilemme. Maintenant que nous avons terminé l'étape 8, nous savons, d'une part, quelles sont ces valeurs en conflit et, d'autre part, que, du point de vue de la motivation, choisir, c'est donner la préséance à une valeur sur une autre dans la situation. Puisqu'il est impossible d'actualiser les deux valeurs auxquelles nous tenons, nous devons en préférer une et, ce faisant, nous tentons d'équilibrer le plus possible les plateaux de la balance en agissant de la façon la mieux appropriée dans la situation.

À présent, la question qui se pose à nous est cruciale pour la suite de la démarche éthique : qu'est-ce qui permet d'accorder la préséance à une valeur sur une autre ?

Comme nous l'avons mentionné au début de la présentation de la démarche éthique, notre modèle délibératif essaie de tenir compte à la fois de la composante affective, au cœur de la motivation d'agir, et de la composante rationnelle, au cœur de la pondération pratique.

Pour certaines théories éthiques, une personne confrontée à un conflit de valeurs, comme celui identifié à l'étape 8, devra poursuivre sa démarche de clarification afin d'établir la hiérarchie de valeurs qui structure sa personnalité. Autrement dit, les valeurs sont déjà hiérarchisées dans sa structure psychique et il suffit qu'elle prenne conscience de cet ordre hiérarchique pour que son dilemme se résolve. Les valeurs constituent la façon d'être de cette personne ; elles se rapprochent ainsi de la conception classique des vertus. Dans ce type de conceptions, les valeurs sont exclusivement des unités affectives agissantes, sources des actions, et la réflexion nous permet de comprendre la façon dont sont ordonnées ces valeurs. Cette prise de conscience révèle que certaines des valeurs intériorisées sont sources de conflit « moral » dans plusieurs situations. En outre, une telle prise de conscience peut favoriser la transformation de l'ordre de valeurs afin que la personne soit davantage en harmonie avec elle-même. Soulignons que, dans ces modèles, les valeurs ne font pas l'objet d'un choix, puisqu'on ne choisit pas entre deux valeurs, mais qu'on désigne celle qui sera prioritaire.

Le modèle de la délibération rationnelle proposé ici postule que la préséance que nous accordons à une valeur sur une autre dans la décision s'établit par un choix qui fait appel à des raisons d'agir. C'est donc notre raison pratique qui est à l'œuvre dans la manière d'analyser, d'évaluer et de pondérer les faits et les valeurs pour atteindre la décision finale, puisque c'est elle qui exige que l'on réponde aux questions soulevées par les allocutaires. Il est dès lors impossible d'être responsable, au sens fort du terme tel que nous l'avons défini, si nous ne pouvons expliciter aux autres les raisons de notre décision, raisons qui pourraient être partagées par tous si la décision est raisonnable.

En effet, pourquoi toute personne occupant une fonction sociale ne serait pas, en principe, sommée de répondre de ses décisions en explicitant ses motifs, tout comme les juges doivent le faire pour leurs décisions ? Seule l'explicitation des motifs de la décision nous fait quitter le lieu privé et personnel de l'opinion pour nous ouvrir au rapport intersubjectif qui nous lie aux autres dans nos institutions et dans la société.

Cependant, il ne faudrait pas penser que les personnes qui considèrent que la finalité de nos actions ou nos valeurs ne font pas l'objet d'un choix n'ont pas recours, pour autant, à la rationalité dans les décisions, car si, pour elles, la rationalité ne concerne pas la finalité des actions, elle concerne le choix des moyens. En d'autres termes, choisir un moyen en vue d'une fin déterminée à l'avance est la seule composante rationnelle pour ces personnes.

Notre modèle nous conduit donc à reconnaître deux étapes importantes de la raison dans la décision, à savoir le choix des valeurs et celui du meilleur moyen pour se conformer à la valeur prioritaire. Toute la phase III vise donc à poser ces deux choix (étapes 9, 10 et 11) et à expliciter la dimension rationnelle intersubjective des raisons d'agir. Cette dernière étape nous inscrit dans la dimension dialogique de la phase IV.

PHASE III PRENDRE UNE DÉCISION ÉTHIQUE PAR LA RÉSOLUTION RATIONNELLE DU CONFLIT DE VALEURS DANS LA SITUATION

ÉTAPE 9 Identifier la valeur qui a préséance dans la situation

➢ *Objectif*

Cette étape est décisive en ce sens qu'elle permet de préciser le choix final en cohérence avec la délibération effectuée dans les étapes antérieures. La manière de délibérer en éthique trace la structure du raisonnement pratique à l'œuvre dès l'étape 1, car les éléments qui justifient de donner préséance à une valeur sur une autre dans la décision y sont inscrits. C'est à partir de la formulation même des éléments principaux en passant par l'analyse des conséquences et des normativités que l'on aboutit à l'identification des valeurs agissantes.

L'objectif de cette étape est donc d'établir la valeur à laquelle vous donnez préséance dans la décision. L'étape 10 vous aidera à expliciter les raisons de ce choix.

➢ *Opération logique ou question dialogique*

Comme pour toute décision, l'enjeu est ici de préciser la préséance accordée à une valeur sur une autre. « À quelle valeur accordes-tu une préséance dans la situation ? » traduit bien l'objectif de cette étape. Il s'agit donc d'identifier cette préséance en revoyant les éléments clés de l'analyse des étapes antérieures, notamment les étapes 4 et 5 ainsi que 7 et 8. Notre façon de clarifier, d'insister, de douter montre bien quels sont les éléments prépondérants dans la décision.

➢ *Inscription dans la fiche d'application*

Voici la réponse fictive de Claude qui tient compte de l'objectif de l'étape et de l'opération logique ou de la question dialogique. Lorsque je considère les étapes 4 et 5, je me rends compte que j'étais préoccupé *i)* par l'amie de Paul et *ii)* par les conséquences sociales de mon geste. Cela se confirme d'ailleurs dans la façon dont j'ai analysé mes valeurs à l'étape 7 et surtout à l'étape 8 lorsque j'ai dû clarifier mon principal conflit de valeurs.

Lorsque je regarde les valeurs retenues en conflit, je réalise que, dans cette situation, je considère surtout les conséquences de ma décision sur les personnes. En fait, ma décision repose sur le conflit de deux valeurs rattachées à deux conséquences prévisibles de ma décision. Quelles sont les conséquences que j'aimerais mieux ne pas voir se réaliser ? Dans la décision, à l'étape 8, c'est la perte de confiance de la clientèle dans les professionnels de la santé qui me semble avoir préséance sur la qualité de vie de l'amie de Paul.

ÉTAPE 9. IDENTIFIER LA VALEUR QUI A PRÉSÉANCE DANS LA SITUATION

Valeur prioritaire :	Valeur secondaire :
La confiance de la clientèle dans les professionnels de la santé.	*La qualité de vie de l'amie de Paul.*

➢ *Difficultés éprouvées*

Il arrive souvent que certaines personnes oublient la perspective dynamique de cette fiche d'analyse et qu'elles classent les valeurs sans tenir compte de leur manière de raisonner dans les étapes précédentes. Il ne faut pas oublier qu'il s'agit de reconnaître notre mode de raisonnement pratique déjà à l'œuvre dans les deux phases précédentes. Il ne suffit pas de dire que telle valeur est, en soi, plus importante du point de vue psychologique. À cette étape, nous devrions être en mesure de saisir globalement les raisons de cette préséance qui seront explicitées à l'étape 10.

Enfin, on se méprend quelquefois sur la notion de préséance. Certaines personnes hésitent à départager deux valeurs parce qu'elles ont faussement l'impression que donner la préséance à l'une équivaut à rejeter l'autre. Or, il n'en est rien : ce qui rend la décision difficile, c'est que nous devons choisir entre deux valeurs en conflit auxquelles il nous est impossible de nous conformer en même temps dans la situation actuelle. Décider, c'est donc accorder la priorité à l'une des deux.

PHASE III PRENDRE UNE DÉCISION ÉTHIQUE PAR LA RÉSOLUTION RATIONNELLE DU CONFLIT DE VALEURS DANS LA SITUATION

ÉTAPE 10 Identifier le principal argument dans la résolution du conflit de valeurs

➢ *Objectif*

Il existe, comme nous l'avons déjà mentionné, deux principaux modes de raisonnement pratique : *i)* celui qui évalue les conséquences d'une décision et *ii)* celui qui évalue les normes à suivre dans une situation donnée.

Comme le mode de raisonnement pratique s'exerce dès le début de l'analyse de la situation, les données inscrites aux étapes 4 et 5 révèlent la structure de base du décideur. Mais celle-ci ne peut se confirmer qu'à l'étape 7 avec le processus auquel le décideur aura eu recours pour découvrir les valeurs agissantes dans la situation.

Lorsque la valeur priorisée dans le conflit principal est rattachée aux conséquences de la décision, on peut conclure que nous sommes devant un raisonnement conséquentialiste ; et lorsque la valeur priorisée est actualisée par une norme, nous sommes devant un raisonnement déontologique. Dans le premier cas, on choisit à la lumière de l'évaluation d'une conséquence visée ou à éviter à tout prix dans la décision ; dans le second, on choisit à la lumière d'une obligation qui guide la conduite dans cette situation.

Pour identifier le mode de raisonnement pratique déjà en acte depuis le début de l'analyse, il est important *i)* de déterminer notre type d'approche, conséquentialiste ou déontologique, et, après quoi, *ii)* de procéder à une analyse plus poussée de notre raisonnement pour mieux cerner l'argument qui justifie la priorité accordée à une valeur sur l'autre.

L'argument rend plus explicites les raisons d'agir que nous présentons aux autres pour qu'ils en vérifient l'acceptabilité. Cette ouverture au dialogue nous conduit, dans la phase IV, à développer l'argumentation appropriée au type d'argument du raisonnement pratique.

➢ *Opération logique ou question dialogique*

La question « Pourquoi as-tu accordé la préséance à telle valeur sur telle autre dans ta décision ? » paraît simple et pourtant elle exige une réflexion minutieuse sur le mode de raisonnement pratique qui structure l'ensemble de la démarche décisionnelle. Comment faire pour s'assurer que le raisonnement pratique est de type conséquentialiste ou déontologique et comment établir l'argument central justifiant la préséance accordée à une valeur ? Les précisions suivantes varient selon le type de raisonnement en cause.

– Raisonnement pratique de type conséquentialiste

Dans un raisonnement de ce type, la valeur prioritaire a été associée, à l'étape 7, à des conséquences identifiées à l'étape 5. Cette valeur est donc associée à des personnes ou à des groupes de personnes qui seront, positivement ou négativement, touchées par la décision. En identifiant la personne ou le groupe de personnes auxquelles est associée la valeur prioritaire, il sera plus aisé de faire ressortir la raison qui a présidé à son choix.

Parmi les raisons justifiant la priorité accordée on retrouve :

i) L'intérêt personnel

Plusieurs dilemmes éthiques renvoient aux conflits d'intérêts, c'est-à-dire que, dans une situation, le décideur sait que sa décision aura des conséquences positives sur lui et négatives sur son client ou l'inverse. La valeur associée à la conséquence permet souvent de découvrir notre raison d'agir. Choisir de privilégier des conséquences positives pour nous, parce que notre carrière passe avant tout, dénote un argument basé sur l'intérêt personnel. Cet intérêt peut être immédiat ou différé dans le temps (l'expectative d'un retour d'ascenseur par exemple).

ii) Les intérêts du groupe

Décider de façon que les conséquences soient positives pour les autres et prendre sur soi les conséquences négatives indiquent que le raisonnement pratique s'élabore en fonction du groupe visé. Encore une fois, la valeur associée aux conséquences permet de mieux cerner l'argument en cause.

Lorsqu'il y a conflit d'intérêts dans un acte professionnel, on pourrait choisir de sacrifier son intérêt immédiat pour éviter de ternir la réputation de la profession. Pourquoi éviter ces conséquences négatives sur la profession ? Si la valeur associée à ces conséquences était le « professionnalisme », on pourrait dire que l'appartenance, la participation à un groupe et à ses valeurs est l'argument principal. Dans le raisonnement pratique axé sur les conséquences, la valeur (comme le « professionnalisme ») correspond à la source de la motivation qui nous incite à limiter les conséquences négatives de nos gestes sur l'ensemble de la profession. Il s'agira alors d'éviter les conséquences les plus graves. Le même raisonnement pourrait s'appliquer à tout autre groupe ou organisme ou à toute autre institution dans lesquels nous œuvrons activement.

iii) L'intérêt de tout être humain

Dans plusieurs situations, il est très légitime de privilégier son intérêt personnel plutôt que les intérêts des autres ; mais dans certaines circonstances il nous semble qu'en agissant de la sorte nous « profitons » des autres. Autrement dit, nous avons l'impression que nous nous servons des autres pour atteindre un but personnel, sans leur consentement. C'est ce qui explique, par exemple, le caractère odieux des abus sexuels commis sur des personnes ayant des facultés mentales restreintes ou étant sous anesthésie.

Les violations qui ont conduit à l'élaboration des codes de déontologie à propos de la recherche sur l'humain sont tout aussi importantes. Les humains ne doivent plus être utilisés à leur insu, comme des « cobayes », pour faire progresser les sciences médicales. Lorsque la raison de privilégier une valeur associée à une personne ou à un groupe plutôt qu'une valeur associée à soi apparaît comme un appel à traiter toutes les personnes comme des êtres libres et responsables, il s'agit d'un argument axé sur l'équité et dans lequel on revendique une évaluation équitable (juste) des conséquences de la décision, dans le respect de toutes les personnes impliquées.

– Raisonnement de type déontologique

i) La normativité d'association

Le raisonnement de type déontologique résout un conflit de valeurs en accordant la priorité à une valeur actualisée par une norme. L'enjeu du raisonnement pratique de type déontologique consiste essentiellement à cerner la raison d'obéir à cette normativité. Le raisonnement de type déontologique s'articule sur l'obligation jugée centrale à la décision, qu'elle provienne du milieu, du droit ou de la morale. C'est l'importance accordée à la valeur associée aux normativités de l'étape 5, à l'étape 7, qui permet de reconnaître la structure propre à ce type de raisonnement pratique.

Lorsque la valeur prioritaire est rattachée à une normativité propre à un groupe, on la dénomme souvent par les termes de « loyauté » ou de « fidélité ». Être fidèle à son groupe d'appartenance est une première indication pour tracer les raisons d'obéissance à la normativité. Les valeurs partagées par un groupe (même s'il ne s'agit que de deux personnes) auquel on reconnaît notre participation pleine et entière peuvent être implicites ou explicites.

Lorsqu'elles sont explicitées, ces valeurs prennent différentes formes : code de valeurs partagées, entente contractuelle, réglementation ou législation si le groupe est une société. L'argument axé sur les valeurs partagées du groupe, telles qu'elles s'expriment dans les réglementations comme les codes de déontologie pour les professionnels, les codes d'éthique en institution et les législations, est une première forme de raisonnement pratique de type déontologique. La raison d'obéir ainsi aux normativités du groupe se précise par l'appel à l'autorité du groupe auquel on appartient. Or, ici, il ne faut pas confondre l'autorité du groupe avec les intérêts personnels qui peuvent être comblés par un bon fonctionnement du groupe, car, dans une approche déontologique, le groupe possède une autorité propre à laquelle on se soumet en y adhérant (obligation). Le groupe fait donc plus que partager un ensemble d'intérêts, il propose d'autorité un idéal auquel on souscrit en s'y intégrant. Il suffit de penser, par exemple, à la solidarité des membres exigée par l'appartenance à un syndicat.

ii) La normativité des réglementations et des lois

Lorsque la valeur prioritaire est actualisée par une réglementation ou par une loi, il s'agit cette fois d'un enjeu normatif impliquant la législation d'une société. Puisqu'il s'agit dans ce cas de privilégier l'obéissance à la loi, il faudra alors répondre à la question : « Pourquoi obéir aux lois ? » Dans le raisonnement de type déontologique, la réponse ne peut pas être la crainte des sanctions, puisque celle-ci relève de l'analyse des conséquences physiques et psychiques de la violation de la loi (objet de l'étape 4) et de l'argument de type conséquentialiste. Or, il s'agit plutôt d'approfondir cette question en la formulant avec plus de précision : « Quelles sont les raisons d'obtempérer aux lois de nos sociétés ? »

Pour certaines personnes, les lois sont nécessaires à toute vie en société. « Il faut obéir aux lois ! » est un impératif absolu pour la vie sociale. Dans ce raisonnement de type déontologique, c'est l'autorité elle-même de la loi qui motive son obéissance. La loi est ainsi perçue comme s'imposant de l'extérieur et nécessaire à l'évaluation de la « bonne conduite » dans la vie sociale. Ici, l'argument fait appel à l'autorité de la loi et à la limite de sa nécessité pour la vie en société. Cet argument ne précise en aucun point le lien qui existe entre les lois et les autorités qui les énoncent. Le point de vue de l'autorité de la loi est très différent de celui de l'autorité qui édicte les lois. Une personne qui adopte le point de vue de l'autorité des lois sera dès lors indifférente aux autorités et au processus qui ont conduit à leur élaboration. Qu'il s'agisse d'une loi provenant d'un tyran, d'un despote, d'un groupe majoritaire ou d'un processus démocratique, peu importe : la loi, c'est la loi.

Par contre, les personnes pour lesquelles la normativité légale ne se justifie que par une autorité légitime qui l'énonce situeront leur argument sur ce plan. Elles chercheront à répondre à la question: « Quelle est l'autorité légitime qui peut promulguer des lois acceptables dans une société ? » On reconnaîtra ici un appel au raisonnement portant sur l'autorité ou l'absence d'autorité de faire des lois.

Il existe effectivement plusieurs courants, selon la diversité des idéaux politiques et des philosophies politiques. Retenons, pour notre démarche, deux principaux modes de justification des lois: l'un axé sur le droit naturel ou l'autorité naturelle et l'autre, axé sur l'idéal démocratique.

Dans le premier cas, nous retrouvons un appel aux lois humaines dont la vocation est de refléter des lois éternelles, naturelles qui sont inscrites dans la Nature. Tous les grands courants religieux, du christianisme à l'islamisme, ont cherché, et cherchent encore, à faire reconnaître l'autorité légitime des lois humaines dans celles de la Nature, représentée ici par la Volonté de Dieu. Sans faire directement appel à Dieu, certains penseurs reconnaissent la légitimité d'une « loi naturelle » qui servirait d'aune de sagesse à nos conduites trop humaines et, selon eux, toute loi positive qui s'éloignerait de la loi naturelle serait dès lors considérée comme étant illégitime.

Dans le second cas, nous retrouvons l'appel à l'idéal démocratique. Quoiqu'il ait pu prendre diverses formes dans l'histoire de l'humanité, cet idéal, au cours des âges, a toujours eu pour assise, d'une part, le souci constant de protéger tous les membres de la société et, d'autre part, celui d'éliminer le plus d'inégalités possible entre les citoyens. L'appel à l'idéal démocratique et au caractère démocratique d'une loi peut devenir l'argument permettant de motiver son obéissance, puisque nous nous reconnaissons comme participant à cet idéal dans notre vie sociale.

iii) La normativité morale

Lorsque la valeur prioritaire est associée à la valeur actualisée par une obligation morale, c'est l'obéissance à l'obligation morale, elle-même, qui doit être justifiée dans le raisonnement pratique. Le mode de justification de l'obligation morale ressemble à celui des obligations légales, déjà explicité, car, en effet, ou bien les normes morales s'imposent d'elles-mêmes, de leur propre autorité, ou bien on cherche à légitimer le fait d'obtempérer aux normes morales.

L'appel à l'autorité des normes morales constitue un argument d'autorité analogue à celui de l'autorité des lois. Quant à la légitimation des normes morales, elle variera évidemment selon les modes proposés de légitimation. Habituellement, c'est par un appel à une conception normative de la Nature que seront légitimées les normes morales. Ces conceptions normatives varieront évidemment selon les systèmes religieux ou philosophiques sur lesquels elles se fondent. Dans cet argument, c'est la validité du fondement de l'obligation qui est appelée comme raison d'être de l'observance.

➢ *Inscription dans la fiche d'application*

Voici la réponse fictive de Claude qui tient compte de l'objectif de l'étape et de l'opération logique ou de la question dialogique.

ÉTAPE 10. IDENTIFIER LE PRINCIPAL ARGUMENT DANS LA RÉSOLUTION DU CONFLIT DE VALEURS

I- Identification du type de raisonnement pratique (Cochez la case correspondante)

- ☒ La valeur prioritaire est rattachée aux conséquences de ma décision : le raisonnement est conséquentialiste.
- ☐ La valeur prioritaire est rattachée aux normes ou aux obligations : le raisonnement est déontologique.

II- Nature de l'argument conséquentialiste

a) Identification des intérêts

- À quelles personnes, ou à quel groupe de personnes, la valeur prioritaire est-elle rattachée ?
- ☐ décideur
- ☐ autre personne particulière
- ☐ groupe auquel le décideur est associé (profession, fonction, association, institution, etc.)
- ☐ autres personnes en général
- ☒ autres groupes en général :

  Il s'agit, dans ce cas-ci, des autres personnes atteintes du vih qui sont déjà ou qui auront besoin d'entrer en relation professionnelle avec des travailleurs sociaux.
- ☐ autres (environnement)

ÉTAPE 10. IDENTIFIER LE PRINCIPAL ARGUMENT DANS LA RÉSOLUTION DU CONFLIT DE VALEURS *(SUITE)*

b) Argument utilisé

- Pourquoi accordez-vous une priorité à la valeur qui correspond aux conséquences prévues ?

☐ argument basé sur l'intérêt personnel

☒ argument basé sur les intérêts du groupe :

S'il fallait, en tant que professionnel de la santé, que je m'immisce ainsi dans les affaires personnelles de l'un ou l'autre de mes clients et que cela se sache, cela ne pourrait-il pas entraîner une perte graduelle de confiance d'une partie ou même de toute cette clientèle très vulnérable dans les travailleurs sociaux ? Ceux-ci devenant, du coup, perçus comme pouvant « trahir », n'est-ce pas la profession elle-même qui risquerait, à cause de moi, de perdre toute crédibilité ? Car qui pourrait encore se fier à notre entière discrétion, si cette perte de confiance en venait à se généraliser ? Nous pourrions tout aussi bien fermer boutique, car nous ne trouverions plus personne à qui venir en aide.

☐ argument basé sur les intérêts de toute personne humaine

III- Nature de l'argument déontologique

a) Identification du type de norme :

Étant donné que la valeur prioritaire était rattachée aux conséquences, mon raisonnement n'est pas de type déontologique.

- À quel type de norme la valeur prioritaire est-elle rattachée ?

☐ normes associatives (implicites ou explicites)

☐ normes légales (législation et réglementation)

☐ normes morales (obligations morales)

b) Argument utilisé

- Pourquoi accordez-vous la priorité au type de norme rattaché à la valeur ?

☐ argument basé sur l'autorité du groupe

☐ argument basé sur l'autorité de la loi positive

☐ argument basé sur l'autorité de la loi morale

☐ argument basé sur la légitimité des obligations juridiques

☐ argument basé sur la légitimité des obligations morales

➢ *Difficultés éprouvées*

Il ne faudrait pas se surprendre, au début, d'avoir l'impression d'être en accord avec tous les arguments et de penser que tous s'appliquent à la situation. Dans une délibération, nous ne sommes pas devant le tout ou le rien, le blanc ou le noir, puisqu'il est toujours question de degré. Ce qu'il importe de déterminer, c'est l'argument qui, parmi tous ceux qui demeurent pertinents, pèse le plus dans la balance et révèle, de ce fait, notre manière de résoudre ce type de dilemme éthique. C'est lors de la phase IV et de l'argumentation que les autres arguments trouveront une place relative dans l'ensemble des raisons d'agir.

La fiche d'application de Claude n'illustrant qu'un seul cas, il peut s'avérer difficile d'imaginer la manière dont on pourrait procéder dans toute autre situation. C'est donc pourquoi nous reprendrons ici le cas de Claude afin de mieux exposer l'ensemble des possibilités. Il est important de retenir, par ces autres exemples, qu'il n'y a pas qu'une seule réponse éthiquement valable.

– Argument de type conséquentialiste

i) L'intérêt personnel

Supposons qu'un autre décideur soit dans la même situation que Claude, devant le principal conflit de valeurs suivant : sécurité financière *vs* qualité de vie de l'amie de Paul.

Il accorde la priorité à la sécurité financière.

Quelle serait la nature de son argument ?

Le décideur est en présence d'un conflit entre deux valeurs associées à des conséquences : *i)* sur lui-même, puisqu'il craint de perdre son emploi si Paul réagit mal, et *ii)* sur l'amie de Paul. La valeur prioritaire est effectivement rattachée aux conséquences sur lui-même. En d'autres termes, ce sont les conséquences sur le décideur qui ont la priorité. Pourquoi ? Parce que le décideur raisonne en fonction de son intérêt personnel.

ii) Les intérêts du groupe

C'est la même situation que nous avons déjà présentée dans la fiche d'application de Claude.

iii) L'intérêt de tout être humain

Supposons que le décideur, ayant analysé la situation, établit que son principal conflit de valeurs réside entre le respect de l'autonomie de Paul (de gérer sa propre vie) et la qualité de vie de l'amie de Paul. S'il privilégie, par exemple, le respect de l'autonomie de Paul, il pourra justifier ce choix en avançant que, tout être humain étant libre, il lui revient de poser librement des choix afin de mener sa vie comme il l'entend. Cet argument exige que l'on traite tous les êtres humains comme des personnes libres et capables d'assumer le prix de leur liberté.

– Argument de type déontologique

Voici des exemples d'arguments déontologiques que l'on pourrait retrouver dans la résolution de ce dilemme.

i) L'autorité du groupe

Dans une situation déontologique, le conflit se résout par la priorité accordée à la valeur associée à une norme. Si le décideur avait été plus près du raisonnement déontologique, il aurait, par exemple, été en conflit entre son « professionnalisme » et les conséquences sur la qualité de vie de l'amie de Paul.

En effet, le code de déontologie des travailleurs sociaux du Québec insiste bien, comme pour les autres professions, sur l'importance du secret professionnel. Claude aurait donc pu choisir de privilégier le professionnalisme parce qu'il fait partie de l'Ordre des travailleurs sociaux et que briser le secret professionnel apparaîtrait dès lors comme un manque de loyauté envers le groupe qui partage cette valeur. Tout manquement du genre serait alors considéré comme un manque de solidarité par les membres associés. La priorité accordée à la valeur « professionnalisme » témoigne ici de l'appartenance à un groupe, dont l'autorité est reconnue comme source des valeurs partagées.

ii) L'autorité de la loi

Dans une situation comme celle de Claude, une autre personne aurait été tiraillée entre le respect du code de déontologie (et de ce fait du Code des professions) et la qualité de vie de l'amie de Paul. En privilégiant le respect des normes législatives, elle pourrait le justifier à partir de l'argument de l'autorité de la loi. Vivre en société, c'est vivre selon ses lois, elles représentent notre manière d'être social. Les lois sont claires et le code est précis dans cette situation où il suffit d'appliquer la loi : c'est la meilleure décision possible. L'argument en cause est donc, ici, l'autorité de la loi.

iii) La légitimité des obligations juridiques

Dans une situation comme la précédente où la valeur rattachée à une obligation légale est prioritaire, certaines personnes justifient leur obéissance à la loi, non pas en fonction de l'autorité des lois, mais par le fait qu'elles émanent d'une société démocratique. C'est donc l'idéal de l'esprit démocratique qui devient la raison d'être de l'obéissance à la loi positive. Cependant, n'oublions pas que certaines personnes, au nom même de l'idéal démocratique, violeront des lois qu'elles jugent injustes, faisant de la désobéissance civile un exemple percutant de l'insuffisance de l'autorité des lois.

iv) L'autorité et la légitimité des obligations morales

Un autre décideur aurait pu avoir à soupeser la valeur de la vie associée à une obligation morale: « Tu ne tueras point. » Cela peut paraître exagéré, mais le silence ne se ferait-il pas ici le complice de la mort possible de l'amie de Paul ? Plus qu'en fonction de la qualité de vie d'une personne, le dilemme aurait pu être posé ici en fonction du caractère « sacré » de la vie. Dans les circonstances, privilégier le caractère « sacré » de la vie renvoie à des raisons explicitant la légitimité de l'obligation morale en cause. Sur quoi se fonde cette obligation morale ? Rejoint-elle une croyance religieuse particulière ou participe-t-elle de la tradition culturelle qui la légitime ? Tout comme l'obligation juridique, l'obligation morale peut se légitimer, soit par le recours à l'autorité de la loi, soit par les raisons qui légitiment son observance.

PHASE III — PRENDRE UNE DÉCISION ÉTHIQUE PAR LA RÉSOLUTION RATIONNELLE DU CONFLIT DE VALEURS DANS LA SITUATION

ÉTAPE 11 — Préciser les modalités de l'action compte tenu de l'ordre de priorité des valeurs

➢ *Objectif*

Nous avons déjà mentionné dans la délibération éthique que le raisonnement pratique était complexe puisqu'il porte, d'abord, sur la détermination de la finalité visée par l'action et, ensuite, sur le choix des moyens pour atteindre cette finalité. Avec les étapes 9 et 10, nous avons choisi la finalité de notre action en privilégiant une valeur plutôt qu'une autre et en précisant le principal argument qui justifie ce choix.

Maintenant, il s'agit de choisir le meilleur moyen pour atteindre cette finalité. Cette étape servira à préciser la valeur des moyens, car, lors de discussions, il est fréquent que les personnes ne s'entendent pas sur le choix des moyens tout en étant d'accord avec la finalité visée. Nous utiliserons ici deux critères pour justifier le choix des moyens : le critère d'efficacité, cohérent avec la logique instrumentale, et le critère d'équilibre des valeurs, cohérent avec l'analyse éthique du choix des finalités.

➢ *Opération logique ou question dialogique*

À la question « Pourquoi as-tu choisi ce moyen-là pour atteindre la valeur prioritaire ? », deux voies s'ouvrent à la délibération en éthique. Le choix d'un moyen pour atteindre une fin est d'abord gouverné par la logique de l'efficacité, car il est très facile de critiquer le choix d'un moyen dont l'efficacité serait contestable d'un point de vue rationnel. En effet, la discussion est souvent très animée sur le choix des moyens et sur les preuves que nous avons de leur efficacité relative. D'ailleurs, les débats techniques illustrent bien les divergences d'opinions entre les experts, eux-mêmes, sur l'efficacité d'un moyen. Par exemple, les experts n'ont pas la même opinion sur l'efficacité des moyens de contrôler la pollution, et les médecins s'affrontent souvent quant au traitement le plus efficace d'une maladie.

L'efficacité n'est cependant pas le seul critère d'évaluation d'un moyen. Le choix des moyens en éthique doit aussi tenir compte de la tension manifestée dans la hiérarchisation des valeurs. Certes, la décision résulte de la préséance accordée à une valeur plutôt qu'à une autre, mais cela ne signifie pas que cette autre valeur ne joue plus aucun rôle. Évidemment, le « meilleur » moyen sera celui qui est le plus efficace, mais aussi celui qui atténuera le plus possible les conséquences négatives de la décision sur les personnes ou les groupes rattachés à la valeur secondaire.

Le choix du moyen sera donc l'expression de l'équilibre recherché entre son efficacité à atteindre le but visé et le respect de la valeur secondaire.

➢ *Inscription dans la fiche d'application*

Voici la réponse fictive de Claude qui tient compte de l'objectif de l'étape et de l'opération logique ou de la question dialogique.

ÉTAPE 11. PRÉCISER LES MODALITÉS DE L'ACTION COMPTE TENU DE L'ORDRE DE PRIORITÉ DES VALEURS

Action retenue :

Je ne prends pas l'initiative de prévenir l'amie de Paul.

Modalités et mesures envisagées pour équilibrer les valeurs conflictuelles ou en corriger les inconvénients :

Lors de la prochaine rencontre avec Paul, je ferai le point sur la situation, en lui expliquant que mon travail de professionnel exige de moi que je lui demande de parler à son amie afin qu'elle puisse au moins se protéger. Mais sachant qu'il n'est jamais facile d'avouer à d'autres son état de séropositivité, je lui proposerai aussi de me faire son intermédiaire auprès d'elle, s'il le désire, en essayant de lui faire comprendre que, s'il se sent incapable de le faire lui-même, il serait opportun qu'il m'accorde la liberté de l'en informer en son nom.

En procédant de cette manière, je respecte la confidentialité qui est le moyen le plus efficace de conserver la confiance de la clientèle, présente et future. Ainsi en ouvrant le dialogue avec la question des conséquences de cette situation sur l'ensemble de la démarche d'accompagnement, et me proposant comme intermédiaire, je permets à la seconde valeur d'être atteinte, car il devient possible que Paul accepte le marché. Évidemment, je cours aussi le risque qu'il refuse toute coopération et que son amie en paie le prix.

➢ *Difficultés éprouvées*

Il n'y a pas de moyens magiques dans les dilemmes éthiques. Choisir, c'est marquer une préférence et, du même coup, assumer toutes les conséquences de son geste. C'est donc dans le choix du moyen que l'équilibre entre efficacité et respect des deux valeurs doit être trouvé, ce qui ne va pas nécessairement de soi.

À cette étape, comme à d'autres d'ailleurs, certaines personnes ont tendance à ne pas suivre la voie de délibération qui a été tracée, étape par étape, et elles sont tentées de proposer spontanément une solution sans revenir sur l'ensemble du choix des finalités. Autrement dit, elles recommencent un nouveau processus de délibération tout à fait indépendant du premier.

En outre, il arrive souvent que le choix des moyens remette en cause une partie de la démarche suivie jusqu'alors. Dans la mesure où une personne a établi une distance entre la décision spontanée et la décision réfléchie, elle risque de voir apparaître une autre solution que celle envisagée spontanément et cet écart peut, effectivement, produire une remise en question de la démarche suivie.

Pour d'autres, l'écart entre la solution qu'ils auraient tendance à proposer et celle qui résulte de l'analyse révèle qu'une étape du processus antérieur n'a pas été bien suivie ou analysée. Puisque nous en sommes à la fin du processus de délibération, nous devrions nous assurer de la cohérence entre l'ensemble des étapes et le choix final des moyens.

✧✧✧

À la fin de la phase III, nous avons terminé la décision délibérée. Nous sommes en possession, d'une part, des raisons d'agir qui légitiment notre décision et, d'autre part, de la valeur prioritaire qui motive notre action. Si nous avons intégré les questions dialogiques dans notre raisonnement pratique, nous aboutissons à une décision réfléchie et critique que nous pouvons soumettre à d'autres pour en mesurer l'acceptabilité. Rappelons que c'est dans le dialogue que mes raisons d'agir sont soumises à la critique pour devenir nos raisons d'agir et à la reconnaissance que la décision est la « meilleure », pour tous, dans les circonstances.

2.4. Le dialogue

Quels liens existe-t-il entre la capacité de prendre une décision éthique (ce que certains nomment la compétence éthique) et celle de dialoguer[3] ? S'agit-il de compétences différentes ou de compétences intégrées ? Comme dans beaucoup de débats théoriques, ces questions sont pertinentes à la pratique, car, lorsqu'on se concentre sur la personne qui exerce sa liberté par le biais d'une décision délibérée, on valorise le pôle du sujet éthique, notamment la capacité d'investissement de la personne dans ses divers projets de vie. En se concentrant sur le sujet éthique, il ne faut pas oublier que sa vie se déploie toujours dans les rapports qu'il entretient avec les autres. Nos vies sont, en effet, tissées de divers rapports à autrui, de rapports entre sujets.

En éthique, comme nous l'avons déjà démontré de diverses façons, le rapport à l'autre est primordial. En termes plus philosophiques il est question de « relation intersubjective ». Dès la naissance, et durant toute notre existence, nous sommes rattachés aux autres et cette relation est aussi fondamentale que celles que nous entretenons avec nous-mêmes et avec notre environnement : relié à soi, à autrui et au monde. Les rapports humains étant ainsi perçus, le je ne peut plus se penser sans faire intervenir les deux autres types de relations.

Lorsque nous nous concentrons sur cette relation qui nous unit aux autres, nous voyons qu'elle se manifeste différemment, selon les sphères de nos activités personnelles, professionnelles, institutionnelles et sociales. Cependant, il existe une caractéristique commune à toutes nos existences humaines, et c'est celle de la parole, innervée par la pratique du langage et par la visée de la communication. Le dialogue n'est pas une notion nouvelle. La définition première du *Petit Robert*, « entretien entre deux personnes », autorise à penser que le dialogue n'est qu'une des multiples facettes de la communication. Pour plusieurs, c'est ce lieu de l'échange entre le professionnel et son client qui devient le lieu éthique par excellence, car là s'incarne la

3. Johane Patenaude, *Le dialogue comme compétence éthique*, Thèse de doctorat, Université Laval, juin 1996.

relation à l'autre. Toute la problématique du consentement éclairé exigé du client dans les interventions montre l'importance de la communication au cœur des activités professionnelles.

Le développement de la réflexion philosophique sur le langage, sur la communication, sur l'agir communicationnel a culminé dans une réflexion plus systématique du dialogue comme activité particulière et exigeante de l'échange entre les personnes. C'est à ce titre que le dialogue est devenu associé à une compétence éthique particulière.

Pour mieux rendre compte de la portée pratique de la phase IV et mieux comprendre comment le dialogue (tel que nous l'avons déjà présenté dans le schéma montrant la dynamique des quatre phases) constitue le point de départ et le point d'arrivée de la démarche éthique, nous allons analyser rapidement ces deux manières de voir le dialogue : 1) le dialogue comme point de vue éthique et 2) le dialogue comme principe d'universalisation.

2.4.1. *Adopter le point de vue du dialogue comme démarche éthique*

Depuis le début de l'histoire de l'humanité, on se méfie des « beaux parleurs ». Dans la Grèce antique, le débat qui opposa l'école des philosophes de Platon à l'école des rhéteurs de Gorgias demeure l'un des plus célèbres. Notre langage en porte encore les traces puisque le mot « sophiste », qui était le nom de l'école de Gorgias, a conservé un sens péjoratif et que ses nobles origines sont tombées dans l'oubli. Que de choses ont été dites sur ces rhéteurs, sur ces manipulateurs d'idées ! Ne prétend-on pas encore aujourd'hui que certains politiciens pourraient vendre des réfrigérateurs à des Esquimaux ?

La puissance du langage, sa capacité de convaincre, de persuader et ainsi d'influencer des personnes dans leurs décisions est au cœur de la réflexion sur nos institutions politiques depuis leur création. La démocratie et l'idéal démocratique renvoient essentiellement à cette capacité d'exercer une influence sur autrui par la parole. Prenons, pour base, trois exemples de solutions juridiques aux problèmes éthiques contemporains : *i)* le consentement libre et éclairé, *ii)* le système électoral et parlementaire et *iii)* le système judiciaire.

– Le consentement libre et éclairé

Dans la réforme du droit civil, le législateur a établi clairement, à l'article 10, l'exigence du consentement libre et éclairé d'une personne pour toute intervention dont elle fera l'objet. Qui dit consentement éclairé dit accès à l'information. Mais qui donne cette information à la personne ? Quelle est la qualité de cette information dont elle disposera pour prendre sa décision ? N'oublions pas que l'information insuffisante ou tendancieuse aura des conséquences directes sur la qualité de la décision. Il faut donc que les sources d'information soient fiables pour que le consentement libre et éclairé devienne possible.

– Le système électoral et parlementaire

Le système parlementaire est une institution politique essentiellement axée sur la parole. Il suffit de lire *le Journal des débats* ou de voir maintenant les débats télévisés pour être témoin de ce chassé-croisé de répliques accompagnées de rires, d'applaudissements et d'éclats divers. À quoi servent donc ces heures de paroles échangées, sinon à mettre en perspective les difficultés des choix politiques et à entraîner, du moins en principe, une bonification des lois ?

Mais ce système parlementaire n'a de sens qu'en tant que complément des joutes verbales de la campagne électorale et des débats, des livres et documents qui s'échangent et qui circulent sur la place publique afin d'obtenir le vote de l'électeur. Encore une fois, la nature des stratégies de la parole aura des conséquences directes sur le processus électoral et, par conséquent, sur les débats parlementaires.

– Le système judiciaire

Nous avons déjà fait allusion au système judiciaire et au gain démocratique des jugements motivés. Encore une fois, le débat entre procureurs devant le juge est essentiellement oratoire. Ces échanges visent à établir les raisons de prendre telle décision plutôt que telle autre. Les motifs du juge indiquent dès lors quelles sont les raisons de son choix final.

Lorsque le juge est seul à décider, sa délibération n'est pas confrontée à celle de ses pairs comme à la Cour d'appel où plusieurs juges siègent lors d'une demande de révision d'un premier jugement. Il arrive souvent que les jugements ne fassent pas l'unanimité. Certains juges décident en un sens en s'appuyant sur certains motifs, tandis que d'autres décident le contraire en s'appuyant sur d'autres motifs. À ce moment-là, c'est la majorité des juges qui l'emporte. Il peut parfois arriver que les juges envisagent tous la même solution, sans pour cela s'entendre sur les motifs.

Ces exemples permettent de relever trois points de vue différents dans l'activité communicationnelle : *i)* le point de vue stratégique (persuasion), *ii)* le point de vue du choc des idées (débat et discussion) et *iii)* le point de vue du partage de sens (dialogue).

i) Le point de vue stratégique (persuasion)

Lorsque vous interrogez un vendeur, quelle réponse attendez-vous de lui ? Qu'il vous renseigne de manière impartiale sur le produit qui vous intéresse ou qu'il vous le vende en employant tous les moyens de persuasion dont il dispose ? Lorsqu'une personne adopte un point de vue stratégique en communication, elle cherche avant tout à utiliser la communication dans le but d'atteindre une fin spécifique. Elle donne l'information pour amener la personne à acheter le produit, à suivre un cours, à subir une opération, à suivre un traitement, etc. Adopter le point de vue stratégique, c'est choisir les mots qui nous permettront d'obtenir le maximum d'effets.

ii) Le point de vue du choc des idées (débat et discussion)

Adopter le point de vue du choc des idées, c'est valoriser l'aspect confrontation des différents points de vue sur un sujet. Autrement dit, chaque personne défend un point de vue, et ce débat sur les avantages et les inconvénients devrait aider la personne à mieux juger de la chose en question. C'est cette approche de la discussion et du débat qui est au cœur des institutions parlementaires et judiciaires. Évidemment, chaque politicien ou chaque avocat use de stratégie dans la présentation des informations, mais, étant donné que toutes les parties font de même, le choc des idées devrait alors conduire à une décision plus éclairée par les différents points de vue. Le point de vue du choc des idées valorise donc la confrontation de points de vue différents. Sur le plan pratique, cette approche conduit souvent à une réconciliation, à un compromis entre les différents intérêts dans la négociation d'une solution.

iii) Le point de vue du partage de sens (dialogue)

Le point de vue du partage de sens exige davantage d'un groupe que le simple fait de voter pour ou contre, méthode de résolution qui accompagne le point de vue du choc des idées. En un sens, ce point de vue se rapproche de la pratique judiciaire qui propose, dans ses motifs à la population, de partager les raisons de reconnaître la décision comme étant la meilleure possible pour la société. Adopter le point de vue du dialogue, c'est vouloir dépasser le poids d'une majorité pour viser le partage de sens de l'ensemble. Plusieurs utilisent le terme « consensus » pour désigner ce point de vue. Mais, là encore, il faut faire attention, car il s'agit ici de faire « consensus » sur les raisons de décider en tel sens. Le dialogue vise donc ici à faire consensus et non à le forcer. Au bout du processus dialogique, les personnes peuvent arriver à s'entendre sur la décision et sur les raisons d'agir en ce sens, raisons que toutes les personnes en sont venues à s'approprier réellement.

Le point de vue dialogique, comme on peut mieux le comprendre maintenant, est essentiel à la démarche éthique puisqu'il propose de régler les conflits humains par une autre voie que celle du rapport de force, comme c'est le cas des points de vue stratégiques et du choc des idées. Contre la force des manipulateurs de toutes sortes s'organisent la défense des consommateurs et celle des systèmes de protection de leurs droits. Face aux lobbys politiques, on encourage la création de groupes de pression pour contrebalancer les forces sociales. Le point de vue dialogique mise plutôt sur la capacité des humains à utiliser leur énergie pour maximiser la coopération humaine.

2.4.2. *Le dialogue comme principe d'universalisation*

Toute décision relève de la personne dans toute sa subjectivité. C'est moi qui décide à la suite de la délibération que j'ai effectuée ou non, intégralement ou non. Ma décision devient une décision responsable, au sens fort du terme, lorsque je peux répondre de l'ensemble de ma délibération aux autres. Cette dimension essentiellement dialogique de la délibération éthique apparaît constamment dans la grille d'analyse grâce aux questions logiques et dialogiques. La raison pratique qui détermine mes raisons d'agir se manifeste lorsque je réponds explicitement aux questions sur ma délibération.

Plusieurs personnes critiquent le modèle de la décision délibérée en soutenant qu'il favorise la position individuelle du décideur et qu'il ne peut pas répondre à la question: «Qui détermine en dernière instance qu'une décision est raisonnable ou acceptable?» Ce qui est «raisonnable» pour une personne ne l'est pas pour une autre, ce qui est raisonnable pour un groupe ne l'est pas pour une autre, et ces divergences seront encore plus marquées entre des sociétés différentes. Ces objections sont très sérieuses puisqu'elles soulèvent un problème que les philosophes débattent depuis le début de la philosophie: comment déterminer ce qui est «éthique» ou non. Autrement dit, la question cruciale est de savoir si nous pouvons sortir du relativisme des croyances, des opinions, en matière d'éthique. Dans la mesure où l'approche dialogique s'inscrit dans une approche d'éthique appliquée et non d'éthique fondamentale[4], elle propose de dépasser le relativisme subjectif par la co-élaboration de sens: le passage du «je» au «nous».

Évidemment, cette réponse paraît insatisfaisante parce qu'une décision à plusieurs ne garantit pas son caractère éthique. En effet, il y a beaucoup d'actions collectivement décidées qui ne sont guère raisonnables du point de vue éthique.

Le dialogue avec l'autre dans sa délibération tout comme le dialogue avec l'autre après une décision délibérée ou encore le dialogue lors d'une décision collective permettent d'échapper au relativisme des sujets ou des cultures, pour autant que le dialogue cherche à établir une décision acceptable de façon intersubjective et critique.

Dans plusieurs philosophies, on retrouve une «épreuve critique» d'une prise de position éthique sous le nom de «principe d'universalisation». La formulation de ce principe varie selon les auteurs et les manières de penser l'éthique: la connaissance des lois

4. Pour plus d'information sur les éléments théoriques de cette distinction, on peut consulter la troisième partie.

universelles de la morale pour tout être humain, l'impératif catégorique de Kant, l'universalisation des maximes d'action, l'universalisation du comportement, etc.

Dans le contexte du dialogue, le principe d'universalisation est assuré par le retour réflexif sur les raisons d'agir, c'est-à-dire sur la dimension raisonnable de la décision. Les raisons d'agir sont universalisables pour toute personne impliquée dans la situation (ou toute personne défendant les intérêts des personnes ou parties impliquées les plus vulnérables et sans voix) qui accepte d'entrer en dialogue pour trouver, par co-élaboration, la meilleure décision possible dans les circonstances.

Cette dernière exigence permet de distinguer l'universel de fait de l'universalisable (universel en principe). Les exigences éthiques du dialogue expliquent pourquoi plusieurs personnes refusent d'entrer en dialogue et préfèrent attendre les décisions hétéronomes. Dans la mesure où des personnes refusent de participer au dialogue, il est évident qu'elles refuseront de considérer la délibération comme raisonnable. Ne travaillant pas au raisonnable d'un « nous », elles préfèrent s'opposer au nom d'une croyance du « je ». C'est pourquoi il sera toujours impossible de fournir des raisons d'agir qui seront acceptées de fait par toutes les personnes.

Par conséquent, il faut parler d'« universalisable » puisque les raisons d'agir peuvent être acceptées par différentes personnes, de différentes cultures, seulement dans la mesure où elles participent au dialogue. Le dialogue tend vers l'universel, mais sans jamais pouvoir l'obtenir.

L'épreuve du caractère universalisable des raisons d'agir est un moment clé du discernement en éthique. Elle exige que je parvienne à admettre que certaines décisions sont « raisonnables » à la suite du dialogue, alors que mes croyances personnelles s'y opposent. Une situation plus difficile encore survient lorsque la décision m'apparaît raisonnable, alors que j'en subirai des conséquences négatives. Dans un tel contexte, seule la participation à la co-élaboration de sens permet de donner un « sens » à la perte conséquente à la décision collective.

PHASE IV ÉTABLIR UN DIALOGUE RÉEL ENTRE LES PERSONNES IMPLIQUÉES

ÉTAPE 12 Faire une réflexion critique sur le caractère universalisable des raisons d'agir

➢ *Objectif*

La réflexion critique requise à l'étape 12 vise principalement à s'assurer que nos raisons d'agir ont une portée « universalisable ». Dans la mesure où nos raisons n'auront pas cette portée, nous saurons pourquoi certaines personnes refuseront de considérer notre décision comme raisonnable. Si nos raisons respectent les critères mentionnés, nous pourrons mieux assurer la portée dialogique de notre décision.

Qu'arrive-t-il si après avoir délibéré et en étant parfaitement honnête avec moi-même, je me rends compte à l'étape 12 que mes raisons d'agir ne sont pas universalisables ? Est-ce à dire que je prends une « mauvaise » décision, que je ne suis pas « éthique » et que je *devrais* alors changer de perspective ? Certaines personnes sont portées à se servir de l'étape 12 pour censurer leurs véritables motivations morales et leurs raisons effectives d'agir. Reconnaître que les raisons d'une décision dans telles circonstances ne sont pas universalisables signifie seulement que je ne peux pas, comme personne, assumer une autre décision dans les circonstances. Cela ne prouve rien sur mon caractère moral ou immoral. Cela démontre simplement les limites de nos choix dans des sociétés complexes où l'éthique ne paie pas toujours. L'étape 12 fait ressortir les limites de nos décisions d'agir relativement à un idéal éthique. C'est une étape qui vise à dégager le chemin à suivre et non à porter un jugement sur notre valeur morale.

➢ *Opération logique ou question dialogique*

Comment faire une réflexion critique sur le caractère universalisable de nos raisons d'agir ? Voici trois critères à partir desquels il est possible de nous distancier par rapport à notre position pour mieux en mesurer la portée. Chaque critère correspond à une question dialogique qu'on pourrait poser à la suite de la prise d'une décision : « Est-ce que l'exposition de tes raisons d'agir convaincrait un jury impartial ? » (impartialité) ; « Si tu étais à la place de la personne qui perd le plus dans la décision et si tu écoutais les raisons que tu présentes, est-ce que tu trouverais la décision raisonnable ? » (réciprocité) ; « Est-ce que les raisons qui justifient ta décision seraient applicables dans tous les cas analogues ? » (exemplarité).

– Le critère d'impartialité

Si les raisons que je présente pour justifier ma décision ne font que favoriser mes intérêts sans réellement tenir compte du point de vue de l'autre, alors elles seront difficilement partageables. Les raisons que je présente sont alors « partiales » ; elles prennent « parti » pour moi, pour mon groupe, pour ma cause plutôt que défendre un point de vue acceptable par tous. Pour aider la réflexion critique, on peut s'imaginer devant un jury composé de personnes qui acceptent de dialoguer et qui, de ce fait, n'ont aucun parti pris. Il suffit de nous demander si les raisons que nous invoquons pourraient, selon nous, convaincre ce jury impartial. Se peut-il qu'elles ne favorisent qu'une position au détriment des autres sans considérer les autres intérêts en jeu ?

– Le critère de réciprocité

Il arrive parfois qu'une personne, ayant écouté nos raisons d'agir, rétorque : « C'est bien beau tout ça, je comprends bien ce que tu me dis, mais si tu étais à ma place, si c'était toi qui perdais dans cette décision, tu n'accepterais certainement pas les raisons que tu viens de me donner. » Cette réaction n'a rien d'anormal, car personne n'aime être défavorisé par une décision. Cette réaction émotive à la perte peut effectivement amener certaines personnes à se retirer du dialogue puisqu'en fait elles étaient prêtes à discuter dans l'espoir d'obtenir des gains quelconques. Mais cette réaction peut aussi être justifiée dans bien des cas. Il nous arrive quelquefois de changer de raisonnement selon la place que nous occupons. Autrement dit, nous trouvons des raisons pour défendre nos intérêts et non des raisons pour mettre en relief le caractère raisonnable de la décision. En nous imaginant ainsi à la place de la personne qui perd le plus et en écoutant les raisons que nous avançons, nous pouvons évaluer si les raisons énoncées sont encore acceptables.

– Le critère d'exemplarité

Si une décision est raisonnable, les raisons invoquées devraient être valides pour tous les cas analogues. C'est-à-dire pour toutes les personnes qui seraient dans les mêmes circonstances. En me demandant si les raisons d'agir que j'expose peuvent servir de modèle ou d'exemple de raison pratique pour toutes les personnes dans les mêmes circonstances, je dépersonnalise la décision, je la rends ainsi plus universalisable. Si les raisons motivant tel type de décision ne peuvent être utilisées que par un nombre limité de personnes, alors elles ne peuvent servir d'exemple à l'humanité. Le critère d'exemplarité fonde la notion de « jurisprudence » en droit. Pourquoi les avocats citent-ils les décisions rendues précédemment ? Ils veulent montrer que le raisonnement pratique, qui a été reconnu par les juges dans une cause analogue, doit guider la présente situation. En s'appuyant sur des causes antérieures qui concernaient une affaire identique, les juges appliquent le même raisonnement. Ils adoptent donc les mêmes raisons d'agir qui s'étaient révélées raisonnables dans les causes antérieures et qui ont été prises comme modèle par la suite.

➢ *Inscription dans la fiche d'application*

Voici la réponse fictive de Claude qui tient compte de l'objectif de l'étape et de l'opération logique ou de la question dialogique. Puisque l'inscription exige de réfléchir sur les raisons d'agir, il faut donc partir des éléments précisés à l'étape 10.

Voici les inscriptions de Claude dans sa fiche d'application à l'étape 10 :

ÉTAPE 10. IDENTIFIER LE PRINCIPAL ARGUMENT DANS LA RÉSOLUTION DU CONFLIT DE VALEURS

I- *Identification du type de raisonnement pratique (Cochez la case correspondante)*

- ☒ La valeur prioritaire est rattachée aux conséquences de ma décision : le raisonnement est conséquentialiste.
- ☐ La valeur prioritaire est rattachée aux normes ou aux obligations : le raisonnement est déontologique.

II- *Nature de l'argument conséquentialiste*

a) Identification des intérêts

- À quelles personnes, ou à quel groupe de personnes, la valeur prioritaire est-elle rattachée ?
- ☐ décideur
- ☐ autre personne particulière
- ☐ groupe auquel le décideur est associé (profession, fonction, association, institution, etc.)
- ☐ autres personnes en général
- ☒ autres groupes en général :

  Il s'agit, dans ce cas-ci, des autres personnes atteintes du vih qui sont déjà ou qui auront besoin d'entrer en relation professionnelle avec des travailleurs sociaux.
- ☐ autres (environnement)

b) Argument utilisé

- Pourquoi accordez-vous une priorité à la valeur qui correspond aux conséquences prévues ?
- ☐ argument basé sur l'intérêt personnel
- ☒ argument basé sur les intérêts du groupe :

  S'il fallait, en tant que professionnel de la santé que je m'immisce ainsi dans les affaires personnelles de l'un ou l'autre de mes clients et que cela se sache, cela ne pourrait-il pas entraîner une perte graduelle de confiance d'une partie ou même de toute cette clientèle très vulnérable dans les travailleurs sociaux ? Ceux-ci devenant, du coup, perçus comme pouvant « trahir », n'est-ce pas la profession elle-même qui risquerait, à cause de moi, de perdre toute crédibilité ? Car qui pourrait encore se fier à notre entière discrétion, si cette perte de confiance en venait à se généraliser ? Nous pourrions tout aussi bien fermer boutique, car nous ne trouverions plus personne à qui venir en aide.
- ☐ argument basé sur les intérêts de toute personne humaine

Voici les opérations logiques de Claude qui lui permettent de faire la réflexion critique et d'inscrire des éléments de réponse aux questions de l'étape 12.

– **CRITÈRE D'IMPARTIALITÉ**

Ma décision ne me favorise pas directement comme personne. Ce sont les intérêts de l'ensemble des personnes atteintes du VIH qui sont privilégiés ici. De ce point de vue, un jury impartial verrait que mes raisons d'agir ne visent pas à favoriser mon groupe ou moi-même.

– **CRITÈRE DE RÉCIPROCITÉ**

Mon argument concernant les limites du professionnel à s'immiscer dans les affaires personnelles du client au nom de la confiance dans la relation professionnelle est aussi valide pour moi quand je consulte un autre professionnel que pour Claude. Mais serais-je prêt à assumer ce raisonnement si j'étais à la place de l'amie de Claude ? Je n'ai qu'à imaginer comment je réagirais si j'apprenais, par exemple, de mon médecin qu'il savait depuis longtemps que mon épouse était séropositive mais qu'il ne m'a rien dit. Je trouverais cela irresponsable à première vue. Mais cela veut-il dire que ce n'est pas la « meilleure chose » à faire dans les circonstances ? Non.

– **CRITÈRE D'EXEMPLARITÉ**

Dans mon argument, le rôle des professionnels dans la société est un élément clé. Tout professionnel a une responsabilité sociale dans la mesure où il fait partie des services assurés aux personnes pour un mieux-être social. Dans des situations analogues à mon cas, concernant le « secret professionnel », les raisons d'agir s'appliqueraient sans difficulté.

Cette réflexion critique de Claude s'exprime ainsi dans le tableau de l'étape 12 :

ÉTAPE 12. FAIRE UNE RÉFLEXION CRITIQUE SUR LE CARACTÈRE UNIVERSALISABLE DES RAISONS D'AGIR

	Oui	Non
i) Critère d'impartialité des raisons d'agir Est-ce que l'exposition des raisons d'agir convaincrait un jury impartial ?	☒	☐

Ma décision privilégie le plus grand nombre de personnes vulnérables et, en ce sens, n'est pas partiale.

Un jury comprendrait ainsi comment mes raisons ne me favorisent pas.

ii) Critère de réciprocité Est-ce que les raisons d'agir présentées me convaincraient si j'étais à la place de la personne qui subit la plus grande perte dans la résolution du dilemme ?	☒	☐

Malgré les réactions émotives que j'aurais en apprenant un jour la décision et les motifs invoqués, si j'étais à la place de l'amie de Claude, je ne peux pas dire que cela rend la décision irraisonnable dans les circonstances. Ce ne serait pas facile, mais je pense qu'à la longue je comprendrais les raisons d'agir et que je les trouverais acceptables, en principe.

iii) Critère d'exemplarité Est-ce que les raisons d'agir présentées seraient valides pour tous les cas semblables ?	☒	☐

Dans tous les cas analogues, vécus par des professionnels, concernant ce type de violation du « secret professionnel », les raisons d'agir que j'ai présentées s'appliqueraient. Mon raisonnement peut servir de jurisprudence pour d'autres cas.

➢ *Difficultés éprouvées*

La principale source des difficultés dans l'application de ces trois critères vient de la confusion relative à ce qui fait l'objet d'universalisation. Plusieurs personnes essaient d'universaliser leur comportement ou leur conduite. Ainsi, au lieu de réfléchir aux raisons qui justifient leur décision, elles se demandent si un jury accepterait leur comportement de garder le secret. D'autres essaient d'universaliser la norme légale « il faut garder le secret professionnel » ou la maxime d'action « agis selon ta conscience professionnelle ».

Les critères d'impartialité, de réciprocité et d'exemplarité visent à mettre à l'épreuve les raisons qui justifient ma décision. C'est grâce à l'application de ces critères que je pourrai déterminer si mes raisons d'agir sont universalisables et si elles pourront effectivement entrer en dialogue avec les autres.

PHASE IV ÉTABLIR UN DIALOGUE RÉEL ENTRE LES PERSONNES IMPLIQUÉES

ÉTAPE 13 Formuler et présenter une argumentation complète permettant de justifier sa position

➢ *Objectif*

Qu'une décision soit prise en comité, à la suite d'un accord entre les personnes présentes, ou après consultation, par une personne responsable du dossier, elle doit être rendue publique, habituellement dans un rapport qui présente la recommandation et sa justification. L'argumentation, centrale à la justification, consiste en la manière de présenter, dans une suite logique et cohérente, les raisons qui non seulement motivent la recommandation du groupe, mais qui aussi, en principe, devraient motiver l'ensemble des personnes concernées à l'accepter comme étant la meilleure dans les circonstances.

Quant à l'exposition des raisons d'agir en éthique, nous avons retenu quatre types d'argumentation : A) l'argumentation basée sur l'utilité ; B) l'argumentation basée sur la justice ; C) l'argumentation basée sur le droit et D) l'argumentation basée sur la Nature. Il ne faut pas confondre ici argumentation et arguments : l'argumentation est le cadre général qui permet de donner une cohérence logique à plusieurs arguments différents, tandis que l'argument est un raisonnement destiné à prouver ou à réfuter une proposition donnée. Chaque argumentation propose donc un principe organisateur des arguments qui motivent la décision. L'argumentation d'une décision n'est pas l'exposé de la démarche de délibération suivie par la personne ou par le groupe. Il ne faut pas confondre la description du processus étape par étape, que nous avons suivi pour trouver la meilleure solution, avec la soumission aux autres des motifs qui justifient, en dernier lieu, la position adoptée. C'est pourquoi, dans l'argumentation, tous les éléments analysés dans les étapes précédentes sont réorganisés de manière que certains d'entre eux puissent être retenus comme étant des arguments importants pour justifier la décision.

Les types d'argumentation présentés ici permettent de motiver le choix de la finalité de l'action ; ils ne portent pas sur les raisons justifiant les moyens. Dans une présentation générale, il faut donc bien distinguer ces deux étapes : *i)* justifier la fin (par l'argumentation) et *ii)* justifier les moyens selon les deux critères d'efficacité et de réduction des inconvénients que comporte la décision. C'est pourquoi nous ajoutons, à chaque argumentation, les éléments nécessaires à la justification des moyens.

Les quatre principales argumentations que nous vous présentons ici, dans leur cadre très général, sont issues, dans notre tradition occidentale, des diverses manières de justifier des prises de position qui impliquent autrui. Puisqu'il s'agit de cadres généraux permettant de rassembler avec cohérence une série d'arguments, leur présentation sera forcément abstraite. Après la présentation des éléments de base de chaque argumentation (opération logique ou question dialogique), nous vous proposerons un exemple (tiré des exemples présentés à l'étape 10 où les divers arguments principaux ont été présentés). Nous traiterons des difficultés éprouvées après chaque cas.

PHASE IV ÉTABLIR UN DIALOGUE RÉEL ENTRE LES PERSONNES IMPLIQUÉES

ÉTAPE 13A Formuler et présenter une argumentation complète, ***basée sur l'utilité***, permettant de justifier sa position

➢ *Opération logique ou question dialogique*

« Qu'est-ce qu'une argumentation basée sur l'utilité ? » « Comment présenter ce type de motifs d'une décision ? » La personne ou le groupe qui justifie une décision basée sur l'utilité soutient que l'action recommandée est raisonnable parce qu'elle entraînera plus d'effets positifs que d'effets négatifs. C'est ce bilan du positif et du négatif qui permet de dire qu'il est possible de donner sens et d'accepter les pertes (effets négatifs) dans le but d'obtenir les gains (effets positifs).

On a souvent recours à cette argumentation dans le domaine économique. On justifie, par exemple, la lutte contre l'inflation ou contre le déficit budgétaire en exposant les bienfaits économiques (à long terme), comme le maintien du plein emploi et l'obtention d'une croissance économique concurrentielle, que l'on présente alors comme des avantages collectifs éventuels plus importants que les inconvénients (à court terme) du chômage, de l'accroissement de la pauvreté et de la souffrance tant physique que morale que pourront subir un grand nombre de personnes dans l'immédiat. Ici, les gains envisagés sont estimés supérieurs aux pertes prévues.

Comme on peut le constater, l'argumentation basée sur l'utilité se rattache à la raison pratique de type conséquentialiste. L'utilité est le critère permettant de juger que l'action envisagée est la meilleure possible. Ce type d'argumentation prend le bilan comme modèle. Si, en comptabilité, il faut que l'actif soit supérieur au passif (par exemple, dans notre budget personnel, nous devrions avoir plus d'argent qui entre que d'argent qui sort), sur le plan de l'utilité, il faut démontrer que l'action envisagée aura, dans son ensemble, plus d'effets positifs que négatifs. N'oublions pas que l'évaluation des effets positifs et négatifs implique une donnée qualitative puisque tous les effets envisagés ne sont pas nécessairement équivalents.

Lorsqu'on présente une telle argumentation à un groupe, on doit s'attendre à se faire questionner sur deux points importants : *i)* Pourquoi privilégier un groupe plutôt qu'un autre ? *ii)* Comment mesurer l'utilité et avec quel critère ?

– POURQUOI PRIVILÉGIER UN GROUPE PLUTÔT QU'UN AUTRE ?

En effet, dans les motifs exposés transpirera toujours une préférence à l'égard de conséquences pour un groupe ou une personne donnés. En d'autres termes, c'est en fonction de ce groupe ou de cette personne que l'on jugera l'utilité. Dans une entreprise qui licencie plusieurs employés, le directeur déclarera qu'il faut sacrifier des postes pour maintenir la compagnie en activité et que plusieurs personnes profiteront de cette décision. La compagnie (et, derrière elle, les actionnaires et les employés, selon le cas) sera alors le groupe auquel la décision accordera sa préférence. L'utilité pour la compagnie passe ici avant l'utilité pour ceux qui perdent leur emploi. Certaines personnes vous demanderont « Pourquoi privilégiez-vous tel groupe plutôt que tel autre ? », mais, dans les faits, ce dont elles voudront s'assurer, c'est que votre choix n'est pas guidé principalement par vos intérêts personnels. Vous devriez donc être en mesure de donner les raisons pour lesquelles, dans les circonstances, il est préférable d'accorder la priorité à tel groupe ou à telle personne.

– Comment mesurer l'utilité et avec quel critère ?

L'argumentation basée sur l'utilité doit démontrer, par le bilan, que la décision est plus utile qu'une autre. Mais comment mesure-t-on l'utilité de quelque chose et quel critère utilise-t-on pour établir que telle action est effectivement plus utile qu'une autre ? Tant qu'on n'aura pas défini clairement l'utilité en cause, il sera difficile de demander l'accord des autres. Comme pour le choix du groupe de référence, on pourra vous demander de clarifier votre conception de l'utilité retenue et d'exposer les raisons de ce choix.

Pour définir son groupe de référence et le critère d'utilité, il faut donc puiser dans les éléments présentés d'abord à l'étape 4 et surtout à l'étape 7, où les valeurs ont été identifiées en fonction des conséquences. La valeur prioritaire associée aux conséquences sur un groupe devient le guide qui vous permet de relever les raisons pour lesquelles vous avez privilégié ce groupe et en fonction de quelle conception de l'utilité vous justifiez votre choix.

L'argumentation complète exige maintenant de démontrer que votre décision entraînera effectivement plus de gains que de pertes. Autrement dit, il est raisonnable d'assumer ces pertes en fonction des gains prévisibles. Le bilan doit donc ici démontrer :

1. les gains de la décision pour quels groupes ou pour quelles personnes ;
2. les pertes pour quels groupes ou quelles personnes ;
3. les raisons pour lesquelles on estime que ces gains sont supérieurs aux pertes subies.

➢ *Inscription dans la fiche d'application*

Voici la réponse fictive de Claude qui tient compte de l'objectif de l'étape et de l'opération logique ou de la question dialogique. Pour des fins pédagogiques, nous ne développerons pas une argumentation complète de la position de Claude dans un texte continu. Nous dresserons plutôt, à l'aide de la fiche d'application, ce qui peut être considéré comme le plan de travail de Claude, s'il voulait faire un rapport écrit de sa décision. Dans notre exemple, Claude avait reconnu, à l'étape 10, que son raisonnement pratique était de nature conséquentialiste et qu'il accordait une préséance à la valeur « la confiance de la clientèle présente et future dans les professionnels de la santé », qui concerne le groupe des clients, plutôt qu'à la valeur « la qualité de vie » qui concerne l'amie de Paul. Le groupe auquel se réfère Claude est bien la clientèle des professionnels de la santé. Et en quoi cette confiance dans les professionnels peut-elle leur être utile ? Comme l'a noté Claude, avec la perte de cette confiance, il deviendra impossible de les aider.

A. ARGUMENTATION BASÉE SUR L'UTILITÉ

Puisque mon raisonnement pratique est de nature conséquentialiste (étape 10) et que la valeur privilégiée (à l'étape 9) était associée

à la confiance de la clientèle dans les professionnels de la santé,

i) Le groupe de référence pour l'argumentation est :

la clientèle des professionnels de la santé.

ii) Le critère permettant d'évaluer l'utilité pour ce groupe est :

l'aide à ces personnes dans le besoin.

iii) Mon bilan est :

1) Tous les effets positifs prévisibles de la décision.

Je me rends compte que, si je ne viole pas le secret professionnel, cela peut avoir des effets positifs sur plusieurs personnes à court terme, Paul, moi, mes collègues, et, à long terme, surtout sur la clientèle des professionnels de la santé.

2) Tous les effets négatifs prévisibles de la décision.

Dans l'analyse de l'étape 4, j'ai constaté que c'est l'amie de Paul qui m'inquiète et que sa qualité de vie est menacée.

A. ARGUMENTATION BASÉE SUR L'UTILITÉ *(SUITE)*

3) En quoi les effets positifs sont supérieurs aux effets négatifs.

Que risque-t-il de se produire si la clientèle qui craint d'être séropositive s'abstient de consulter les professionnels de la santé par crainte de voir son secret trahi par eux ? Combien de personnes, à cause de cette méfiance, refuseront de passer des tests de dépistage ? Combien d'autres, qui en ont passé, refuseront par la suite toute relation d'aide, en raison de cette méfiance ? Combien de personnes risquent de devenir victimes de cette crainte des conséquences sociales d'être reconnues séropositives ? Aussi triste que soit le fait que l'amie de Paul puisse en subir les effets négatifs immédiats, n'est-il pas plus raisonnable de tout faire pour enrayer le caractère épidémique du vih?

Argumentation du moyen :

1) l'efficacité du moyen pour atteindre la fin

Il ne fait pas de doute que le moyen choisi, « ne pas révéler à l'amie de Paul l'état de celui-ci », est le plus efficace pour atteindre la fin visée. Personne ne pourra dire que les professionnels violent leur secret à leur guise.

2) la diminution des inconvénients par le moyen

En discutant avec Paul de l'importance qu'il en parle à son amie, en lui proposant même de le faire à sa place, en variant mes arguments pour le convaincre, etc., j'espère pouvoir l'influencer de manière à éviter le pire, s'il n'est pas déjà trop tard. Peut-être réussirai-je, dans ce cas-ci, peut-être que non.

➢ *Difficultés éprouvées*

Dans l'argumentation basée sur l'utilité, certaines personnes oublient la visée dialogique et, pour mieux influencer leur auditoire, ne présentent qu'un seul côté de la médaille, à savoir les avantages. On se contente de dire qu'il y aura des inconvénients, mais on n'en parle jamais et on n'explique évidemment pas, dans ce cas précis, pourquoi il est raisonnable d'accepter les inconvénients pour bénéficier des gains potentiels.

La seconde difficulté réside dans les conséquences appréhendées. Il existe beaucoup de controverses sur la valeur à accorder aux conséquences futures. Certaines personnes, par exemple, vont présenter des scénarios pessimistes et même catastrophiques comme conséquences d'une action. Pensons, notamment, à certaines craintes émises au sujet des manipulations génétiques. Dans quelle mesure les conséquences appréhendées se réaliseront-elles ? Il faut donc prévoir dans son argumentation la clarification des données sur lesquelles on se base pour justifier le degré de probabilité des conséquences futures. Lorsque les argumentations négligent cet aspect, elles prêtent le flanc à la critique.

PHASE IV ÉTABLIR UN DIALOGUE RÉEL ENTRE LES PERSONNES IMPLIQUÉES

ÉTAPE 13B Formuler et présenter une argumentation complète, *basée sur la justice*, permettant de justifier sa position

➢ ***Opération logique ou question dialogique***

« Qu'est-ce qu'une argumentation basée sur la justice ? », « Comment développer cette argumentation de façon cohérente ? » L'argumentation basée sur la justice, telle que nous la définissons ici, ressemble à celle de l'utilité dans la mesure où elle repose également sur l'évaluation des conséquences de l'action envisagée pour une personne ou pour un groupe de personnes. Le cadre général de cette argumentation est emprunté aux travaux du philosophe du droit Chaïm Perelman. Après avoir analysé différentes argumentations dans le domaine du droit, cet auteur conclut que toute argumentation basée sur la justice et réclamant plus de justice s'organise toujours autour des deux pôles suivants : il faut traiter toutes les personnes d'une même catégorie essentielle de la même manière. Le slogan « À travail égal, salaire égal » illustre une façon d'appliquer l'argumentation basée sur la justice. On revendique que toutes les personnes qui accomplissent le même travail (catégorie essentielle) soient traitées de la même manière sur le plan salarial.

Si nous appliquons ceci aux conséquences de notre action sur des personnes, nous pourrions penser que si les conséquences affectent certaines personnes plus que d'autres, nous risquons de créer une injustice. L'argumentation basée sur la justice exige donc que soient précisées les deux composantes suivantes : *i)* le traitement jugé injuste et *ii)* la raison pour laquelle on considère que ce traitement est injuste pour telle personne ou tel groupe (catégorie essentielle).

Les transformations du critère de justice en matière salariale s'expliquent par ce changement de la catégorie essentielle. À une certaine époque, on estimait que le statut familial devait être considéré dans l'attribution des salaires. Ainsi, la personne mariée avec enfants devait recevoir plus que la personne célibataire ; la femme mariée qui travaillait devait recevoir moins, puisqu'il s'agissait d'un second salaire. On voit bien que la catégorie essentielle pour l'attribution du salaire était alors la responsabilité familiale. Revendiquer que le salaire soit exclusivement rattaché à la nature de travail exécuté relève de critères bien différents.

Dans une argumentation comme celle-ci, non seulement il est important d'identifier la catégorie essentielle qui me permet de définir le traitement égal revendiqué, mais il faut aussi justifier le choix de cette catégorie essentielle. Autrement dit, une argumentation basée sur la justice doit donner les raisons qui nous incitent à choisir cette catégorie essentielle comme base de la justice revendiquée.

➢ *Inscription dans la fiche d'application*

Voici la réponse fictive de Claude qui tient compte de l'objectif de l'étape et de l'opération logique ou de la question dialogique. Voici les inscriptions du décideur qui avait résolu le dilemme en fonction d'un argument d'équité.

B. Argumentation basée sur la justice

Puisque mon raisonnement pratique est de nature conséquentialiste (étape 10) et que la valeur privilégiée (à l'étape 9) était associée

à l'autonomie de Paul,

i) Le traitement injuste auquel j'associe les effets sur la personne ou le groupe est:

de voir sa vie, sa relation avec son amie et avec son professionnel changées du tout au tout sans son consentement.

ii) La dimension de la personne à laquelle j'associe la catégorie essentielle est:

la liberté de décider de ses choix de vie.

iii) Les raisons qui justifient que la catégorie essentielle est acceptable pour trancher ce dilemme sont:

La conquête de notre liberté, en tant qu'êtres humains, s'est toujours effectuée en nous éloignant du pouvoir qu'avaient les autres sur notre existence. Autant nous nous sommes libérés des contraintes naturelles par la technologie, autant nous nous sommes libérés des jougs de la tyrannie sur nos vies. Pour l'humain, l'idéal, c'est d'être libre et d'avoir la pleine capacité de diriger sa vie. L'autonomie de la personne est une caractéristique essentielle qui exige le respect dans ce cas-ci. Certes, la liberté a un prix, mais le fait que certains choix personnels aient des conséquences négatives sur les autres ne constitue pas une raison suffisante pour qu'un professionnel s'autorise à ne pas respecter l'autonomie de la personne.

Argumentation du moyen:

1) l'efficacité du moyen pour atteindre la fin

Il ne fait pas de doute que le moyen choisi, « ne pas révéler à l'amie de Paul l'état de celui-ci », est le moyen le plus efficace pour atteindre la fin visée. Personne ne pourra dire que les professionnels violent leur secret à leur guise.

2) la diminution des inconvénients par le moyen

En discutant avec Paul de l'importance qu'il en parle à son amie, en lui proposant même de le faire à sa place, en variant mes arguments pour le convaincre, etc., j'espère pouvoir l'influencer de manière à éviter le pire, s'il n'est pas déjà trop tard. Peut-être réussirai-je dans ce cas-ci, peut-être que non.

➢ *Difficultés éprouvées*

Une des premières difficultés est posée par le terme « justice ». Pour certains auteurs, tous les arguments que nous avons présentés constituent des formes de justice. Dès qu'on reconnaît que l'on vise ici une forme d'argumentation très différente de celle basée sur l'utilité ou le droit, on comprendra le sens précis de l'argumentation basée sur la justice.

L'autre difficulté, plus importante celle-là, provient du fait que l'argumentation basée sur la justice utilise une représentation de l'être humain et que c'est là-dessus que s'appuie la catégorie essentielle. En cela, elle s'apparente à l'argumentation basée sur la Nature, centrée sur la conception de l'être humain. Mais il ne faudrait pas confondre le rôle que joue la représentation de l'être humain dans l'argumentation basée sur la justice et celui de la conception de l'être humain, dans l'argumentation basée sur la Nature. C'est ce que l'analyse de ce dernier type d'argumentation nous démontrera plus clairement.

PHASE IV ÉTABLIR UN DIALOGUE RÉEL ENTRE LES PERSONNES IMPLIQUÉES

ÉTAPE 13C Formuler et présenter une argumentation complète, *basée sur le droit*, permettant de justifier sa position

➢ *Opération logique ou question dialogique*

« Qu'est-ce qu'une argumentation basée sur le droit ? », « Comment développer cette argumentation de façon cohérente ? » L'argumentation basée sur le droit est une des argumentations courantes dans nos sociétés démocratiques où les obligations juridiques et les réglementations des groupes occupent une place privilégiée dans la résolution des dilemmes éthiques professionnels. Pour expliciter l'ensemble des raisons d'agir, l'argumentation basée sur le droit doit préciser les éléments suivants :

- les obligations du milieu ou les obligations juridiques dont l'observance permet la résolution du cas ;

- la manière dont l'observance de ces obligations permet de résoudre le cas ;
- les raisons qui justifient l'obéissance à ces obligations.

En effet, l'argumentation basée sur le droit suit le raisonnement pratique juridique qui consiste, comme nous l'avons vu, à identifier la norme applicable dans les circonstances, à montrer comment cette norme s'applique dans la situation pour résoudre le cas. Le raisonnement qui permet de passer de la norme générale à la situation concrète recoupe les deux premiers éléments de l'argumentation basée sur le droit. Puisque cette argumentation fait partie d'une argumentation en éthique, cela suppose que la raison ultime de la décision se situe sur le plan éthique.

C'est pourquoi l'argumentation basée sur le droit exige que l'on réponde à la question centrale : « Quelles sont les raisons qui justifient que l'on obéisse ainsi à cette obligation ? »

La légitimation de l'obéissance au droit se fait, habituellement, soit à partir de la reconnaissance de l'autorité légitime comme raison d'obéir, soit à partir de la valeur accordée à la loi par le groupe ou par la société.

Prenons l'exemple du commandement qui illustre bien le fait que l'autorité légitime est considérée comme la raison d'obéir. Si l'on demande à un soldat pourquoi il obéit au commandement de son supérieur, il répondra peut-être : « Précisément, parce que c'est mon supérieur. » Obéir à l'autorité légitime qui dicte des ordres ou des normes constitue ici la base de l'argumentation. Évidemment, le soldat pourra préciser en quoi son supérieur est une autorité légitime : sa nomination, sa reconnaissance dans la structure hiérarchique de l'armée, la nécessité dans l'armée que les ordres ne soient pas discutés par les simples soldats seront des arguments utilisés pour montrer les raisons ultimes d'obéir à son supérieur.

Dans les sociétés démocratiques, certaines personnes argumentent de la même façon. C'est la nécessité d'avoir une autorité légitime pour trancher les différends qui justifie l'obéissance à la loi. Dans cette perspective, le système électoral représente le moyen politique qui permet de reconnaître l'autorité légitime.

Pour d'autres personnes, l'autorité légitime n'est pas une raison suffisante pour répondre de leur obéissance à la loi. Pour elles, une loi se justifie plutôt par l'appel qu'elle fait aux principes démocratiques d'une société. Si une loi ne respectait pas l'idéal démocratique, elle ne serait pas considérée comme valide au regard d'une décision éthique. Plusieurs cas de désobéissance civile illustrent cette vision. Prenons, par exemple, Martin Luther King, qui justifia la violation des lois parce qu'elles n'actualisaient pas l'idéal démocratique, incitant, par le fait même, la population concernée à la désobéissance civile.

➢ *Inscription dans la fiche d'application*

Nous allons ici développer deux fiches dont l'une correspond à la normativité du milieu et l'autre, à celle des obligations juridiques.

C. Argumentation basée sur le droit – Selon la normativité du milieu

Puisque mon raisonnement pratique était de nature déontologique (étape 10) et que la valeur privilégiée à l'étape 9 est

le respect du code de déontologie,

i) La normativité du milieu associée à la valeur prioritaire est :

l'Ordre des travailleurs sociaux du Québec.

ii) L'obligation juridique associée à la valeur prioritaire est :

- L'observance de ces obligations permet de résoudre le cas en :

  Le code de déontologie prévoit qu'il faut respecter le secret professionnel et que nul professionnel ne peut être relevé du secret sans l'autorisation du client ou l'exigence de la loi. Je n'ai pas ici l'autorisation du client et le cas Tarasoff, qui condamnait un professionnel américain de ne pas avoir averti une victime de meurtre des menaces de mort que son client avait formulées contre elle, est très différent du mien, car nous ne sommes pas devant une menace de mort. Le respect des dispositions du Code permet d'atteindre une solution raisonnable dans les circonstances.

- Les raisons qui légitiment l'obéissance à ces obligations sont :

  Le code de déontologie représente l'expérience accumulée par les professionnels dans leur pratique. Cette expérience a déjà montré que la confidentialité est une valeur essentielle au fonctionnement d'une profession dont je fais partie. En devenant travailleur social, j'hérite des valeurs accumulées par le groupe.

C. ARGUMENTATION BASÉE SUR LE DROIT – SELON LA NORMATIVITÉ DU MILIEU *(SUITE)*

Argumentation du moyen :

1) l'efficacité du moyen pour atteindre la fin

Il ne fait pas de doute que le moyen choisi, « ne pas révéler à l'amie de Paul l'état de celui-ci », est le moyen le plus efficace pour atteindre la fin visée. Personne ne pourra dire que les professionnels violent leur secret à leur guise.

2) la diminution des inconvénients par le moyen

En discutant avec Paul de l'importance qu'il en parle à son amie, en lui proposant même de le faire à sa place, en variant mes arguments pour le convaincre, etc., j'espère pouvoir l'influencer de manière à éviter le pire, s'il n'est pas déjà trop tard. Peut-être réussirai-je dans ce cas-ci, peut-être que non.

Le respect du code de déontologie peut aussi être argumenté par un appel au droit dans la société. Nous retrouverions alors une argumentation comme la suivante :

C. ARGUMENTATION BASÉE SUR LE DROIT – SELON LES OBLIGATIONS JURIDIQUES

Puisque mon raisonnement pratique était de nature déontologique (étape 10) et que la valeur privilégiée à l'étape 9 est

le respect du code de déontologie,

i) L'obligation morale associée à la valeur prioritaire est :

le code de déontologie en tant que réglementation issue du Code des professions.

ii) L'observance de cette obligation morale permet de résoudre le cas en :

Le code de déontologie prévoit qu'il faut respecter le secret professionnel et que nul professionnel ne peut être relevé du secret sans l'autorisation du client ou l'exigence de la loi. Je n'ai pas ici l'autorisation du client et le cas Tarasoff, qui condamnait un professionnel américain de ne pas avoir averti une victime de meurtre des menaces de mort que son client avait formulées contre elle, est très différent du mien, car nous ne sommes pas devant une menace de mort. Le respect des dispositions du code permet d'atteindre une solution raisonnable dans les circonstances.

C. ARGUMENTATION BASÉE SUR LE DROIT – SELON LES OBLIGATIONS JURIDIQUES *(SUITE)*

iii) Les raisons qui légitiment l'obéissance à cette obligation morale sont :

Le code de déontologie a été promulgué à la suite des exigences du Code des professions. C'est le législateur du Québec qui a consacré la professionnalisation des travailleurs sociaux, en soumettant leurs activités professionnelles au respect de règles devant assurer la protection du public. Les choix éthiques dans une société démocratique comme la nôtre se font par les législations qui s'élaborent selon le processus prévu par la Constitution. L'autorité légitime s'est donc prononcée par le Code des professions et les exigences du code de déontologie.

Argumentation du moyen :

1) l'efficacité du moyen pour atteindre la fin

Il ne fait pas de doute que le moyen choisi, « ne pas révéler à l'amie de Paul l'état de celui-ci », est le moyen le plus efficace pour atteindre la fin visée. Personne ne pourra dire que les professionnels violent leur secret à leur guise.

2) la diminution des inconvénients par le moyen

En discutant avec Paul de l'importance qu'il en parle à son amie, en lui proposant même de le faire à sa place, en variant mes arguments pour le convaincre, etc., j'espère pouvoir l'influencer de manière à éviter le pire, s'il n'est pas déjà trop tard. Peut-être réussirai-je dans ce cas-ci, peut-être que non.

➢ *Difficultés éprouvées*

La première difficulté posée par cette argumentation provient du fait que, souvent, les personnes connaissent très peu ou très mal le sens et la portée des lois ou règlements qu'ils citent et qu'ils appliquent à la situation. Toute incompréhension des lois affaiblit nécessairement l'argumentation tout comme il n'est pas facile d'appliquer à une situation concrète un énoncé général dans une loi. L'argumentation repose ici sur la solidité du raisonnement juridique et suppose donc une bonne connaissance du droit dans le domaine en cause.

Lorsque certaines personnes tentent de répondre à la question « Pourquoi obéir au droit ? » elles ont parfois tendance à répondre en fonction des sanctions à éviter. Si tel est le cas, il y a erreur au niveau de la catégorisation. Obéir aux lois par crainte des sanctions relève de l'argumentation basée sur l'utilité.

Enfin, il n'est pas toujours facile de préciser les raisons pour lesquelles nous devons obéir au droit. La distinction entre l'argument de l'autorité légitime et celui de l'idéal démocratique peut être difficile à opérer. Insistons toutefois sur une dernière caractéristique. Dans l'argument de l'autorité légitime, on ne regarde jamais le contenu de la loi, ni la valeur qu'elle actualise. Que cette autorité émane d'un monarque, d'un président, d'un parlement non démocratique ou d'un parlement axé sur la démocratie, cela importe peu. Si l'autorité est légitime, cette légitimité s'étend aux lois émises par elle. Dans le cas de l'idéal démocratique, l'obéissance à la loi dépend de la capacité que possède la loi d'actualiser l'idéal démocratique. Si elle n'y réussit pas, alors la désobéissance civile s'impose.

PHASE IV ÉTABLIR UN DIALOGUE RÉEL ENTRE LES PERSONNES IMPLIQUÉES

ÉTAPE 13D Formuler et présenter une argumentation complète, *basée sur la Nature*, permettant de justifier sa position

➢ ***Opération logique ou question dialogique***

« Qu'est-ce qu'une argumentation basée sur la Nature ? », « Comment présenter ce type de motifs pour justifier une décision ? » L'argumentation basée sur la Nature est celle qui est habituellement présentée dans les cas d'une valeur associée à une obligation morale. On retrouve, par exemple, dans la théologie catholique une référence à la loi divine inscrite au cœur des humains, alors qu'en philosophie on renvoie à la loi inscrite dans la Nature ou dans la rationalité humaine. Voilà deux formes différentes de l'argumentation basée sur la Nature.

Puisqu'il s'agit ici de démontrer comment une argumentation déontologique basée sur la Nature vient résoudre le cas de la meilleure façon possible, nous retrouvons alors des éléments équivalents à l'argumentation déontologique précédente basée sur le droit. Mais, cette fois, il s'agit d'une obligation morale. Il faut donc suivre les mêmes étapes que pour l'argumentation basée sur les obligations juridiques : *i)* identifier au départ l'obligation morale en cause, *ii)* montrer ensuite comment elle permet de résoudre le dilemme dans les circonstances et, enfin, *iii)* préciser les raisons qui légitiment l'obéissance à la norme morale.

L'argumentation basée sur la Nature renvoie à une obligation qui est différente de l'obligation juridique : elle est morale. Une obligation morale impose à tout être humain une manière d'agir fondée sur la conception que l'on a de l'être humain. L'obligation morale à laquelle s'associe la valeur prioritaire devrait ainsi interdire ou commander un comportement spécifique.

Tout comme l'obligation juridique, l'obligation morale est générale et il faut l'appliquer à des circonstances précises : celles de la situation du dilemme à résoudre. Il faut donc montrer, dans l'argumentation basée sur la Nature, de quelle manière l'obligation morale résout effectivement le dilemme en cause.

Enfin, pour démontrer le caractère raisonnable de la décision qui s'appuie sur l'obligation morale, il faut préciser les raisons d'obéir à cette norme morale. C'est en justifiant les raisons d'obéir à ces normes déontologiques que les auteurs renvoient habituellement à une conception de l'être humain et de la nature. L'argumentation d'une obligation ou d'une norme morale vise à montrer que tout être humain est soumis en tant qu'humain à l'obéissance de cette règle, sinon il renie sa spécificité d'être humain. Au cœur d'une telle argumentation s'érige la conception de l'être humain. Celle-ci doit être développée d'abord et validée ensuite. En effet, lorsqu'on argumente par le biais de la Nature, on doit justifier les raisons sur lesquelles s'appuie notre conception de l'être humain et de la nature.

On aurait tort de croire que l'argumentation basée sur la Nature est réservée aux religions et aux philosophies métaphysiciennes. Évidemment, cette forme d'argumentation a été très prisée dans ces deux traditions, mais ni la théologie ni la philosophie ne se résument à cette forme d'argumentation. On retrouve aussi des argumentations semblables fondées sur différentes sciences humaines. La sociologie, la psychologie et l'économie, notamment, peuvent servir à justifier la conception de l'être humain que nous posons comme fondement des obligations morales.

Dans une argumentation basée sur la Nature, la conception de l'être humain est présentée comme une « vérité ». Le débat sur la valeur de vérité de ces conceptions se fait à partir des sources énoncées qui l'appuient. Pas étonnant dès lors que la critique de la « vérité » des conceptions soit propre aux argumentations basées sur la Nature, car, en effet, la raison d'obéir à la norme morale dépend de la valeur de « vérité » de la conception de l'être humain. Aujourd'hui, nous retrouvons beaucoup d'argumentations basées sur la Nature dans les débats en éthique de l'environnement.

➢ *Inscription dans la fiche d'application*

D. ARGUMENTATION BASÉE SUR LA NATURE

Puisque mon raisonnement pratique était de nature déontologique (étape 10) et que la valeur privilégiée à l'étape 9 est

le respect du caractère sacré de la vie,

i) L'obligation morale associée à la valeur prioritaire est :

« Tu ne tueras point. » Cette obligation morale traverse mon dilemme. Si je ne fais rien, je me sentirai coupable de complicité dans la mort éventuelle de l'amie de Paul, ce qui démontre clairement comment cette norme morale est inscrite dans ma conscience.

ii) L'observance de cette obligation morale permet de résoudre le cas en :

Dans le cas présent, respecter cette obligation morale m'oblige à tout faire pour sauver la vie de l'amie de Paul. Il en est de même pour la loi qui m'oblige à porter secours à autrui lorsqu'il est en danger. En procédant ainsi, je remplirai mes obligations morales même si je viole des dispositions du code de déontologie pour ce faire.

D. ARGUMENTATION BASÉE SUR LA NATURE *(SUITE)*

iii) Les raisons qui légitiment l'obéissance à cette obligation morale sont :

Pourquoi obéir à cette obligation morale ? Il me semble que la réponse est toute simple. Peu importe qui nous a mis sur la Terre, nous ne sommes pas ici pour nous entretuer mais pour bien nous entraider afin de vivre la meilleure vie possible. La psychologie, quelles qu'en soient les écoles, nous montre clairement que l'être humain est destiné à être heureux et qu'il ne peut atteindre le bonheur qu'à condition de respecter les autres et de favoriser l'entraide.

Argumentation du moyen :

1) l'efficacité du moyen pour atteindre la fin

Je vais donc communiquer avec l'amie de Paul afin de lui signaler que celui-ci a de fortes chances d'être séropositif. Je ne me présenterai pas officiellement comme travailleur social mais comme quelqu'un qui leur veut du bien à tous les deux.

2) la diminution des inconvénients par le moyen

Grâce à ce téléphone anonyme, je remplis mon obligation morale en fournissant à l'amie de Paul (à condition qu'elle me prenne au sérieux) l'information qui peut l'aider à se protéger. Je l'inviterai à entamer la discussion avec Paul et à clarifier la situation. L'anonymat possède au moins le mérite d'empêcher un lien direct de s'établir entre le signaleur et le travailleur social. Je protège donc la réputation des travailleurs sociaux malgré le bris du secret professionnel.

➢ *Difficultés éprouvées*

Nous avons déjà mentionné que la principale difficulté avec l'argumentation basée sur la Nature provenait de sa ressemblance avec l'argumentation basée sur la justice étant donné qu'elles s'appuient toutes les deux sur la conception de l'être humain. Il est difficile de présenter une décision comme raisonnable sans invoquer cette conception. Ce qui distingue les argumentations basées sur la Nature des autres qui se réfèrent aussi à l'être humain, c'est précisément la manière de faire appel à l'être humain dans la légitimation. C'est pourquoi il est utile de distinguer deux façons différentes de se référer à l'être humain dans les argumentations : la première propose une représentation de l'être humain pour nous servir de guide ; l'autre propose une conception de l'être humain comme étant la seule valide. Autrement dit, dans l'argumentation basée sur la justice on invite à endosser une représentation de l'être humain parmi les raisons d'agir, tandis que dans l'argumentation basée sur la Nature on affirme, avec preuves à l'appui, que nous nous devons d'adopter une conception de l'être humain comme étant la seule valide pour trancher nos dilemmes éthiques.

La différence pourrait aussi se présenter comme suit : dans un cas, on nous invite à adopter une représentation de l'être humain, dans l'autre, on essaie de nous convaincre que la conception de l'être humain est fondée sur notre connaissance de ce qu'est vraiment un être humain. C'est pourquoi le débat sur le fondement de la conception de l'être humain est au cœur de toute argumentation basée sur la Nature.

Puisque cette forme d'argumentation renvoie au débat sur la vérité de la conception de l'être humain qui permet de fonder les obligations morales, d'autres difficultés surgissent dans la mesure où, pour plusieurs, les conceptions de l'être humain véhiculées par les religions sont jugées inacceptables car relevant de la foi. Le débat sur la valeur de « vérité » des conceptions avancées est partie prenante de l'argumentation basée sur la Nature. Existe-t-il une conception vraie de ce qu'est l'être humain ? Est-ce que la science psychologique nous permet de le définir comme dans notre exemple ? Est-ce que la biologie évolutive nous permet de dégager une conception de l'être humain ? Est-ce que la tradition dans laquelle nous nous situons nous permet de dégager une conception vraie issue de la réflexion sur notre expérience humaine ? Aujourd'hui, c'est la génétique qui semble prendre le relais des conceptions naturelles.

Dans toutes ces argumentations basées sur la Nature, nous nous retrouvons devant la nécessité de clarifier, pour légitimer la décision, les données sur lesquelles nous nous appuyons pour garantir la « vérité » de notre conception.

Conclusion

L'analyse approfondie de la décision délibérée nous permet de mieux comprendre l'extrême complexité des décisions surtout lorsque nous voulons exposer les raisons qui les justifient. À la lumière de ces données, on saisit mieux pourquoi le consensus d'une équipe sur une décision délibérée n'est pas facile à réaliser. Les différentes opérations d'analyse de la situation (phase I), de l'évaluation des conséquences et des normativités (phase II) et de la résolution du principal conflit de valeurs (phase III) sont soumises au dialogue pour arriver, idéalement, à un consensus sur tous les points. C'est cette visée de consensus, cette co-élaboration de sens dans la résolution d'un dilemme éthique, qui inscrit la démarche de délibération individuelle dans un effort collectif. Le dialogue n'est pas qu'une activité de communication, il est aussi un point de vue éthique, car il permet, dans une culture démocratique axée sur les droits de la personne, de dépasser le « je » pour construire un « nous » enraciné dans un contexte social et historique précis.

Cette construction patiente d'un « nous » à partir des « je », dans un comité par exemple, ne garantit pas que la décision prise soit « vraiment » la meilleure décision possible. Le dialogue ne peut pas éliminer l'incertitude propre aux décisions. Il permet seulement d'en contrôler le plus possible les effets, car, qu'il se fasse en comité, ou par personnes interposées, comme dans le cas de la critique d'un rapport ou d'une prise de position, le dialogue cible toujours le même horizon : élaborer ensemble la meilleure décision dans les circonstances. Plus il y aura de personnes intégrées au dialogue, physiquement ou virtuellement, plus les accords refléteront le caractère universalisable de la décision raisonnable.

Si le dialogue ne peut assurer la « vérité éthique » d'une décision, il permet de baliser la légitimation de la décision éthique en visant trois buts précis : l'impartialité, la réciprocité et l'exemplarité.

En effet, la recherche commune de la meilleure décision inscrit d'abord le dialogue dans une visée d'impartialité. Le comité sait (tout comme la personne responsable de la décision ou les juges de la Cour suprême) que les motifs de sa décision ne pourront être partagés par ceux qui en prendront connaissance que si la décision ne favorise pas, sans raisons valables, les intérêts des uns au détriment de ceux des autres.

De plus, dans le dialogue, les échanges sur les valeurs et sur les principaux conflits de valeur amènent les partenaires à se préoccuper de la question de la réciprocité. Dans les comités d'éthique, par exemple, les divers représentants vont énoncer les points de vue des différentes personnes ou organisations concernées directement par la décision. Une personne demandera certainement à l'autre : si tu étais à ma place, comment verrais-tu la situation ? C'est parce que le dialogue cherche à analyser, à évaluer et à décider en tenant compte des différentes positions que la décision peut échapper au favoritisme.

Enfin, si une décision est jugée la meilleure dans les circonstances, compte tenu des raisons qui la justifient, n'est-il pas raisonnable de penser que cette façon de résoudre le dilemme devrait servir d'exemple pour régler des situations similaires ? C'est le caractère exemplaire des décisions qui est le moteur de la jurisprudence dans la tradition juridique.

En favorisant l'impartialité, la réciprocité et l'exemplarité dans les décisions délibérées, le dialogue crée un lieu et une perspective éthique qui favorisent, à leur tour, le développement de libertés responsables.

Parce qu'il propose un idéal éthique, le dialogue est exigeant, mais comme il respecte la liberté du sujet, il ne peut être contraignant. Nous ne sommes pas obligés de dialoguer. À tout moment, nous pouvons rompre le dialogue, au nom de la liberté du sujet.

Est-ce que le dialogue est alors inutile ? Il faut éviter ici de penser de façon binaire. Nous ne sommes pas devant le tout ou le rien, mais devant une question de degré. Hors du dialogue, c'est le rapport de forces, civilisé ou non, selon les règles du milieu. Dans le dialogue, nous cherchons des accords afin de surmonter les désaccords. Lorsque, dans un dialogue, nous parvenons à situer nos désaccords et à en comprendre les raisons, nous avons déjà franchi un pas qui nous éloigne du simple rapport de forces. En effet, comprendre le désaccord, c'est mesurer la différence et la distance qui nous séparent. La compréhension nous aide à établir de meilleurs rapports, même si elle ne permet pas la co-élaboration.

Dans les travaux de la Commission nationale d'éthique aux États-Unis, certains ont été surpris de constater que des personnes, ayant des conceptions différentes, arrivent à s'accorder sur des règles de base en éthique de la recherche. Plus étonnant encore, c'est qu'une fois les sessions terminées, on se rendait compte que les personnes n'évoquaient pas publiquement les mêmes raisons légitimant les règles adoptées. S'agissait-il d'un accord factice ? Ces personnes auraient-elles évité les vrais débats ?

À la lumière des différentes phases de la décision délibérée, nous pourrions soumettre comme hypothèse que les membres de la Commission se sont mis d'accord sur l'analyse de la situation, notamment sur les conséquences et les enjeux juridiques dans une société démocratique. Les membres sont aussi arrivés à un accord sur les valeurs en cause et le principal conflit de valeurs. La priorité accordée à une valeur plutôt qu'à une autre a aussi fait l'objet d'un accord. Ce n'est qu'à l'étape des raisons d'agir que la différence est apparue entre les membres de la Commission. Autrement dit, les personnes se sont entendues sur la valeur prioritaire qui motive la décision, mais pas sur les raisons légitimant cette priorité accordée. Le consensus obtenu sur la valeur prioritaire a constitué l'aboutissement de la co-élaboration de sens de la Commission. Ne pouvant aller plus loin dans le dialogue sur les raisons d'agir, chaque personne pouvait, par la suite, énoncer ses raisons d'accorder la priorité aux valeurs.

Dans une société démocratique axée sur la liberté de croyance et de religion, il est difficile de penser qu'au niveau social nous puissions nous entendre sur les représentations de l'être humain inscrites dans les décisions. Un dialogue parfaitement réussi parviendrait à de tels résultats. La recherche commune de sens partagé sur une représentation de l'être humain apparaît, par contre, de plus en plus inévitable devant les difficultés que pose, dans les sociétés démocratiques, la législation sur des questions plus collectives telles que l'environnement. Avec les manipulations génétiques, les animaux transgéniques, les xénogreffes, etc., les frontières entre l'humain et l'animal s'amenuisent, sans oublier les effets accumulés des progrès technologiques sur la Nature en tant que concept régulateur.

Le dialogue, comme point de vue éthique, exige ainsi que la liberté devienne responsable en répondant aux autres, par la légitimation la plus complète possible, du pouvoir de décider. La liberté, fruit de la libération des contraintes, n'est pas un bien individuel ; Camus l'exprime bien dans son cogito : « Je me révolte, donc nous sommes. »

2.5. Exercice de compréhension – Correction d'une fiche d'application

Dans les sections précédentes, nous vous avons systématiquement présenté la démarche de délibération en éthique. Pour vous aider à sérier les différentes opérations de la délibération, nous vous avons proposé un exemple, celui de Claude, et nous vous avons montré comment remplir la fiche d'application à l'aide des « opérations logiques ou questions dialogiques ». L'apprentissage progresse pour autant que l'on passe de la compréhension à l'application, car c'est dans l'application qu'on mesure l'assimilation de nouvelles données ainsi que la maîtrise d'une démarche.

Pour faciliter cette assimilation, nous vous proposons de vous mettre dans la position d'une personne qui veut en aider une autre à utiliser correctement la méthode de délibération. Pour ce faire, vous devez conseiller à la personne qui, malheureusement, n'a pas bien compris les opérations logiques ou les questions dialogiques de reprendre ce qu'elle a inscrit sur sa fiche d'application en lui expliquant les raisons de cette correction.

La personne fictive que vous allez devoir aider s'appelle Dominique et elle a grandement besoin de vos services, comme vous pourrez le constater à la lumière de sa fiche d'application qu'on vous demande de corriger (s'il y a lieu) en n'oubliant surtout pas de fournir les raisons de ces corrections. Vous trouverez à la fin de cette étape, le corrigé de l'exercice où vous pourrez évaluer votre degré de maîtrise de la démarche (voir page 202).

Pour vous faciliter la tâche, nous exposerons ici un second dilemme dont la situation (quoique très différente de celle du cas de Claude) n'en propose pas moins (sous la thématique de la confidentialité) une toute nouvelle problématique éthique, ceci dans l'espoir d'assurer une continuité dans les deux cas.

2.5.1. *Cas de Dominique : bris de la confidentialité*

Il arrive souvent, à tous les professionnels, d'être dans des positions délicates où entrent en conflit la vie privée et la vie professionnelle. Le cas de Dominique fait partie de ceux qui prennent des teintes différentes selon les personnes concernées.

Dominique est une personne qui entretient des rapports intimes avec une autre personne. Leurs liens amoureux sont basés sur le respect mutuel et sur le partage de leurs expériences de vie en vue d'un projet d'un meilleur vivre-ensemble. Dans sa vie professionnelle, Dominique (peu importe ici la profession, puisqu'il peut tout aussi bien s'agir du travail social que de la relation d'aide en psychologie ou en orientation, etc.) fait face à une situation difficile, si bien que lorsqu'elle entre à la maison le soir elle ne sait pas quoi dire à son partenaire. Peut-elle parler de ce qu'elle vit dans sa vie professionnelle ? Doit-elle absolument ne rien dire selon une application rigide du code de déontologie ? Que faire ?

2.5.2. *La fiche d'application de Dominique*

Voici ce que nous propose Dominique dans sa fiche d'application. Pour chacune de ses réponses, du titre jusqu'à l'argumentation, vous devrez vous demander si l'inscription qu'elle a faite est la meilleure possible. De plus, vous devrez identifier la question dialogique (ou l'opération logique) qui n'a pas été suivie et qui explique que l'information donnée soit incorrecte.

Cas : *Dominique*

ÉTAPE 1. INVENTORIER LES PRINCIPAUX ÉLÉMENTS DE LA SITUATION

Quels sont les principaux éléments de la situation ?

Je ne sais pas quoi faire. J'ai envie de raconter ce qui se passe, mais j'hésite.

ÉTAPE 2. FORMULER LE DILEMME

Mon dilemme est : Proposition A : *J'en parle un peu.*
Proposition –A : *J'en parle beaucoup.*

ÉTAPE 3. RÉSUMER LA PRISE DE DÉCISION SPONTANÉE

Spontanément, je retiens la proposition : (encerclez) A ou –A

Qu'est-ce qui me fait dire que c'est réellement la meilleure option ?

J'ai besoin de me confier. Cela m'aidera aussi à voir plus clair dans la situation. D'ailleurs, c'est un pacte entre nous.

Étape 4. Analyser la situation des parties

Parties impliquées	Intérêts impliqués			
	Conséquences + et − Si A	Indices de probabilité et de causalité (++/+/=/−/) et (d/in)		Conséquences + ou − Si −A
Décideur :	*Je me sentirais mieux.*	++	d	*Je ne me sentirais pas bien.*
	J'aurais honte.	++	d	*Je n'aurais pas honte.*
	Je ferais plaisir à l'autre.	++	d	*L'autre risque de se fâcher.*
Autrui : *Mon partenaire*	*Il sera heureux.*	++	d	*Il n'appréciera pas.*

Étape 5. Analyser la dimension normative de la situation

- Énumérer les dispositions légales et réglementaires en cause :
  Il y a quelque chose dans le code de déontologie sur la confidentialité.
- Énumérer les règles non écrites du milieu en cause (le cas échéant) :
  Rien.
- Énumérer les normes morales en cause (le cas échéant) :
  Je me sens obligée de dire quelque chose à mon partenaire.

Étape 6. Identifier les émotions dominantes dans la situation

a) Quelles sont les émotions dominantes vécues dans la situation ?
Je me sens malheureuse dans mon travail. Je me sens très seule face à mon problème professionnel. J'ai le sentiment de trahir mon partenaire.

b) Rôle des émotions dans la délibération :
- Réflexion critique : est-ce que ma lecture de la situation (étapes 4 et 5) est influencée par une émotion dominante qui en fausserait l'analyse ?
  Non. Ma solitude est un fait, c'est parce que j'aimerais en sortir que cela me cause un dilemme éthique.
- Source de valeurs : est-ce que ces émotions donnent des indications sur les valeurs en présence ?
  J'ai l'impression de trahir mon partenaire. C'est comme si je manquais à ma parole vis-à-vis de lui.

ÉTAPE 7. NOMMER LES VALEURS AGISSANTES DANS LA DÉCISION*

a) Quelles sont les valeurs finales associées aux conséquences positives et négatives retenues ?

i) Sur soi : En allant chercher un support psychologique, en devenant plus heureuse avec mon partenaire, je cherche alors à maximiser mon bien-être psychologique.

ii) Sur autrui : Rien.

b) Quelles sont les valeurs actualisées par les normativités retenues ?

i) Les normativités juridiques : Si je suis poursuivie par le Comité de discipline, je risque ma réputation et ma carrière.

ii) Les normativités du milieu : Rien.

iii) Les normativités morales : Rien.

* Reportez-vous au corrigé des étapes 4 et 5 que nous vous présentons à la fin de ce formulaire pour évaluer si les réponses de Dominique, à l'étape 7, sont les meilleures possibles.

ÉTAPE 8. IDENTIFIER LE PRINCIPAL CONFLIT DE VALEURS AGISSANTES DANS LA DÉCISION

a) Établir l'opposition entre les valeurs dans la décision.

	Faire A	Faire –A
Valeurs visées ou actualisées par l'action envisagée	mon bien-être psychologique	ma carrière
Valeurs non visées ou non actualisées par l'action envisagée	ma carrière	mon bien-être psychologique

b) Identifier le principal conflit de valeurs constituant le dilemme.

La valeur	opposée à	la valeur
Mon bien-être psychologique.		Ma carrière.

ÉTAPE 9. IDENTIFIER LA VALEUR QUI A PRÉSÉANCE DANS LA SITUATION

Valeur prioritaire :	Valeur secondaire :
bien-être psychologique	réputation du client

ÉTAPE 10. IDENTIFIER LE PRINCIPAL ARGUMENT DANS LA RÉSOLUTION DU CONFLIT DE VALEURS

I- Identification du type de raisonnement pratique (Cochez la case correspondante)

- ☒ La valeur prioritaire est rattachée aux conséquences de ma décision : le raisonnement est conséquentialiste.
- ☐ La valeur prioritaire est rattachée aux normes ou aux obligations : le raisonnement est déontologique.

II- Nature de l'argument conséquentialiste

a) Identification des intérêts

- À quelles personnes, ou à quel groupe de personnes, la valeur prioritaire est-elle rattachée ?
- ☒ décideur
- ☐ autre personne particulière
- ☐ groupe auquel le décideur est associé (profession, fonction, association, institution, etc.)
- ☐ autres personnes en général
- ☐ autres groupes en général
- ☐ autres (environnement)

b) Argument utilisé

- Pourquoi accordez-vous une priorité à la valeur qui correspond aux conséquences prévues ?
- ☐ argument basé sur l'intérêt personnel
- ☒ argument basé sur les intérêts du groupe
- ☐ argument basé sur les intérêts de toute personne humaine

III- Nature de l'argument déontologique

a) Identification du type de norme

- À quel type de norme la valeur prioritaire est-elle rattachée ?
- ☒ normes associatives (implicites ou explicites)
- ☐ normes légales (législation et réglementation)
- ☐ normes morales (obligations morales)

b) Argument utilisé

- Pourquoi accordez-vous la priorité au type de norme rattaché à la valeur ?
- ☐ argument basé sur l'autorité du groupe
- ☐ argument basé sur l'autorité de la loi positive
- ☐ argument basé sur l'autorité de la loi morale
- ☐ argument basé sur la légitimité des obligations juridiques
- ☐ argument basé sur la légitimité des obligations morales

ÉTAPE 11. PRÉCISER LES MODALITÉS DE L'ACTION COMPTE TENU DE L'ORDRE DE PRIORITÉ DES VALEURS

Action retenue : *Je parle à mon partenaire.*

Modalités et mesures envisagées pour équilibrer les valeurs conflictuelles ou en corriger les inconvénients :

Je lui rappelle l'importance que tout ceci reste entre nous compte tenu de la nature confidentielle des données. Je ne divulgue que l'information nécessaire pour expliquer ma situation et j'évite les détails compromettants et inutiles. De cette manière, je réduis les risques de perte de la réputation du client.

ÉTAPE 12. FAIRE UNE RÉFLEXION CRITIQUE SUR LE CARACTÈRE UNIVERSALISABLE DES RAISONS D'AGIR

	Oui	Non
i) Critère d'impartialité des raisons d'agir Est-ce que l'exposition des raisons d'agir convaincrait un jury impartial ? *Je crois que oui, car c'est la seule action possible.*	☒	☐
ii) Critère de réciprocité Est-ce que les raisons d'agir présentées me convaincraient si j'étais à la place de la personne qui subit la plus grande perte dans la résolution du dilemme ? *J'accepterais les raisons si j'étais à la place de l'autre.*	☒	☐
iii) Critère d'exemplarité Est-ce que les raisons d'agir présentées seraient valides pour tous les cas semblables ? *Mon comportement est exemplaire.*	☒	☐

Étape 13. Formuler et présenter une argumentation complète permettant de justifier sa position

A. Argumentation basée sur l'utilité

Puisque mon raisonnement pratique est de nature conséquentialiste (étape 10) et que la valeur privilégiée (à l'étape 9) était associée *à mon bien-être psychologique*,

i) Le groupe de référence pour l'argumentation est : *le couple.*

i) Le critère permettant d'évaluer l'utilité pour ce groupe est : *la qualité de notre relation*

iii) Mon bilan est :

1) Tous les effets positifs prévisibles de la décision.

   On sera plus heureux ensemble.

2) Tous les effets négatifs prévisibles de la décision.

   Aucun.

3) En quoi les effets positifs sont supérieurs aux effets négatifs.

   C'est évident.

Argumentation du moyen :

1) l'efficacité du moyen pour atteindre la fin

   Excellente puisque j'en parle.

2) la diminution des inconvénients par le moyen

   Je fais attention à la réputation.

2.5.3. *Corrigé des étapes 4 et 5*

ÉTAPE 4. ANALYSER LA SITUATION DES PARTIES

Parties impliquées	Intérêts impliqués			
	Conséquences + et – Si A	Indices de probabilité et de causalité (++/+/=/–/) et (d/in)		Conséquences + ou – Si –A
Décideur :	*Je pourrai voir plus clair dans ma situation professionnelle.*	++	d	*Je ne pourrai pas voir plus clair dans ma situation professionnelle.*
	Je serai heureuse de m'être confiée.	++	d	*Je ne serai pas heureuse de m'être confiée.*
Autrui :				
Mon partenaire	*Il sera heureux puisque je lui fais confiance.*	++	d	*Il ne sera pas heureux puisque je ne lui fais pas confiance.*
Mon client	*Il risque de perdre sa réputation auprès de mon partenaire.*	++	d	*Il ne risque pas de perdre sa réputation auprès de mon partenaire.*
	Il risque de perdre sa réputation auprès d'autres personnes.	–	in	*Il ne risque pas de perdre sa réputation auprès d'autres personnes.*

ÉTAPE 5. ANALYSER LA DIMENSION NORMATIVE DE LA SITUATION

- Énumérer les dispositions légales et réglementaires en cause :
  Le code de déontologie des travailleurs sociaux prévoit aux articles 3.06.01, 3.06.02, 3.06.03, 3.06.04. des obligations imposant le secret professionnel.
- Énumérer les règles non écrites du milieu en cause (le cas échéant) :
  Je me suis engagée envers mon partenaire à partager les situations difficiles afin de mieux cheminer ensemble dans notre vie commune.
- Énumérer les normes morales en cause (le cas échéant) :
  Aucune.

2.6. Corrigé de l'exercice

Dans cette section, vous trouverez d'abord ce que nous propose Dominique dans sa fiche d'application. Pour chacune de ses réponses, du titre jusqu'à l'argumentation, nous répondrons aux questions suivantes : Est-ce que l'inscription qu'elle a faite est la meilleure possible ? Quelle question dialogique (ou opération logique) n'a pas été suivie, ce qui explique que l'information donnée soit incorrecte ?

FICHE D'APPLICATION

GRILLE D'ANALYSE DE LA DÉCISION DÉLIBÉRÉE

Cas : *Dominique*

Est-ce que cette inscription est la meilleure possible dans ce cas ?

Non.

Identifiez la question dialogique ou l'opération logique qui n'a pas été suivie dans ce cas et qui explique que l'information donnée soit incorrecte.

Parce que le meilleur titre est celui qui correspond à la nature du dilemme posé. Ici, Dominique doit résoudre un dilemme concernant le bris de confidentialité.

ÉTAPE 1. INVENTORIER LES PRINCIPAUX ÉLÉMENTS DE LA SITUATION

Quels sont les principaux éléments de la situation ?

Je ne sais pas quoi faire. J'ai envie de raconter ce qui se passe, mais j'hésite.

Est-ce que cette inscription est la meilleure possible dans ce cas ?

Non ! Il est certain que Dominique a un problème. Cette inscription possède l'avantage d'identifier son hésitation, mais cette étape exige encore plus.

Identifiez la question dialogique ou l'opération logique qui n'a pas été suivie dans ce cas et qui explique que l'information donnée soit incorrecte.

Le but de cette étape est de préciser toutes les informations importantes nécessaires à la décision, afin de bien cerner le dilemme d'action. Rappelez-vous ce qui suit concernant l'opération logique et la question dialogique :

« Quels sont les principaux éléments de la situation ? » Lorsqu'une personne pose cette question elle veut amener le groupe ou le décideur à préciser clairement les faits de la situation qui provoquent cette tension entre deux voies contradictoires qui caractérisent tout dilemme.

ÉTAPE 2. FORMULER LE DILEMME

Mon dilemme est : Proposition A : *J'en parle un peu.*
Proposition –A : *J'en parle beaucoup.*

Est-ce que cette inscription est la meilleure possible dans ce cas ?

NON ! La personne indique bien par le verbe « parler » une action générale, mais en ajoutant beaucoup ou un peu elle ne pose pas le dilemme au regard de l'action, mais plutôt au regard de la manière de faire l'action (le moyen).

Identifiez la question dialogique ou l'opération logique qui n'a pas été suivie dans ce cas et qui explique que l'information donnée soit incorrecte.

Rappelez-vous ce que nous vous disions concernant la question dialogique.

Pour nous aider à formuler le dilemme, quelqu'un pourrait nous poser deux questions : « Est-ce que la situation nous place vraiment devant un dilemme éthique d'action ? », « Si oui, le dilemme est-il formulé en termes d'actions générales qui se contredisent dans la situation ? »

Qu'est-ce qu'un dilemme en éthique ? Cette notion est composée de deux éléments : le dilemme, d'abord, et sa relation avec l'éthique, ensuite. Un dilemme, selon le sens usuel, renvoie à l'idée d'alternative et de contradiction. Ainsi, la formulation du dilemme que nous retenons ici est celle qui oppose deux énoncés contradictoires touchant l'action envisagée dans la situation. C'est pourquoi dans la fiche d'application nous précisons : Proposition A (faire quelque chose) et Proposition –A qui signifie la négation de A (ne pas faire ce qui est mentionné en A).

ÉTAPE 3. RÉSUMER LA PRISE DE DÉCISION SPONTANÉE

Spontanément, je retiens la proposition : (encerclez) (A) ou –A
Qu'est-ce qui me fait dire que c'est réellement la meilleure option ?
J'ai besoin de me confier. Cela m'aidera aussi à voir plus clair dans la situation. D'ailleurs, c'est un pacte entre nous.

Est-ce que cette inscription est la meilleure possible dans ce cas ?

Oui. Puisqu'il s'agit d'une décision spontanée, l'important c'est d'indiquer l'option et pourquoi.

Identifiez la question dialogique ou l'opération logique qui n'a pas été suivie dans ce cas et qui explique que l'information donnée soit incorrecte.

Rappelez-vous la question dialogique :

« Spontanément, tu ferais quoi ? »

ÉTAPE 4. ANALYSER LA SITUATION DES PARTIES

Parties impliquées	Intérêts impliqués			
	Conséquences + et – Si A	Indices de probabilité et de causalité (++/+/=/–/) et (d/in)		Conséquences + ou – Si –A
Décideur :	*Je me sentirais mieux.*	++	d	*Je ne me sentirais pas bien.*
	J'aurais honte.	++	d	*Je n'aurais pas honte.*
	Je ferais plaisir à l'autre.	++	d	*L'autre risque de se fâcher.*
Autrui : *Mon partenaire*	*Il sera heureux.*	++	d	*Il n'appréciera pas.*

Est-ce que cette inscription est la meilleure possible dans ce cas ?

NON ! Il y a ici un oubli majeur dans la réponse fournie par Dominique.

D'abord au regard des personnes impliquées dans la décision

Sa décision de parler du cas en cause ne tient compte que du décideur et de son partenaire. Elle ne concerne que leur couple, sans aucun souci du bien-être du client qui pourrait bien avoir à subir les conséquences de cette indiscrétion. Or, il faut tenir compte de cette troisième personne, si l'on veut une décision éthique.

Identifiez la question dialogique ou l'opération logique qui n'a pas été suivie dans ce cas et qui explique que l'information donnée soit incorrecte.

Rappelez-vous les questions dialogiques :

Pour nous aider à identifier les personnes concernées par la décision, nous pouvons nous poser la question suivante : « Quelles sont les personnes qui pourraient me réclamer de justifier ma décision puisqu'elles en supporteront les conséquences ? »

Ensuite au regard de l'identification des conséquences

Il ne faut pas oublier que l'on cherche à préciser des conséquences qui affecteront positivement et négativement les personnes concernées et que ces conséquences ont un certain poids. Une décision peut effectivement avoir des conséquences psychologiques sur moi ou sur autrui, mais tous les effets psychologiques d'une décision ne sont pas nécessairement des conséquences qui ont un poids important. C'est pourquoi nous devons chercher à identifier les conséquences qui peuvent être considérées comme des pertes ou des gains potentiels pour toutes les personnes concernées.

Comme effets psychologiques, Dominique va soit « se sentir bien », soit « avoir honte », mais on peut se demander dans quelle mesure ces effets sont des pertes ou des gains importants dans la décision. C'est en approfondissant la signification du « se sentir bien » que Dominique pourrait se rendre compte qu'une des conséquences serait de « se libérer de la solitude » dans sa décision. En creusant un peu le sens de « il sera heureux », elle pourrait trouver que « parler » aura pour conséquence de « maintenir le lien de confiance entre eux » ou de « répondre aux attentes de son partenaire ».

Rappelez-vous la définition de la notion d'intérêt :

Comment le juge évalue-t-il cet intérêt dans la cause ? Par les conséquences du bris de contrat : ont intérêt dans une cause toutes les personnes qui risquent de tirer des avantages ou de subir des inconvénients du bris de contrat, autrement dit, seulement ceux et celles qui ont un « intérêt matériel » à défendre, intérêt qui se mesure en droit par un gain ou par une perte.

ÉTAPE 5. ANALYSER LA DIMENSION NORMATIVE DE LA SITUATION

- Énumérer les dispositions légales et réglementaires en cause :
  Il y a quelque chose dans le code de déontologie sur la confidentialité.
- Énumérer les règles non écrites du milieu en cause (le cas échéant) :
  Rien.
- Énumérer les normes morales en cause (le cas échéant) :
  Je me sens obligée de dire quelque chose à mon partenaire.

Est-ce que cette inscription est la meilleure possible dans ce cas ?

En partie seulement. C'est vrai que Dominique mentionne le code de déontologie et le fait qu'elle ressent une obligation, mais il faudrait ici que les informations soient plus explicites. Quels articles du code de déontologie sont en cause ? À quoi obligent ces articles ? De plus, Dominique ne dit rien concernant la normativité du milieu à part le fait qu'il existe une entente entre les partenaires de se confier mutuellement des éléments importants de leur vie. L'engagement entre eux serait ici une normativité importante. Mais si Dominique exprime bien le fait qu'elle se sent obligée de parler à l'autre, elle ne dit rien sur la nature exacte de cette obligation. Est-ce vraiment une obligation morale différente de celle du code de déontologie ou de son entente avec son partenaire ?

Identifiez la question dialogique ou l'opération logique qui n'a pas été suivie dans ce cas et qui explique que l'information donnée soit incorrecte.

Souvenez-vous des questions dialogiques suivantes :

« Quel écart existe-t-il entre l'action envisagée et les règles légales ? » « Quel écart existe-t-il entre l'action envisagée et les normes ou attentes du milieu ? » « Quel écart existe-t-il entre l'action envisagée et les normes ou obligations morales véhiculées par mes croyances personnelles ? » Ces trois interrogations permettent de situer l'action envisagée A et –A par rapport aux diverses normativités impliquées dans la situation.

Il ne faut pas oublier non plus qu'une obligation morale relève souvent d'un système de croyances ou d'une religion qui impose une certaine ligne de conduite. Dans l'objectif de cette étape, nous mentionnions :

Dans la mesure où notre système de croyances personnel est gouverné par une normativité morale, il devient important de rendre explicites les normes en cause car elles devront être considérées dans la décision.

ÉTAPE 6. IDENTIFIER LES ÉMOTIONS DOMINANTES DANS LA SITUATION

> *a)* Quelles sont les émotions dominantes vécues dans la situation ?
> Je me sens malheureuse dans mon travail. Je me sens très seule face à mon problème professionnel. J'ai le sentiment de trahir mon partenaire.
>
> *b)* Rôle des émotions dans la délibération :
> – Réflexion critique : est-ce que ma lecture de la situation (étapes 4 et 5) est influencée par une émotion dominante qui en fausserait l'analyse ?
> Non. Ma solitude est un fait, c'est parce que j'aimerais en sortir que cela me cause un dilemme éthique.
> – Source de valeurs : est-ce que ces émotions donnent des indications sur les valeurs en présence ?
> J'ai l'impression de trahir mon partenaire. C'est comme si je manquais à ma parole vis-à-vis de lui.

Est-ce que cette inscription est la meilleure possible dans ce cas ?

La fiche est ici bien remplie. Les principales émotions sont clairement énoncées ainsi que le lien potentiel entre elles, à savoir, d'une part, le sentiment de trahison et, d'autre part, l'engagement préétabli entre les partenaires.

Identifiez la question dialogique ou l'opération logique qui n'a pas été suivie dans ce cas et qui explique que l'information donnée soit incorrecte.

Rappelez-vous les questions dialogiques :

Voici quelques questions qui illustrent la nature de l'information recherchée à cette étape : « Dans quelle mesure telle émotion dominante biaise ta lecture de la situation ? » « Est-ce que tu n'exagères pas un peu ? » « Est-ce que cette émotion dominante indique une valeur importante dans la situation ? »

ÉTAPE 7. NOMMER LES VALEURS AGISSANTES DANS LA DÉCISION

> *a)* Quelles sont les valeurs finales associées aux conséquences positives et négatives retenues ?
> *i)* Sur soi : En allant chercher un soutien psychologique, en devenant plus heureux avec mon partenaire, je cherche alors à maximiser mon bien-être psychologique.
> *ii)* Sur autrui : Rien.
>
> *b)* Quelles sont les valeurs actualisées par les normativités retenues ?
> *i)* Les normativités juridiques ? Si je suis poursuivie par le Comité de discipline, je risque ma réputation et ma carrière.
> *ii)* Les normativités du milieu ? Rien.
> *iii)* Les normativités morales ? Rien.

Est-ce que cette inscription est la meilleure possible dans ce cas?

Pour répondre à cette question, nous avons repris les éléments de l'étape 4 de Dominique en corrigeant les réponses initiales.

ÉTAPE 4. ANALYSER LA SITUATION DES PARTIES

Parties impliquées	Intérêts impliqués			
	Conséquences + et – Si A	Indices de probabilité et de causalité (++/+/=/–/)	et (d/in)	Conséquences + ou – Si –A
Décideur:	*Je sortirais de ma solitude.*	++	d	*Je reste dans ma solitude.*
	Je pourrais faire le point.	++	d	*Je tourne en rond.*
Autrui:				
Mon partenaire	*Il sera heureux.*	++	d	*Il n'appréciera pas.*
Le couple	*Harmonie.*	++	d	*Manque d'harmonie.*
Mon client	*Perte de réputation.*	++	in	*Aucune perte de réputation.*

De même, nous avons corrigé l'étape 5:

ÉTAPE 5. ANALYSER LA DIMENSION NORMATIVE DE LA SITUATION

- Énumérer les dispositions légales et réglementaires en cause:
  Le code de déontologie des travailleurs sociaux prévoit aux articles 3.06.01, 3.06.02, 3.06.03, 3.06.04. des obligations imposant le secret professionnel.
- Énumérer les règles non écrites du milieu en cause (le cas échéant):
  Rien.
- Énumérer les normes morales en cause (le cas échéant):
  Mon conjoint et moi nous nous sommes engagés à nous aider et à nous appuyer mutuellement, partageant nos difficultés et nos réussites.

Est-ce que cette inscription est la meilleure possible dans ce cas ?

Dominique a réussi partiellement cette étape très difficile du raisonnement pratique. Dans le premier cas, Dominique part des conséquences sur elle, son conjoint et le couple de l'étape 4 et retient comme importantes celles qui l'affectent. Ces deux conséquences sont ensuite analysées dans la relation moyen → fin de manière à identifier pourquoi Dominique désire que ces conséquences positives arrivent. Dominique se rend bien compte que ces conséquences lui permettent d'atteindre un bien-être psychologique valorisé.

Dominique ne retient pas comme étant importantes dans son dilemme ni la perte de la réputation de son client aux yeux de son partenaire ni la perte éventuelle de sa réputation auprès d'autres personnes, dans le cas hypothétique où son partenaire commettrait une indiscrétion.

Les conséquences indirectes, nous l'avons déjà précisé, passent par la médiation des personnes ou des événements. Est-ce que le partenaire de Dominique va parler de ceci à quelqu'un d'autre ? Et si oui, à quelles personnes ? La faible probabilité de ce bris de confidentialité et des conséquences peut effectivement conduire Dominique à ne pas retenir comme étant importante la perte de réputation de son client, qui serait peu probable dans le milieu où il évolue.

Pourquoi Dominique ne retient-elle pas la perte éventuelle de la réputation du client aux yeux du partenaire ? Cette perte étant directe, elle constitue un élément suffisamment important pour que le dilemme existe. Ce n'est pas ici le lieu de résoudre le dilemme, mais plutôt celui d'indiquer les valeurs qui agissent dans la décision et qui vont s'opposer. Dans un dilemme comme celui-ci, les valeurs rattachées à Dominique s'opposeront aux valeurs rattachées au client (soit par les conséquences, soit par les obligations juridiques).

Dominique commet une erreur dans l'analyse des normativités juridiques. Elle redoute les effets d'un manquement au code de déontologie sur sa carrière, mais ce type d'information appartient à l'étape 4 et non à l'étape 5. L'étape 5 cherche à identifier les valeurs qui la motivent à obéir à la norme déontologique. Par exemple, on doit se demander quelle valeur est actualisée par l'obligation au respect de la confidentialité dans le code de déontologie. La « vie privée » du client est une valeur que cette norme déontologique actualise.

Dominique semble oublier qu'à l'étape 7 le sentiment de trahison indiquait l'importance de l'engagement pris envers son partenaire de partager les moments difficiles afin de s'entraider. Cette normativité du milieu qu'est l'engagement réciproque, ici, est une manière de rendre vivant l'amour que les deux se portent. L'amour réciproque serait alors la valeur actualisée par la normativité du milieu.

Identifiez la question dialogique ou l'opération logique qui n'a pas été suivie dans ce cas et qui explique que l'information donnée soit incorrecte.

Rappelez-vous les questions dialogiques :

Sur le plan dialogique, la question est simple : « Quelles sont les valeurs agissantes dans la décision, autant celles qui sont orientées vers toi que vers autrui ? »

De ces divers exemples, on peut dire que, pour nommer une valeur associée à une conséquence positive ou négative, on doit donc partir de chacune de celles retenues à l'étape 4 et se demander si l'on désire que cette conséquence se réalise ou non parce qu'il s'agit de la valeur qu'on attribue ou parce qu'il s'agit d'un moyen d'atteindre une autre valeur estimée plus agissante dans la situation. L'identification de la valeur passe ici par la relation entre moyen et fin. Une action est un moyen pour atteindre une fin qui, elle, peut être un moyen pour atteindre une autre fin. C'est lorsque la fin est désirée pour elle-même que la valeur finale est trouvée : la valeur finale est toujours recherchée pour elle-même.

ÉTAPE 8. IDENTIFIER LE PRINCIPAL CONFLIT DE VALEURS AGISSANTES DANS LA DÉCISION

a) Établir l'opposition entre les valeurs dans la décision.		
	Faire A	Faire –A
Valeurs visées ou actualisées par l'action envisagée	mon bien-être psychologique	ma carrière
Valeurs non visées ou non actualisées par l'action envisagée	ma carrière	mon bien-être psychologique

b) Identifier le principal conflit de valeurs constituant le dilemme.		
La valeur Mon bien-être psychologique.	opposée à	la valeur Ma carrière.

Est-ce que cette inscription est la meilleure possible dans ce cas ?

Non, puisque le tableau correspond aux valeurs identifiées par Dominique en 7 et que celles-ci n'ont pas été corrigées. Lorsque, comme Dominique, on a éliminé du tableau les valeurs concernant les autres personnes, on se rend compte que la décision est exclusivement centrée sur soi, sur ses intérêts. Un dilemme éthique met toujours en opposition des valeurs conflictuelles entre soi et autrui, ou entre des valeurs d'un groupe auquel j'appartiens au regard d'une valeur associée à une autre personne ou à un autre groupe.

Si l'on reprend l'étape 8 à la lumière des corrections faites à l'étape 7, on retrouverait :

ÉTAPE 8. IDENTIFIER LE PRINCIPAL CONFLIT DE VALEURS AGISSANTES DANS LA DÉCISION

a) Établir l'opposition entre les valeurs dans la décision.		
	Faire A	Faire –A
Valeurs visées ou actualisées par l'action envisagée	amour réciproque bien-être psychologique	réputation du client
Valeurs non visées ou non actualisées par l'action envisagée	réputation du client	amour réciproque bien-être psychologique

b) Identifier le principal conflit de valeurs constituant le dilemme.		
La valeur Mon bien-être psychologique.	opposée à	la valeur Ma carrière.

Identifiez la question dialogique ou l'opération logique qui n'a pas été suivie dans ce cas et qui explique que l'information donnée soit incorrecte.

> *« Quelles sont les principales valeurs qui entrent en contradiction lorsqu'on analyse celles qui sont visées et non visées par la décision de faire A ou de ne pas le faire ? » Pour répondre à cette question, il suffit de revenir au dilemme d'action : faire A et faire –A. En partant de la liste des valeurs énumérées à l'étape 7, on se demande : « Quelles valeurs seront visées (atteintes ou actualisées) et quelles sont celles qui ne le seront pas si je fais A ? »*

ÉTAPE 9. IDENTIFIER LA VALEUR QUI A PRÉSÉANCE DANS LA SITUATION

Valeur prioritaire :	Valeur secondaire :
Bien-être psychologique.	Réputation du client.

Est-ce que cette inscription est la meilleure possible dans ce cas ?

Oui. C'est ici que se prend la décision en accordant la priorité à une des deux valeurs. C'est le moment du choix personnel, cohérent avec l'analyse antérieure.

Identifiez la question dialogique ou l'opération logique qui n'a pas été suivie dans ce cas et qui explique que l'information donnée soit incorrecte.

Rappelez-vous la question dialogique :

« À quelle valeur accordes-tu une préséance dans la situation ? » reflète bien l'objectif de cette étape.

ÉTAPE 10. IDENTIFIER LE PRINCIPAL ARGUMENT DANS LA RÉSOLUTION DU CONFLIT DE VALEURS

I- Identification du type de raisonnement pratique (Cochez la case correspondante)

- ☒ La valeur prioritaire est rattachée aux conséquences de ma décision : le raisonnement est conséquentialiste.
- ☐ La valeur prioritaire est rattachée aux normes ou aux obligations : le raisonnement est déontologique.

II- Nature de l'argument conséquentialiste

a) Identification des intérêts

- À quelles personnes, ou à quel groupe de personnes, la valeur prioritaire est-elle rattachée ?
- ☒ décideur
- ☐ autre personne particulière
- ☐ groupe auquel le décideur est associé (profession, fonction, association, institution, etc.)
- ☐ autres personnes en général
- ☐ autres groupes en général
- ☐ autres (environnement)

b) Argument utilisé

- Pourquoi accordez-vous une priorité à la valeur qui correspond aux conséquences prévues ?
- ☐ argument basé sur l'intérêt personnel
- ☒ argument basé sur les intérêts du groupe
- ☐ argument basé sur les intérêts de toute personne humaine

III- Nature de l'argument déontologique

a) Identification du type de norme

- À quel type de norme la valeur prioritaire est-elle rattachée ?
- ☒ normes associatives (implicites ou explicites)
- ☐ normes légales (législation et réglementation)
- ☐ normes morales (obligations morales)

b) Argument utilisé

- Pourquoi accordez-vous la priorité au type de norme rattaché à la valeur ?
- ☐ argument basé sur l'autorité du groupe
- ☐ argument basé sur l'autorité de la loi positive
- ☐ argument basé sur l'autorité de la loi morale
- ☐ argument basé sur la légitimité des obligations juridiques
- ☐ argument basé sur la légitimité des obligations morales

Est-ce que cette inscription est la meilleure possible dans ce cas ?

En partie seulement. Dominique identifie bien la valeur qui a préséance : le bien-être psychologique est associé aux conséquences positives sur le décideur. De plus, la préséance ainsi accordée correspond au raisonnement pratique axé sur l'intérêt personnel. Cependant, Dominique ajoute que sa valeur prioritaire correspond aussi aux normes associatives. Il ne faut pas oublier que le raisonnement pratique est articulé ou bien en fonction des conséquences, ou bien en fonction d'une obligation actualisant une valeur : c'est l'un ou l'autre. Dominique ne peut donc pas indiquer les deux. Le but de l'opération est justement de rendre claire pour soi la raison d'agir.

Identifiez la question dialogique ou l'opération logique qui n'a pas été suivie dans ce cas et qui explique que l'information donnée soit incorrecte.

Rappelez-vous la question dialogique :

La question « Pourquoi as-tu accordé la préséance à telle valeur sur telle autre dans ta décision ? » paraît simple et pourtant elle exige une réflexion minutieuse sur le mode de raisonnement pratique qui structure l'ensemble de la démarche décisionnelle.

ÉTAPE 11. PRÉCISER LES MODALITÉS DE L'ACTION COMPTE TENU DE L'ORDRE DE PRIORITÉ DES VALEURS

Action retenue : *Je parle à mon partenaire.*

Modalités et mesures envisagées pour équilibrer les valeurs conflictuelles ou en corriger les inconvénients :

Je lui rappelle l'importance que tout ceci reste entre nous compte tenu de la nature confidentielle des données. Je ne divulgue que l'information nécessaire pour expliquer ma situation et j'évite les détails compromettants et inutiles. De cette manière, je réduis les risques de perte de la réputation du client.

Est-ce que cette inscription est la meilleure possible dans ce cas ?

Oui. Cette inscription est excellente !

Identifiez la question dialogique ou l'opération logique qui n'a pas été suivie dans ce cas et qui explique que l'information donnée soit incorrecte.

Rappelez-vous la question dialogique :

À la question « Pourquoi as-tu choisi ce moyen-là pour atteindre la valeur prioritaire ? », deux voies s'ouvrent à la délibération en éthique. Le choix d'un moyen pour atteindre une fin est d'abord gouverné par la logique de l'efficacité, car il est très facile de critiquer le choix d'un moyen dont l'efficacité serait contestable d'un point de vue rationnel.

Évidemment, le « meilleur » moyen sera celui qui est le plus efficace mais aussi celui qui atténuera le plus possible les conséquences négatives de la décision sur les personnes ou les groupes rattachés à la valeur secondaire.

ÉTAPE 12. FAIRE UNE RÉFLEXION CRITIQUE SUR LE CARACTÈRE UNIVERSALISABLE DES RAISONS D'AGIR

	Oui	Non
i) Critère d'impartialité des raisons d'agir Est-ce que l'exposition des raisons d'agir convaincrait un jury impartial ?	☒	☐
Je crois que oui, car c'est la seule action possible.		
ii) Critère de réciprocité Est-ce que les raisons d'agir présentées me convaincraient si j'étais à la place de la personne qui subit la plus grande perte dans la résolution du dilemme ?	☒	☐
J'accepterais les raisons si j'étais à la place de l'autre.		
iii) Critère d'exemplarité Est-ce que les raisons d'agir présentées seraient valides pour tous les cas semblables ?	☒	☐
Tout le monde dans la même situation devrait agir de la même façon que moi. Mon comportement est exemplaire.		

Est-ce que cette inscription est la meilleure possible dans ce cas ?

En ce qui concerne le critère d'impartialité des raisons d'agir, Dominique fait erreur, puisqu'elle se demande si son action est universalisable. Le jugement critique ne porte pas sur l'action, mais sur les raisons qui justifient la décision. Une même action peut être justifiée par des raisons différentes, certaines nobles d'autres moins.

La réponse au critère d'exemplarité est presque parfaite. Dominique se met à la place de l'autre, mais elle ne mentionne pas qui est cette personne. Il faut que la personne en cause soit la plus défavorisée (celle qui perd le plus dans la décision).

Le critère d'exemplarité doit être corrigé, puisque Dominique parle de son comportement et non des raisons de sa décision. Ici encore, la nature du raisonnement critique n'est pas saisie.

Identifiez la question dialogique ou l'opération logique qui n'a pas été suivie dans ce cas et qui explique que l'information donnée soit incorrecte.

Rappelez-vous les trois questions dialogiques :

« Est-ce que l'exposition de tes raisons d'agir convaincrait un jury impartial ? » (impartialité) ; « Si tu étais à la place de la personne qui perd le plus dans la décision et si tu écoutais les raisons que tu présentes, est-ce que tu trouverais la décision raisonnable ? » (réciprocité) ; « Est-ce que les raisons qui justifient ta décision seraient applicables dans tous les cas analogues ? » (exemplarité).

ÉTAPE 13. FORMULER ET PRÉSENTER UNE ARGUMENTATION COMPLÈTE PERMETTANT DE JUSTIFIER SA POSITION

A. ARGUMENTATION BASÉE SUR L'UTILITÉ

Puisque mon raisonnement pratique est de nature conséquentialiste (étape 10) et que la valeur privilégiée (à l'étape 9) était associée *à mon bien-être psychologique*,

i) Le groupe de référence pour l'argumentation est : *le couple.*

i) Le critère permettant d'évaluer l'utilité pour ce groupe est : *la qualité de notre relation*

iii) Mon bilan est :

1) Tous les effets positifs prévisibles de la décision.

On sera plus heureux ensemble.

2) Tous les effets négatifs prévisibles de la décision.

Aucun.

3) En quoi les effets positifs sont supérieurs aux effets négatifs.

C'est évident.

Argumentation du moyen :

1) l'efficacité du moyen pour atteindre la fin

Excellente puisque j'en parle.

2) la diminution des inconvénients par le moyen

Je fais attention à la réputation.

Est-ce que cette inscription est la meilleure possible dans ce cas ?

> Dominique ne développe pas beaucoup ici son bilan. Elle oublie que l'argumentation par l'utilité exige de démontrer que les effets positifs de la décision sont supérieurs aux effets négatifs. Il faudrait donc que Dominique précise d'abord clairement tous les effets positifs de la situation et que soient identifiés ensuite, avec précision, tous les effets sur son propre bien-être psychologique, qui est sa valeur prioritaire, avant de parler des bienfaits pour le couple. En outre, Dominique devrait expliquer pourquoi les effets négatifs telle une poursuite éventuelle par l'Ordre sont jugés de peu de conséquences, de même que cerner avec plus de rigueur les effets négatifs sur la réputation du client. C'est seulement après avoir terminé cette démarche que Dominique pourra montrer en quoi les effets positifs sont supérieurs aux effets négatifs dans la situation.

Identifiez la question dialogique ou l'opération logique qui n'a pas été suivie dans ce cas et qui explique que l'information donnée soit incorrecte.

Rappelez-vous la question dialogique :

> *Certaines personnes vous demanderont : « Pourquoi privilégiez-vous tel groupe plutôt que tel autre ? » mais, dans les faits, ce dont elles voudront s'assurer, c'est que votre choix n'est pas guidé principalement par vos intérêts personnels. Vous devriez donc être en mesure de dire pourquoi, dans les circonstances, il est préférable d'accorder la priorité à tel groupe ou à telle personne.*

3. LA DÉCISION COLLECTIVE : LA CO-ÉLABORATION DE SENS

Au cœur de l'éthique nous retrouvons la relation à l'Autre. L'éthique se construit dans l'espace entre sujets qui évitent les pièges de la domination de l'autre pour faire émerger des rapports plus harmonieux pour eux, les regroupements, la société et le monde. L'éthique est ainsi « entre » ou « inter », elle n'est jamais l'apanage de l'un ou de l'autre. Cet espace entre moi et l'autre, où se construit l'éthique, passe par la parole. Le « je » parle au « tu », cet autre « je », et dans cet espace d'interlocution peut naître un véritable travail de co-élaboration de sens.

Pourquoi parler de co-élaboration de sens ? À différentes reprises, nous avons souligné le fait qu'en éthique personne ne possède le monopole de la vérité éthique. Bien entendu, nous avons nos certitudes personnelles et nos croyances, mais si celles-ci guident nos vies, elles ne peuvent pas constituer la base des actions que nous entreprenons avec d'autres, à moins que ces personnes ne partagent les mêmes croyances et certitudes.

Comment pouvons-nous trouver les « meilleures décisions » possibles pour les êtres humains, les décisions les plus raisonnables du point de vue du respect de soi, des autres et du monde, si chacun est enfermé dans la solitude de sa conscience personnelle ? Le « je » ne peut pas alors créer un « nous ». « Vu l'accès au sens de l'agir, puisque le chemin du sacré s'est avéré trop lourd et celui du positivisme, trop court, peut-être le dialogue, l'interpersonnel, est-il celui qu'il convient d'explorer[5]. »

Dans notre contexte nord-américain, très différent du contexte européen, le développement des droits de la personne a reconnu l'autonomie des personnes comme une valeur devant primer sur des valeurs plus communautaires. C'est pourquoi il devient important et nécessaire, si nous voulons éviter ce que Charles Taylor nomme le « dérapage du subjectivisme[6] », de rétablir des espaces où les « je » se conjuguent en « nous ».

C'est dans ce contexte dialogique que la décision délibérée prend tout son sens éthique. La délibération en éthique a toujours un caractère dialogique puisqu'elle tient toujours compte des autres dans la pondération de la meilleure décision à prendre. Si la décision est la meilleure décision possible dans les circonstances, les « raisons d'agir » ne sont plus seulement individuelles mais ouvertes potentiellement aux autres. Le dialogue est ainsi l'épreuve réelle d'une décision raisonnable. C'est lors du dialogue que l'on peut effectivement évaluer ensemble si la délibération est partagée.

Nous avons à plusieurs reprises montré que nous disposons dans nos sociétés de plusieurs dispositifs qui s'inscrivent dans une visée dialogique. Le rôle des motifs des jugements des tribunaux en est un exemple. Dans plusieurs pays, il y a eu création de divers comités d'éthique, où des personnes évaluent quelle serait la meilleure décision éthique dans un contexte donné. Qu'il s'agisse de la recherche sur l'humain, de la recherche sur l'environnement, de l'administration de

---

5. J. Patenaude « Le dialogue comme paradigme éthique », *Réseaux*, vol. 82-83-84, 1998, p. 74.
6. Charles Taylor, *Grandeur et misère de la modernité*, Montréal, Bellarmin, 1992, p. 73.

soins de santé, de l'utilisation d'animaux dans les laboratoires de recherche, de lois-cadres pour réglementer la recherche, etc., nous assistons à la création de comités qui ont des responsabilités sociales importantes : juger, dans des cas précis, des demandes et fixer si elles sont éthiques ou non dans une société démocratique.

L'émergence des comités d'éthique de toutes sortes confirme la nécessité du véritable travail d'équipe de co-élaboration de sens, besoin qui se manifeste dans bien des domaines. Avec la bureaucratisation des services et l'importance de la voie hiérarchique d'autorité, l'autonomie des professionnels a été embrigadée dans la structure institutionnelle. Depuis plusieurs années, la lutte contre les excès de la bureaucratisation et de la centralisation a fait émerger la notion de travail d'équipe pluridisciplinaire au service du client. L'ensemble des expertises professionnelles doivent ainsi se conjuguer pour aider la personne à tous les niveaux. Ainsi, le client n'est plus seul devant les recommandations, souvent incompatibles entre elles, provenant de tous les spécialistes qui traitent de son « cas ». Ici encore, nous sommes devant la nécessité de construire ensemble la meilleure décision possible pour la personne compte tenu de l'éclairage des différentes expertises.

Mais comment dialoguer ? Suffit-il de « se parler » ? Comment éviter que la communication soit un lieu de rapport de force entre les allocutaires ? Le dialogue devient opérationnel comme activité spécifique de communication ayant ses exigences propres déterminées par sa finalité.

Le point de vue du partage de sens, propre au dialogue, consiste donc en une entreprise de coopération entre les personnes, dans le but de mettre leur savoir et leur pouvoir au service des meilleures décisions possible. Cette conception éthique du dialogue impose des contraintes pratiques et comporte des exigences particulières.

Devant un problème donné à résoudre, un groupe peut très bien échanger des informations, des idées, des conceptions, mais sans avoir d'autre but que de faire circuler des informations diverses. Il peut aussi discuter, confronter en famille des positions « pour » et des positions « contre » dans le but d'éclairer la décision de chacun des membres du groupe en vue du vote final. Pourtant, aucune des deux situations précédentes ne correspond au dialogue. L'échange entre les personnes qui, en comité, désirent adopter un point de vue dialogique est soumis à diverses contraintes.

L'activité de communication qu'est le dialogue (qu'elle se déroule entre personnes physiquement présentes dans une salle, par voie de télécommunication ou par support écrit) vise le partage du sens. Chacune des parties prenantes au dialogue doit donc mettre en œuvre les moyens les plus efficaces pour atteindre cette finalité. Quels sont donc ces moyens ?

1. *L'ensemble des échanges doit viser la co-élaboration de sens*

Dans une perspective dialogique, personne ne possède, au préalable, la bonne, la vraie, l'unique solution à un problème. Si un comité se penche sur une question, c'est parce que la solution à un problème est l'objet d'une quête et qu'on recherche pour cette question la meilleure réponse possible dans les circonstances. Or, cette solution n'est pas donnée ; elle sera élaborée lors de la démarche du groupe.

Plusieurs exigences pratiques découlent de cette recherche commune où personne ne peut imposer aux autres sa solution mais où toute partie peut en proposer une pour qu'elle soit analysée. L'activité critique, mettant en œuvre le questionnement systématique en vue de prendre une décision, cherche, d'une part, à fixer les raisons d'agir partageables par l'ensemble et permet, d'autre part, d'éviter la manipulation, le conformisme et l'affrontement stérile.

Cette activité critique s'exerce donc par le questionnement systématique auquel toute personne peut participer pour faire avancer la délibération sur un problème donné. Les questions dialogiques (exposées dans la grille d'analyse pour bien vous faire comprendre le raisonnement pratique qui y est intégré) illustrent bien la fonction critique de l'interrogation sur le sens donné à l'une ou l'autre étape de la délibération. Dans la mesure où les personnes se mettent d'accord sur les éléments correspondant à chacune des étapes, elles font émerger graduellement un sens partagé de la décision.

2. *La participation exige authenticité, ouverture et engagement*

À l'opposé du choc des idées où chacun défend un point de vue et essaie de l'emporter sur les autres par la force de persuasion ou celle de la conviction, l'activité dialogique exige des personnes de s'engager dans un processus commun dont le but est de trouver une solution. Chaque personne doit ainsi favoriser le partage de sens en essayant de comprendre, d'une part, les points de vue différents et, d'autre part, les raisons invoquées qui permettent de comprendre les différences. Une fois comprises, ces différences doivent être discutées afin de saisir ce qui fait encore obstacle au partage de sens.

L'engagement dans le processus suppose que chaque partie soit authentique, c'est-à-dire capable d'exprimer son point de vue aux autres et de vérifier sa propre vulnérabilité aux influences de certaines manipulations. Autrement dit, la crainte d'exprimer ce que l'on pense, pour différentes raisons, paralyse forcément le partage de sens, puisqu'une partie ne dit pas ce qu'elle pense ou, pire, tente de manipuler indirectement le groupe.

L'engagement dans l'activité dialogique exige que l'on soit ouvert et que cette ouverture d'esprit se manifeste d'abord dans le travail commun pour bien comprendre la position de l'autre, surtout lorsqu'il s'agit de celle qui est la plus éloignée de la sienne. L'ouverture d'esprit vise donc à comprendre les positions des autres, ainsi que les raisons invoquées pour les soumettre à l'analyse et au partage. L'ouverture d'esprit rejoint l'authenticité dans la mesure où l'engagement dans le dialogue signifie l'engagement dans un processus de changement. Le sens qui sera ainsi co-élaboré ne sera pas le sens personnel que j'aurais donné si j'avais été seul au monde, mais le sens que nous élaborons ensemble dans la situation. Forcément, le sens dialogique, pour qu'il soit approprié, doit passer par l'ouverture à la transformation du sens personnel.

Sans en faire une étape précise dans la grille de délibération, on peut schématiser les exigences selon la même formule que nous avons utilisée afin de faciliter l'application au travail d'équipe.

a) Questions guidant le dialogue en équipe

S'ENGAGER DANS LE PROCESSUS DIALOGIQUE

	Oui	Non
i) Est-ce que nous avons précisé et accepté la portée exacte de notre entreprise de co-élaboration de sens ?	☐	☐
ii) Quelle est notre question initiale au dialogue ?	☐	☐
iii) Quels sont les types d'intervention qui permettent d'avancer dans le processus de co-élaboration ?	☐	☐
iv) Quels sont les éléments qui semblent nuire au processus de co-élaboration de sens ?	☐	☐

b) Objectif de ces questions

Tous les contextes institutionnels ne permettent pas, en raison de la structure des institutions, le traitement de questions éthiques en comité. Dans bien des cas, une seule personne est responsable d'un dossier ayant des implications éthiques et doit, elle-même, prendre une décision. C'est seulement après coup, soit au moyen d'un rapport ou par la présentation publique, qu'elle doit présenter ses conclusions à d'autres. Dans d'autres cas, certains organismes procèdent par étape et le porteur d'un dossier doit présenter ses conclusions préliminaires à différents groupes afin de mieux tenir compte des réactions dans les conclusions finales.

Si la partie dialogique concrète de ces deux modèles est différente, la visée demeure la même, car, dans les deux cas, l'attitude dialogique ne se manifestera qu'à l'occasion de la présentation des conclusions décisives du rapport. Comment la personne réagira-t-elle alors aux questions et objections présentées ? Cherchera-t-elle à défendre son rapport de façon intransigeante ? Acceptera-t-elle de reconsidérer celui-ci si des éléments nouveaux sont portés à sa connaissance ? Même si les discussions sont de courte durée, on doit se conformer aux exigences du dialogue si l'on veut éviter d'imposer nos raisons d'agir, et plutôt les soumettre à l'acceptabilité intersubjective.

c) Questions dialogiques

La première question qu'il faut avoir à l'esprit se rapporte à la nature de notre entreprise de co-élaboration de sens. Toutes les personnes qui font partie d'une équipe ou d'un groupe n'adoptent pas nécessairement le point de vue dialogique. En fait, certaines personnes refusent systématiquement d'entreprendre une telle démarche. Par exemple, nous avons déjà proposé, il y a quelques années, à un syndicat et à la partie patronale d'entreprendre des démarches dialogiques pour régler certains conflits de travail au lieu de recourir au traditionnel arbitrage et à la confrontation. En principe, les parties étaient d'accord, en pratique, j'ai démissionné. Pourquoi ? Parce que, dans les faits, aussi bien le syndicat que la partie patronale se servaient du comité pour gagner des points et non pour atteindre la coopération. Le lieu d'entente était un lieu déguisé de rapports de force.

Il arrive aussi qu'un groupe ne maintienne pas toujours son engagement à l'égard de la co-élaboration de sens, car il est facile d'utiliser la stratégie, la menace ou même l'ironie lorsqu'on essaie de dialoguer. C'est pourquoi il importe de s'assurer périodiquement de l'intégrité de cet engagement qui doit absolument animer les discussions tout au long du processus.

En outre, il arrive parfois que les parties ne soient pas toutes impliquées de la même façon dans un dossier. Pour certains, ce problème est important, pour d'autres moins. Du point de vue dialogique, le degré d'intérêt et d'implication au regard de tel problème plutôt que d'un autre n'est pas déterminant. Les dilemmes éthiques ont des ramifications dans nos structures professionnelles, institutionnelles et sociales. Peu importe que l'intérêt particulier pour un sujet soit partagé par tous, puisque le processus dialogique requiert la diversité des points de vue pour clarifier la décision. Un juge ne juge pas que les causes qui le passionnent, pas plus qu'un médecin ne se consacre qu'aux maladies rares qui l'intéressent davantage. Tous les problèmes éthiques n'ont pas la même charge et ne suscitent pas le même intérêt, mais la recherche de solutions s'impose pour chacun d'eux. Il s'avère donc utile ici de rappeler au groupe la première question : « Quelle est la portée exacte de l'entreprise de co-élaboration de sens que nous avons acceptée au départ ? », car elle nous remet en mémoire la finalité visée par les échanges.

La seconde question « Quelle est notre question initiale du dialogue ? » rappelle que l'activité du dialogue se concentre sur une question originelle et que le but de l'activité est de répondre collectivement à cette question. Dans le travail d'équipe, tout comme dans la critique de certains rapports ou même avant, dans leur élaboration, certaines personnes ont tendance à oublier la question initiale. Le fait de dévier de la question entraîne forcément le groupe à ouvrir, dans plusieurs discussions, des voies qui ne mènent pas toujours quelque part. Ce n'est pas pour rien qu'un président de séance a le droit de déclarer hors d'ordre les propos d'une personne ; c'est une façon de rappeler à tous qu'on doit se concentrer sur le point qui est à l'ordre du jour.

La manière d'intervenir des personnes est importante dans le dialogue réel en comité et certaines interventions favorisent le dialogue. Il est important que le groupe reconnaisse les interventions qui aident à comprendre les enjeux et facilitent le processus de coopération. La prise de conscience de ces types d'intervention peut être utile à d'autres personnes qui pourront y recourir pour rendre la démarche plus dynamique. C'est l'objet de la troisième question, « Quels sont les types d'intervention qui permettent d'avancer dans le processus de co-élaboration ? » Lorsque le groupe identifie ces types, il peut favoriser ces approches pour accélérer le dialogue.

De même, certains facteurs rendent souvent stériles les discussions, d'où l'importance de la quatrième question, « Quels sont les éléments qui semblent nuire au processus de co-élaboration de sens ? » Ces facteurs peuvent être d'origines diverses comme, entre autres, émotives ou communicationnelles. Dans un groupe hétérogène, les différentes personnalités s'affirment et s'affrontent. Tout le monde ne peut pas être, de prime abord, sympathique à tout le monde. Un groupe doit donc apprendre à gérer les différentes personnalités : les sympathies trop fortes comme les antipathies déguisées. Qu'est-ce qui restreint le fonctionnement du groupe ? Est-ce que le groupe peut identifier les freins à son fonctionnement en équipe ? Discuter des limites du groupe et identifier les freins peuvent conduire à la découverte de solutions pour débloquer la dynamique du groupe.

Mais plusieurs freins au dialogue émergent des difficultés communicationnelles. Certaines personnes, oubliant l'entreprise de co-élaboration de sens, veulent imposer leur point de vue. Plus grave encore, plusieurs personnes se servent des questions et de la fonction critique pour paralyser les points de vue au lieu de les utiliser pour stimuler le partage de sens. Enfin, d'autres refusent systématiquement de modifier leur perspective. En raison de tous ces freins, nous assistons quelquefois plutôt à une guerre de convictions personnelles qu'à un échange visant à trouver une solution commune.

Évidemment, le danger d'ouvrir sur ces questions, en pointant les difficultés de l'équipe à dialoguer, risque d'engendrer des conflits de personnalités dans le groupe. Cela se produit effectivement lorsque les personnes, au lieu de se concentrer sur les difficultés collectives de travail en équipe, préfèrent accuser les parties qui ne partagent pas leur point de vue de faire preuve de mauvaise foi, de manquer d'authenticité, etc.

C'est en se concentrant sur la tâche commune de trouver ensemble la meilleure solution au problème qu'il est dès lors possible de mettre en tension les intérêts personnels, les conceptions personnelles et la finalité : trouver une solution pour tous. Autrement dit, c'est par le dialogue que le « je » peut se transformer en « nous ».

PARTIE 3

La délibération éthique

Aspects théoriques

La démarche de délibération éthique, en tant qu'approche pédagogique de développement de la compétence éthique décisionnelle, a été élaborée à partir de travaux en éducation morale, dans le contexte de l'éthique appliquée et, plus spécifiquement, dans une perspective de renouvellement de la pensée pratique. Les orientations philosophiques de la démarche soulèvent plusieurs questions de compréhension mais aussi des critiques, notamment des présupposés philosophiques de la démarche.

Dans cette troisième partie, nous nous proposons de répondre aux principales questions qui ont été soulevées, depuis des années, par différentes personnes, qu'il s'agisse d'étudiants, de professeurs qui enseignent cette démarche ou, encore, de collègues philosophes ou éthiciens qui en prennent connaissance par les publications. Pour bien comprendre la nature des réponses que nous allons formuler, il faut se situer à l'intérieur du modèle dialogique de notre démarche. En effet, il serait contradictoire pour nous de prétendre que la démarche de délibération soit fondée en vérité. La théorie, que nous explicitons dans cette troisième partie, s'élabore à partir de perspectives psychologiques et philosophiques spécifiques qui la distinguent des autres. S'il est impossible de statuer qu'elle est la vraie, il est important, du point de vue du dialogue, de comprendre les présupposés psychologiques et philosophiques qui guident la démarche ainsi que les raisons qui lui assurent une crédibilité.

Cette troisième partie ouvre le dialogue sur les aspects théoriques de la démarche de délibération éthique. Nous tenterons de répondre aux principales questions, posées habituellement, sur le modèle. Plusieurs d'entre elles se regroupent autour de deux foyers de questionnement, soit la validité du modèle et la place de la philosophie dans le modèle.

Dans le premier chapitre de la troisième partie, nous répondons à trois questions concernant l'élaboration du modèle et sa validité (chapitre 7 : Décision délibérée : élaboration et validité) :

- Sur quoi repose la validité de la démarche de délibération éthique ?
- En quoi le modèle propose-t-il une perspective différente de la « compétence » éthique ?
- Est-ce que le modèle de délibération peut respecter toutes les « démarches » éthiques ?

Dans le second chapitre, nous répondons à trois questions se rapportant aux liens entre la démarche et la philosophie (chapitre 8 : Décision délibérée : la raison pratique et la philosophie pratique).

- Quelles perspectives philosophiques traversent la décision délibérée en éthique ?
- Ce modèle n'est-il pas relativiste ?
- De quelle école ou approche philosophique la philosophie de ce modèle relève-t-elle ?

Dans la mesure où nous pourrons répondre à ces questions récurrentes sur le modèle de délibération éthique, nous rendrons plus explicite la théorie philosophique et psychologique en éducation morale qui permet d'articuler ce modèle. De plus, ces aspects théoriques permettront de mieux saisir certains des choix méthodologiques de la grille d'analyse.

CHAPITRE

7

Décision délibérée

Élaboration et validité de la démarche

OBJECTIFS

Après avoir lu ce chapitre, vous devriez être en mesure de :

- *comprendre que la démarche de délibération éthique s'élabore à partir d'une approche d'éducation morale avec les apports de la philosophie du langage et de l'éthique appliquée ;*
- *comprendre que la démarche éthique propose de centrer la compétence non pas sur le comportement ou l'attitude, mais sur la décision réfléchie ;*
- *comprendre que la délibération éthique est une approche philosophique dont le point de départ est la « raison pratique » telle qu'elle se manifeste et se développe dans la décision réfléchie et dialogique.*

1. BASES THÉORIQUES DE LA DÉLIBÉRATION ÉTHIQUE

1.1. Bases en éducation morale

Une des premières questions soulevées lors d'un dialogue sur la démarche de délibération éthique porte sur ses bases théoriques : « Sur quoi repose la validité de la démarche de délibération éthique ? » Dans la mesure où la démarche en est une de développement de la compétence éthique, elle s'inscrit en tout premier lieu dans le cadre des travaux en psychologie morale qui ont influencé la pédagogie de l'éducation morale. Au Québec, c'est la reconnaissance, toujours très fragile, de l'éducation morale comme une véritable solution alternative à l'enseignement religieux catholique qui a stimulé les recherches sur l'éducation morale dans nos écoles. Deux approches américaines ont été utilisées en éducation morale au Québec outre l'endoctrinement, à savoir la clarification des valeurs et le développement moral[1]. Depuis plusieurs années, une approche féministe inspirée des travaux de Noddings et une autre axée sur la philosophie pour enfants ont permis l'élaboration de différentes pédagogies dans les écoles[2].

---

1. Voir G.A. Legault et L. Bégin, *Le Québec face à la formation morale*, Cahiers de philosophie de l'Université de Sherbrooke n° 1, Université de Sherbrooke, Faculté des lettres et sciences humaines, Service à l'édition et à la recherche, 1983.
2. Voir notamment M.P. Desaulniers, F. Jutras, P. Lebuis et G.A. Legault (sous la direction de), *Les défis éthiques en éducation*, Sainte-Foy, Presses de l'Université du Québec, 1997, Deuxième partie, « La compétence éthique, définitions et enjeux de formation », p. 27-84.

Depuis les débuts de la philosophie, la question de l'éducation morale fait problème. Socrate se demandait déjà dans l'Antiquité si la vertu s'enseigne. Est-il possible d'éduquer la dimension morale d'une personne comme on lui apprend d'autres matières ou des habiletés intellectuelles ? Le modèle dominant d'éducation morale a été pendant des siècles celui de l'endoctrinement : éduquer la dimension morale d'une personne consiste alors à l'inscrire dans un système de croyances particulières. L'agir moral est dès lors déterminé par le système de croyances qui permet de définir ce qui est bien ou ce qui est mal. L'adhésion, par la foi, à ce système de croyances est la source même de toute motivation à agir. Unis par les croyances, motivés par la foi commune, stimulés par l'exemple et la vitalité des croyances dans les actions du groupe, les personnes qui s'engagent dans une telle démarche s'assurent d'une éducation morale de leurs enfants et d'une formation continue pour elles-mêmes. S'il est aisé de comprendre les avantages inhérents à un tel modèle de socialisation du sens par les croyances communes, il en est de même pour ses limites aujourd'hui, surtout, dans une société démocratique.

L'approche d'éducation morale que nous propose l'endoctrinement est fondée sur le principe que la connaissance du bien moral est le guide de l'agir moral pourvu que l'on puisse stimuler la « bonne volonté » d'agir conformément aux principes. La « bonne volonté » – ce que nous désignons aujourd'hui par « la motivation morale » – est habituellement assurée, positivement, par le désir d'être à l'image des attentes du groupe et, négativement, par la crainte de l'excommunication du groupe ou des sanctions prévues en cas de désobéissance aux règles morales.

Pour toute personne qui participe à un tel système de croyances, les enseignements ne sont ni perçus ni vécus comme des croyances parmi d'autres, mais comme des vérités absolues. C'est sur le plan social que les divers systèmes de croyances apparaissent comme « équivalents », c'est-à-dire véhiculant une vérité relative au groupe qui l'énonce.

Les approches de la clarification des valeurs et du développement du raisonnement moral sont des solutions alternatives à ce modèle d'éducation morale basé sur la socialisation par la famille, d'abord, et, ensuite, par les associations religieuses ou laïques prônant des croyances particulières. Dans un cas comme le Québec, où la majorité catholique possède un pouvoir de contrôle sur les matières à enseigner dans nos écoles, l'endoctrinement dépasse le secteur privé et est devenu le modèle d'éducation morale par excellence.

Les approches de la clarification des valeurs, du développement moral et de la sollicitude proposent des démarches différentes de l'endoctrinement puisqu'elles cherchent à éduquer « la bonne volonté ». Car une des limites du modèle de l'endoctrinement, du moins dans un univers qui n'est plus homogène sur le plan des valeurs, réside dans l'incapacité à stimuler l'agir moral. En effet, l'endoctrinement consiste à présenter les « vérités » morales – et cela s'applique aussi dans le domaine légal de la formation à la déontologie professionnelle – et à espérer que les sujets ont déjà une « motivation » d'obéir à la règle morale ou à la règle légale. Mais qu'arrive-t-il si ce n'est pas le cas ? La connaissance de ce qu'il faut faire est-elle suffisante pour motiver les personnes à le faire ?

L'approche de la clarification des valeurs propose d'éduquer la « bonne volonté » en partant de l'état de socialisation de la personne dans sa culture. L'accent est mis ici sur les « valeurs » puisque celles-ci sont considérées comme les éléments de la motivation d'agir. Le passage à l'acte dépend donc de la valeur dominante dans la décision. À la question : « Pourquoi as-tu fait ceci ? », qui signifie : « Quelle est ta motivation d'agir ainsi ? », on s'attend à une réponse exprimant la valeur visée par l'action. Si j'aime telle personne, je devrais agir conformément à cet amour. La clarification des valeurs, au moyen de divers exercices, permet à une personne de constater l'écart possible entre les valeurs qu'elle pense avoir et qu'elle énonce fièrement et le comportement réel, attendu face à cette valeur. La prise de conscience de ses valeurs effectives comparativement aux valeurs héritées de l'éducation familiale ou sociale favorise l'adoption d'une attitude réfléchie, d'une part, et conséquente, d'autre part.

La pédagogie de la clarification des valeurs a le grand mérite de proposer une approche réflexive qui favorise l'appropriation des valeurs en assurant que les valeurs énoncées par les personnes guident effectivement leurs conduites subséquentes. La force de cette pédagogie réside dans cette approche critique de la socialisation. En revanche, ses limites reposent sur le fait que l'univers des valeurs semble se réduire à la seule dimension personnelle ; elle semble véhiculer ainsi un relativisme des valeurs, puisque aucun débat n'est possible sur les valeurs elles-mêmes.

C'est cette limite du modèle de la clarification que L. Kohlberg veut dépasser. Les valeurs ne peuvent pas être qu'individuelles compte tenu du rôle dans la vie sociale. Sans nier la dimension apportée par la clarification des valeurs, il propose plutôt de comprendre l'appropriation réelle des valeurs en l'intégrant à un processus plus complexe du « raisonnement moral ». S'inspirant des travaux de Piaget qui montre que le développement de l'intelligence s'opère dans la dynamique des rapports complexes de l'intelligence et du monde réel, Kohlberg reprend la même démarche pour la dimension morale. Les problèmes moraux sont résolus par les personnes à travers leur façon de « raisonner » les dilemmes dans leur vie quotidienne. Si la socialisation propose divers modes de raisonnement moral, la personne développe graduellement sa manière de résoudre ses dilemmes à partir de son éducation et, surtout, de son milieu de vie et d'expérience. Le raisonnement moral qu'une personne exerce lors de ses choix peut être rendu explicite par l'expression des raisons d'agir. C'est ce que permet la réponse à la question « Pourquoi as-tu fais cela ? »

Bien que plusieurs éléments de la conception des stades de développement de Kohlberg aient été contestés, notamment quant à la possibilité de distinguer des développements différents entre les hommes et les femmes, son approche vise à renouer avec une certaine forme de rationalité morale comparativement aux modèles axés sur les émotions. En ce sens, la critique élaborée par l'approche de la sollicitude en éthique féministe peut apparaître, à maints égards, comme un retour à la clarification des valeurs et à l'importance de la socialisation. L'approche de la sollicitude nous amène au-delà de la clarification des valeurs puisqu'elle nous invite à explorer la possibilité de développer « la bonne volonté ». L'approche du raisonnement moral, surtout lorsqu'elle est réinterprétée dans une culture d'endoctrinement, devient rapidement métissée par cette dernière. Plusieurs ont malheureusement vu, dans Kohlberg, le retour au rationnel au mépris de l'émotion. Peu importe la justesse de ces critiques, ce qui est capital dans le mouvement de la sollicitude apparaît dans l'importance que l'approche accorde à l'éducation du « sentiment moral ». Comment éduquer une personne à la morale si elle n'est pas d'abord soucieuse d'autrui ? L'éducation morale n'est possible que si l'on développe le « souci de l'autre », car l'action suscite des problèmes moraux ou des dilemmes éthiques dans ses conséquences pour autrui.

Ce rapide survol des différentes approches en éducation morale nous sensibilise au fait que toute éducation morale qui se veut complète doit éduquer la dimension de la sensibilité à l'autre, celle de la motivation effective et celle du raisonnement moral. La démarche de délibération éthique s'inscrit de façon prioritaire dans la lignée de l'école du développement du raisonnement moral. Cependant, plusieurs modifications ont été apportées au modèle de Kohlberg puisque la démarche proposée n'est pas une étude de psychologie morale, mais bien un modèle de délibération individuel et collectif. En outre, en plus de l'apport de la clarification des valeurs dans la deuxième phase, nous avons intégré certaines dimensions de l'éthique de la sollicitude dans cette démarche de délibération éthique principalement en établissant celle-ci comme une démarche dialogique. C'est dans le dialogue réel que le rapport à l'autre et tout particulièrement la sensibilité à l'autre sont présents. L'apprentissage du dialogue apparaît dès lors comme le lieu privilégié pour éduquer la sensibilité à l'autre, à ce qu'il est et à ce qu'il dit et surtout pour développer la possibilité de co-élaborer ensemble. Certains ont vu, et avec raison, des similitudes ici entre l'approche dialogique et l'idée de communauté de recherche soutenue par l'approche de la philosophie pour enfants de Lipman.

1.2. Bases en philosophie contemporaine

Le modèle de la délibération éthique est avant tout une approche d'éducation morale, une approche pédagogique qui s'inspire du développement du raisonnement moral mais aussi des changements en philosophie contemporaine. La délibération éthique s'inscrit dans le courant plus général du pragmatisme américain et, plus spécifiquement, dans le tournant linguistique en philosophie qui conduit aux modèles dialogiques.

En philosophie contemporaine, la notion de « pragmatisme » est souvent pensée dans l'horizon des travaux en épistémologie de Quine ou de ceux de la philosophie du langage. On oublie souvent qu'à la source de ce pragmatisme se trouvent les travaux en philosophie de l'éducation de Dewey. Le départ d'une approche pragmatique s'inscrit dans l'expérience : « *Now empirical method is the only method which can do justice to this inclusive integrity of "experience". It alone takes this integrated unity as the starting point for philosophical thought. Other methods begin with results of a reflection that has already torn in two the subject-matter experienced and the operations and states of experiencing*[3]. » Toute sa vie, Dewey s'est opposé à l'apprentissage par la voie de l'endoctrinement : c'est dans l'unité de l'expérience que la connaissance et l'action se développent. On voit bien ainsi comment le pragmatisme de Dewey se reflétera dans les thèses de Piaget et de Kohlberg.

Ce qu'ont en commun le pragmatisme de Dewey et de Quine et d'autres, c'est le rejet de toute forme de connaissance antérieure à l'expérience de la connaissance, expérience individuelle et sociale. L'épistémologie n'est plus la théorie qui fonde la connaissance à l'extérieur de son expérience. Dans une perspective pragmatiste, la science est quelque chose de construit à partir de l'expérience. Pour Quine, cette expérience de base est celle de l'expérience sensible, et le construit est celui d'une communauté de recherche[4].

Le pragmatisme, en insistant sur l'expérience comme point de départ et point d'arrivée de la science et de la réflexion, transforme la conception classique de la vérité, comme vérité-copie du monde, en une validité assurée par les effets dans l'expérience. Le renoncement à la conception classique de la vérité et le deuil qu'il exige constituent le foyer premier de résistance à une conception pragmatique en philosophie. Abandonner le concept de « vérité » pour un concept plus faible de « validité » et même, comme nous le proposons ailleurs, pour un concept de « crédibilité[5] », ébranle certainement les fondements classiques de l'éducation morale. Le courant pragmatiste offre ainsi une approche alternative à la pensée philosophique traditionnelle marquée par le savoir absolu, la connaissance de l'être ou du bien. Cette voie différente, tout en accordant une place importante à la science et à la morale, ouvre d'autres façons de penser le savoir et l'action.

La philosophie a aussi été marquée par l'élaboration d'une autre approche alternative à celle de la conception classique de la vérité-copie du réel. C'est le tournant linguistique en philosophie qui a permis de passer du questionnement axé sur la connaissance du réel à celui axé sur le langage qui énonce une connaissance du réel. Le

---

3. John Dewey, *Experience and Nature*, New York, Dover Publications, 1958, p. 9. Il s'agit des Paul Carus Lectures que John Dewey a données en 1925.
4. Maurice Gagnon (sous la direction de), *Pragmatisme et pensée contemporaine*, Cahiers de philosophie de l'Université de Sherbrooke, vol. 2, 1984 et *Pragmatisme et théorie éthique*, vol. 3, 1990.
5. G.A. Legault, « La parole du philosophe éthicien est-elle crédible ? » *Philosophiques*, vol. XVI, n° 1, 1990, p. 21-44.

langage devient dès lors le nouveau paradigme pour penser la philosophie et les sciences. Tout est langage. Ce nouveau paradigme renouvelle le questionnement sur les sciences et la morale. On ne se demande plus : « Qu'est-ce qui prouve que ma connaissance rejoint bien le réel ? », mais bien « Qu'est-ce qui permet à mon discours de valider ses prétentions à rejoindre le réel ? ». La validité n'est plus celle de la connaissance, mais bien celle du discours qui prétend l'atteindre.

Le paradigme linguistique a donné lieu à un foisonnement de recherches. En philosophie du langage, la réflexion sur les mots et la structure grammaticale des phrases a révélé le jeu complexe des énoncés et des actes de langage. Ensuite ont surgi des questionnements sur l'argumentation et la nouvelle rhétorique, la communication et, finalement, la discussion et le dialogue. La portée du tournant linguistique en épistémologie, mais surtout en philosophie morale et politique, comme le montre le rayonnement d'un auteur tel Habermas, témoigne de l'ampleur de ce mouvement.

L'expérience de la pensée pratique lors de la délibération collective, qui est centrale à la formation à la délibération éthique, démontre comment l'approche s'inscrit dans la mouvance de la philosophie pragmatique de l'éducation et dans celle de la philosophie du langage. C'est à travers cette expérience privilégiée que les participants s'inscriront dans une démarche co-élaborante du sens de l'agir et des raisons d'agir.

1.3. Bases en éthique appliquée

Depuis quarante ans aux États-Unis, nous assistons au renouvellement du questionnement éthique. Ce retour de l'éthique dans le domaine de la bioéthique est issu des nombreux problèmes d'éthique de la recherche que l'Occident découvre non seulement dans les camps de concentration mais aussi en terre américaine. Comment peut-on prendre des humains comme cobayes pour l'avancement des connaissances et disposer d'eux comme d'objets ? Si, au début, les réflexions éthiques en bioéthique sont principalement l'œuvre de théologiens, les enjeux se sécularisent avec l'arrivée des philosophes et, plus tard, des juristes. Sous l'étiquette d'« éthique appliquée », on retrouve beaucoup de publications. À une extrémité, se trouvent celles qui dictent les conduites avec la confiance qu'engendre l'évidence naïve et, à l'autre, des études spécialisées très théoriques qui semblent n'avoir aucun lien avec la pratique. Le concept même de l'éthique appliquée est objet de débat, les uns le réduisant à une application de l'éthique fondamentale, les autres niant sa pertinence et d'autres, enfin, soutenant la spécificité du concept[6]. Dans certains milieux philosophiques, la distinction entre l'éthique fondamentale et l'éthique appliquée devient de plus en plus articulée. Ce débat met en scène une spécificité propre à la philosophie pratique et qui se résume ainsi : dans son élaboration, la philosophie pratique ne prétend jamais atteindre des fondements absolus mais uniquement des fondements suffisants à une décision pratique. La distinction entre éthique fondamentale et éthique appliquée se précise avec celle qui existe entre philosophie fondamentale et philosophie pratique. On pourrait aussi ajouter, bien que Chaïm Perelman n'ait pas eu une influence déterminante aux États-Unis, que cette distinction recoupe celle qu'il a faite entre philosophie première et philosophie régressive[7].

Le modèle de délibération en éthique s'inscrit dans cet horizon de l'éthique appliquée ou de la philosophie pratique dans la mesure où les décisions délibérées proposeront toujours des fondements suffisants à la décision en visant autant que possible leur universalisation. Viser l'universalisation, c'est déjà avouer ne jamais l'atteindre et devoir, puisque les circonstances des situations personnelles et historiques changent, réviser la décision lorsque les fondements ne seront plus suffisants.

2. EN QUELS TERMES PARLER DE « COMPÉTENCE ÉTHIQUE » ?

Est-il opportun de parler de « compétence éthique » pour désigner ainsi la finalité de l'intervention pédagogique ? Éduquer à l'éthique, est-ce de l'ordre du développement d'une « compétence » ? N'est-ce pas réduire l'éthique à une mécanique ou imposer indirectement une idée d'excellence ? Toutes ces questions, compte tenu de leur importance en éducation, ont fait l'objet d'un colloque réunissant diverses

6. G.A. Legault, « L'éthique appliquée : le malaise de la philosophie », *Ethica*, vol. 9, nº 2, t. 2, 1997, p. 9-28.
7. C. Perelman, « Philosophie première et philosophie régressive », *Rhétoriques*, Bruxelles, E.U.B., 1989.

personnes œuvrant en formation morale[8]. Que l'on utilise ou non l'expression « compétence éthique », il n'en demeure pas moins que toute éducation morale cherche à transformer les personnes en leur permettant d'accéder à une forme supérieure d'être qui se manifestera dans leurs actions.

Étant donné la complexité de l'agir humain, l'éducation morale devra avoir un impact sur plusieurs variables. Cependant, à l'analyse des approches pédagogiques, on réalise qu'aucune approche ne peut stimuler ou développer toutes les dimensions à la fois. La pédagogie de l'éducation morale doit alors se concentrer sur un aspect de l'agir humain qui, pour autant que cet aspect soit transformé, aura un effet global sur l'ensemble de la personne.

Il existe une variété d'approches pédagogiques en éthique. Johane Patenaude a ainsi fait une synthèse des principales orientations éducatives en éthique dans les facultés de médecine[9]. Lorsqu'on compare ces données à un ensemble plus grand – celui de la formation morale dans les écoles primaires et secondaires –, on se rend compte que certaines approches ont été de fait éliminées et que l'on a privilégié certaines autres parmi un ensemble plus grand. En poursuivant ainsi la réflexion apportée par Patenaude, nous pouvons tenter de présenter une catégorisation des « compétences éthiques » visées par différentes approches en éducation morale.

Nous distinguons les approches en éducation morale par rapport à quatre variables fondamentales de l'agir humain directement visées par la pédagogie : le comportement, le caractère, la conscience et le raisonnement pratique. Chaque approche vise à influencer une variable de façon à obtenir un effet désiré. On peut alors faire ressortir la spécificité de chacune d'elles en comparant les éléments suivants : la variable de l'agir visée, l'effet optimal désiré et la pédagogie proposée. Voici un tableau comparatif des approches qui seront explicitées par la suite.

8. M.P. Desaulniers, F. Jutras, P. Lebuis et G.A. Legault (sous la direction de), *op. cit.*
9. Johane Patenaude, « L'éthique en médecine : les principales orientations éducatives » *Ethica*, vol. 9, n° 2, t. 2, 1997, p. 97-116.

Variable de l'agir humain visée	**Effet optimal recherché**	**Principale pédagogie**
Comportement	Avoir toujours le « bon » comportement dans une situation donnée.	Présenter les comportements à adopter dans les situations envisagées.
Caractère	*i)* Avoir une « bonne » attitude face à autrui.	Développer la sensibilité morale à autrui, le souci de l'autre.
	ii) Avoir de « bonnes » habitudes de comportements adaptables selon les circonstances.	Développer les habitudes d'agir par l'influence des pairs dans le milieu et connaître le sens et l'importance de ces habitudes.
Conscience	Développer la conscience réflexive et critique face aux valeurs héritées par la socialisation.	Clarifier les valeurs et se les approprier personnellement.
Raisonnement pratique	*i)* raisonnement déductif,	Développer la capacité d'appliquer une obligation générale à un cas particulier.
	ii) raisonnement casuistique,	Développer la capacité d'interpréter la règle générale à la lumière de la situation.
	iii) délibération dialogique.	Développer la capacité de trouver une solution raisonnable et dialogique à un dilemme.

2.1. Le comportement

Certaines approches pédagogiques ont pour objectif de formation d'amener les personnes à avoir toujours le « bon » comportement dans une situation donnée. Dans les articles anglo-saxons en éthique, on désigne cette approche par le terme « *compliance* » qui signifie, en français, la capacité d'une personne à agir conformément à ce qui est attendu. Dans cette approche, les éducateurs savent quel est le comportement attendu d'une personne dans une circonstance précise. Cette attente peut être définie par l'entreprise, le groupe associatif, voire la société, grâce aux règlements. Puisque sont connus les situations névralgiques et les comportements attendus, la pédagogie consistera à porter à l'attention des personnes ces situations et les comportements attendus compte tenu de la mission de l'entreprise, du groupe ou de la société.

Les approches pédagogiques visant à développer la capacité des personnes à avoir le comportement attendu dans les circonstances difficiles exigent, au préalable, un contexte où il y a un horizon de sens déjà partagé par les personnes, car cette approche n'ouvre pas au questionnement sur l'horizon de sens. Il tient pour acquis qu'il est partagé et espère qu'il fournira la motivation de respecter les normes du milieu. Cette approche rejoint la formation morale qui privilégie l'endoctrinement (au sens non péjoratif du terme) : présentation de la doctrine qui fixe les attentes et les « bons » comportements à adopter dans les circonstances.

2.2. Le caractère

Selon le *Larousse*, le caractère est « la manière habituelle de réagir de chaque personne ; la personnalité ». Les pédagogies qui visent à influencer le caractère d'une personne sont célèbres depuis l'Antiquité et la version la plus connue est, sans conteste, la vertu. Les confusions entre les vertus théologiques et les vertus philosophiques découlant des travaux de saint Thomas d'Aquin sur ceux d'Aristote sont fréquentes au Québec, surtout avec l'influence de nos collèges classiques. Si les références théologiques ou philosophiques ont disparu des discours officiels de la formation morale, l'approche laïque, proposée par Aristote, subsiste. La formation du caractère prend donc aujourd'hui la figure du développement de « bonnes habitudes ».

Cependant, les débats récents sur la compétence éthique, notamment par les tenants d'une éthique féministe de la sollicitude, ont apporté une autre dimension à la formation morale, celle du développement d'une « bonne attitude » à l'égard d'autrui.

Ces deux approches se rejoignent dans la mesure où elles cherchent à influencer le caractère d'une personne, ce qu'on pourrait considérer comme « sa personnalité morale », personnalité qui agit dans les rapports à autrui dans une société.

2.2.1. *L'attitude à l'égard d'autrui*

La distinction entre modifier des attitudes ou faire adopter des habitudes est pertinente, car la pédagogie ne porte pas sur la même variable du caractère d'une personne. Selon le *Larousse*, l'attitude consiste en la « manière dont on se comporte avec les autres ». Le propre de l'attitude est ce rapport à autrui, comment il est perçu et vécu. L'attitude recoupe ainsi nos perceptions de ce qu'est l'autre, notre manière d'attribuer de la « valeur » à l'autre, notre manière de tenir compte des autres dans nos décisions.

Indubitablement, nous sommes ici à la racine de la formation morale. Il est impossible de discuter d'un point de vue éthique ou moral avec une personne qui n'a aucun souci d'autrui. L'impératif catégorique de Kant nous enjoignant de traiter les autres comme des humains et non comme des objets n'a aucun sens pour une personne qui n'a pas le souci de l'autre. Puisque toutes les éthiques visent à « réguler les rapports à autrui », elles présupposent toutes l'attitude morale minimale : le souci d'autrui. Jusqu'où s'étend ce souci de l'autre ? Quelles personnes font partie des Autres ? Y aurait-il même une place pour les animaux et l'environnement ?

Modifier les attitudes à l'égard d'autrui s'effectue par des pédagogies axées sur le développement de la sensibilité morale des personnes. Ces approches intégreront certains aspects de la pédagogie de la conscience, mais les orienteront en fonction du « souci de l'autre ». Prendre conscience des attitudes à l'égard d'autrui, sur le plan des perceptions d'abord, des valeurs accordées et des préséances dans les décisions et dans l'action concrète, permet d'instaurer une position de changement et de transformation de soi.

2.2.2. *Les habitudes*

L'approche pédagogique visant l'acquisition de « bonnes habitudes » est aisément confondue avec les approches concernant le comportement, puisqu'une habitude est, par définition, une habitude comportementale, soit une disposition acquise à agir. Dans la vie courante, la préoccupation d'inculquer de « bonnes habitudes » est certainement l'approche pédagogique la plus répandue, avant même celle du bon comportement. Quel parent ou quel éducateur ne cherche pas à donner aux enfants de « bonnes habitudes » alimentaires, hygiéniques, physiques, intellectuelles, etc. En acquérant ainsi une « habitude », une personne intégrera dans sa personnalité cette disposition à faire ce qui est le mieux dans les circonstances. La personne ainsi disposée à agir en fonction de son équilibre alimentaire, par exemple, choisira spontanément ce qui est le « mieux » pour elle dans les circonstances. Il ne faut pas confondre cela avec la rigidité du modèle du « bon comportement » puisque, dans une situation donnée, plusieurs « bonnes habitudes » peuvent être incompatibles. Ainsi, l'habitude de prendre soin de soi peut aller à l'encontre de l'habitude d'exceller dans le travail. C'est pourquoi l'habitude est une disposition acquise à faire ce qui est « le mieux », mais dans les circonstances. L'acquisition d'habitudes va de pair avec celle de la souplesse du caractère.

Pour acquérir de « bonnes habitudes », il faut un milieu propice. Une habitude ne se crée pas dans l'abstrait, mais dans la pratique quotidienne. Nous nous souvenons d'un débat, il y a plusieurs années, dans les universités qui portait sur la nécessité pour tous les professeurs de corriger le français dans tous les travaux. L'enjeu était simple : développer des habitudes linguistiques de bien parler et bien écrire. Si la correction du français relève uniquement des cours de français, comment est-il possible d'inculquer le « souci de la langue » et les « bonnes habitudes » linguistiques ?

Les pédagogies axées sur les « bonnes habitudes » exigent un milieu permettant d'encadrer la formation. Très souvent, l'établissement d'un partenariat entre le milieu de la formation générale et le milieu de la pratique professionnelle favorisera cette formation. Ainsi, les stages de pratiques supervisés sont une occasion, s'ils sont suffisamment longs, d'encourager le développement d'habitudes.

Comme tout apprentissage, l'habitude exige un effort de changement. Chacun sait combien il peut être ardu de modifier ses pratiques alimentaires, par exemple. S'il n'y a pas, dans la formation, un élément qui incite à changer ses habitudes, en démontrant les bienfaits pour soi de ces changements et leur importance dans la vie, il sera difficile d'y parvenir. Cette formation sera vécue avant tout comme un apprentissage de « bons comportements ».

2.3. La conscience

S'il y a un lieu que l'enseignement de la philosophie, notamment au cégep, a investi du point de vue de la formation d'une compétence éthique, c'est bien celui de la conscience. Les débats sur la formation philosophique dans les cégeps à leur début subsistent encore aujourd'hui, bien que sous des formes différentes. Quels sont les objectifs de la formation en philosophie ? Pour certains, c'est une transmission de connaissances ou d'une approche disciplinaire ; pour d'autres, la philosophie vise à développer l'esprit critique. Dans les discussions, on a souvent parlé de développer le sens de l'étonnement, la capacité d'interroger, notamment, par la recherche des « pourquoi » donnant accès au « doute », la distanciation par la réflexion afin de mieux comprendre qui nous sommes, la recherche de la « validité » de ce qui est proposé, énoncé ou affirmé (critique). Dans certains textes des années 1970, les objectifs de formation en philosophie se résumaient en deux mots : « distanciation » et « appropriation ». Autrement dit, l'enseignement de la philosophie reprenait la démarche platonicienne : sortir de la caverne mais pour y retourner afin de transformer les choses.

Dans le domaine de la formation morale, c'est l'école de la clarification des valeurs qui a surtout favorisé le développement de la conscience. À travers divers questionnements et ateliers, l'éducateur essaie de favoriser la prise de conscience, d'abord, en relevant les valeurs significatives qui inspirent réellement leur vie. Entre ce discours sur soi, qui prend source dans la socialisation et dans le miroir des attentes sociales, et l'efficience des valeurs dans la vie quotidienne, il peut exister un écart considérable. Ainsi, d'un exercice à l'autre, la prise de conscience des valeurs héritées par la socialisation, de celles réellement actives dans la vie quotidienne et de celles que l'on espère développer, etc., devient la voie de la formation.

D'un certain point de vue, on pourrait distinguer le mouvement de clarification des valeurs, qui cherche à éveiller la prise de conscience de son héritage psychosocial tel qu'il forme la personnalité, de l'approche de la philosophie critique, qui cherche à faire prendre conscience de l'héritage des « vérités » et des « représentations » qui forment nos pensées pratiques.

2.4. Le raisonnement pratique

Nous avons déjà mentionné qu'une approche vise en premier une variable de l'agir humain, mais qu'elle influence aussi les autres puisqu'il s'agit toujours de la formation d'un sujet agissant. Le raisonnement pratique est une dimension de l'agir qui est directement visée par la formation dans plusieurs approches qui accordent une place importante à la raison dans le développement de la dimension éthique des personnes.

En effet, si l'éthique ou la morale, comme le posent certains philosophes, relève exclusivement de l'émotion ou de l'affectivité, alors la formation en cause ne pourra être que le développement de l'émotion ou de la sensibilité morale. Par contre, si l'on admet que la raison a un rôle à jouer dans la dimension éthique, alors la formation encouragera nécessairement le développement de ce rôle de la raison pratique. Ainsi, selon les variantes des différentes écoles dans les approches, la raison pratique peut tenir un rôle spécifique dans l'approche du comportement, celle du caractère et de la conscience ou, encore, dans celle qui privilégie le raisonnement pratique.

Comme nous l'avons précisé précédemment, certaines approches du caractère, comme celle de la conscience, renvoient au développement d'une raison pratique conçue en premier lieu comme conscience réflexive. La raison pratique apparaît ainsi dans cette capacité de réfléchir sur son expérience et sur soi afin de la rendre accessible à la conscience par la parole. Cela exige de la rigueur dans l'énonciation et de la pertinence dans l'énoncé par rapport à ce qui accède à la conscience. La conscience réflexive passe ainsi par la rationalité de la communication.

Les approches du comportement, certaines de la conscience et celle du raisonnement pratique de la délibération dialogique proposent des conceptions différentes de la raison pratique dont chaque modèle essaie de favoriser le développement. Analysons ces différentes conceptions du raisonnement pratique.

2.4.1. *Le raisonnement déductif*

On pourrait illustrer le raisonnement déductif à partir de la forme du syllogisme qui formalise, dans la formation classique, la structure d'un raisonnement. Un syllogisme est composé de trois éléments : un énoncé général (la majeure), un énoncé plus particulier (la mineure) et un troisième, qui découle des deux précédents, la conclusion.

L'exemple type du syllogisme théorique que l'on nous apprenait était :

Tous les hommes sont mortels.
Pierre est un homme.
Conclusion : Pierre est mortel.

Si l'on applique cette structure à un raisonnement pratique, la majeure ne sera pas un énoncé général portant sur des faits (Tous les hommes sont mortels), mais bien un énoncé général portant sur l'action. Le syllogisme devient :

Tout professionnel doit garder le secret professionnel.
Pierre est dans une situation où il peut violer le secret professionnel.
Conclusion : Pierre doit garder le secret professionnel dans cette situation.

Ce raisonnement est appelé déductif, parce que la conclusion est déduite logiquement à partir des deux prémisses initiales. Développer le raisonnement déductif fait partie de la formation dans l'approche du comportement. C'est pourquoi la pédagogie porte principalement sur la présentation des comportements à adopter dans les situations envisagées. Autrement dit, on éduque en montrant les syllogismes pratiques en cause.

2.4.2. *Le raisonnement casuistique*

Le raisonnement casuistique n'est pas à confondre avec le raisonnement déductif précédent, même si les points de départ dans les deux raisonnements sont analogues. En effet, le raisonnement casuistique procède à partir d'une norme générale d'action, tout comme le raisonnement déductif. Par exemple, un raisonnement casuistique pourrait partir de la même norme d'action : Tout professionnel doit garder le secret professionnel. Mais, à la différence du modèle déductif, le raisonnement casuistique s'élabore dans la situation. Pierre est dans une situation, comme avec l'exemple que nous avons donné de Claude dans la deuxième partie de ce livre, où il peut « dévoiler » de l'information à une autre personne. La question qui se pose alors est de savoir si, dans ce cas précis, « dévoiler cette information » constitue un manquement à la norme générale.

Le raisonnement casuistique est alors un raisonnement par lequel on « interprète » le sens de la norme à la lumière de la situation particulière. Il n'y a donc pas une application systématique de la règle générale au cas particulier, ce qui est le propre du raisonnement déductif, mais une interprétation de la norme dans le contexte de vie précis où se pose le problème décisionnel. La situation peut être interprétée comme une « exception » à la norme générale. C'est ainsi, par exemple, que l'on justifie que la légitime défense n'est pas une violation de la norme « Tu ne tueras point ».

Développer le raisonnement casuistique est une partie essentielle de toute formation relative à l'application des normes. D'ailleurs, tout un volet de l'éthique appliquée propose le développement du raisonnement casuistique, notamment pour les divers comités de déontologie. De même, la tradition juridique de la jurisprudence, comme nous l'avons indiqué précédemment, utilise le raisonnement casuistique comme modèle de raisonnement pratique.

2.4.3. *La délibération dialogique*

L'approche de la délibération dialogique est celle qui inspire toute la démarche de formation que vous avez approfondie dans la deuxième partie. Cette approche vise essentiellement à favoriser la capacité de prise de décision par une délibération qui s'effectue en dialogue réel ou intérieur avec les autres. Comme vous avez pu le constater, l'approche de la délibération part de la prise de décision dans une situation donnée. La prise de décision est un raisonnement pratique en éthique dans la mesure où elle vise à trouver « la meilleure solution possible dans les circonstances ». L'approche est dialogique parce que la « meilleure solution » n'est pas la meilleure pour moi, mais pour « nous », mais pas seulement le « nous » du groupe ou de cette communauté, mais le « nous » des personnes qui désirent envisager la solution d'un point de vue raisonnable.

La délibération dialogique prend son point de départ dans la situation et elle devient une « quête » de la « meilleure solution ». Il n'y a pas, au départ, de norme générale d'action. La raison pratique s'élabore lentement en comprenant la situation, en clarifiant les valeurs efficientes et en hiérarchisant les valeurs à partir de ce qui est le plus « raisonnable » dans la situation.

2.5. Conclusion

Comme toute formation éthique cherche à développer la dimension morale des personnes, il n'y a pas de neutralité dans cette formation. Même celle qui se voudrait « neutre » privilégierait une approche, celle de la neutralité et du relativisme. Puisqu'il n'y a pas de « neutralité » est-ce que toutes ces approches sont incompatibles ?

Encore une fois, il faut faire bien attention lorsqu'on parle d'incompatibilité, car certaines approches peuvent être incompatibles sur le plan théorique mais compatibles sur le plan pratique. En effet, une approche théorique émotiviste est incompatible avec une approche du raisonnement moral. Pourtant, en pratique, l'approche du raisonnement moral doit faire une place à la dimension émotive et à sa formation.

De plus, on peut s'interroger sur la nature des incompatibilités théoriques, car les approches sont des points de vue sur une même réalité. Que les points de vue soient différents ne signifie pas qu'ils sont incompatibles. Évidemment, si une personne suppose qu'il ne peut y avoir qu'un seul point de vue valable sur une question, alors forcément les autres sont incompatibles. Mais lorsqu'on admet la pluralité des points de vue, on peut se rendre compte qu'ils sont compatibles sur d'autres plans. En ce sens, les tenants de l'approche de formation du caractère ont raison de soutenir que, si une personne se familiarise avec la démarche de délibération dialogique, elle aura acquis une « habitude » décisionnelle en éthique.

Cependant, même s'il existe de la complétude entre différentes approches, il n'en demeure pas moins qu'elles ne sont pas toutes compatibles entre elles. Alors certaines personnes se demandent comment on peut prétendre que la formation à la délibération dialogique respecte les autres démarches en éthique.

3. PEUT-ON RESPECTER TOUTES LES DÉMARCHES ÉTHIQUES ?

Dans la mesure où, comme nous venons de le voir, toute démarche de formation en éthique s'élabore à partir de données psychologiques et philosophiques, il serait impossible de prétendre à l'absolue neutralité. Tout comme le psychologue devrait au début de son intervention professionnelle présenter sa démarche et le courant qu'il adopte afin de permettre au « futur » client de décider de poursuivre ou non cette voie, le formateur en éthique devrait préciser à sa clientèle les objectifs de son intervention de formateur.

Il faut bien distinguer deux étapes dans la démarche de délibération dialogique. La première est celle de la délibération intérieure que chaque personne est appelée à réaliser dans le cadre de la formation en suivant l'instrument pédagogique. Rappelons ici un élément capital de cette première étape : permettre à la personne de prendre conscience de sa manière de résoudre un dilemme éthique. Le premier but du modèle rejoint ainsi celui de la formation de la conscience : prendre conscience de notre socialisation. Comme l'instrument permet de prendre conscience de notre mode de raisonnement pratique, tel que nous l'avons construit à partir de notre héritage culturel et de nos expériences de vie, il n'impose pas un contenu spécifique en éthique. Cependant, il conduit les personnes à accéder à une « réflexion sur ». Ce second niveau est celui de la méta-éthique.

Si l'on examine la démarche, le fait que la première phase permet de répertorier les conséquences de la décision et les obligations qui gouvernent la situation, on peut conclure que les deux grandes approches, conséquentialistes et déontologiques, sont respectées. De même, dans les quatre argumentations retenues pour justifier les décisions, on peut conclure que les principales formes argumentatives sont présentes : de l'argumentation déductive, à partir de vérités morales, jusqu'aux argumentations juridiques dans une société donnée, en passant par celles de l'utilité et de la justice. Or, ces quatre formes argumentatives couvrent le champ moral. Encore une fois, il s'agit de formes argumentatives et non d'arguments spécifiques. Le modèle n'impose pas un contenu spécifique, mais aide à donner un cadre plus rigoureux aux arguments.

Cependant, si la démarche s'inscrit d'abord dans une approche de formation de la conscience de soi, elle exige davantage en inscrivant cette délibération dans le dialogue avec les autres. L'approche permet de dépasser la conscience de soi dans la mesure où elle oblige les personnes participantes à confronter à celle des autres leur pondération des conséquences positives et négatives, celle des normativités ainsi que les valeurs qu'elles leur attribuent. L'exigence dialogique oblige la personne cette fois à développer son esprit critique, c'est-à-dire à mesurer la validité de ce qu'elle énonce. Le dialogue, en permettant une confrontation positive de soi et d'autrui dans le but de trouver ensemble la « meilleure réponse », devient une « épreuve » de ses « raisons d'agir ». Le changement de point de vue n'est pas imposé par le contenu de la démarche mais par la démarche dialogique elle-même. En d'autres termes, la personne change lorsqu'elle se rend compte que sa position est fragile et peu défendable du point de vue dialogique. Évidemment, elle peut aussi se retrancher sur sa position.

Le facteur du changement provient du dialogue lui-même. Comme Kohlberg l'a montré, le développement du raisonnement moral s'effectue à partir du moment où la personne prend conscience des limites de son raisonnement antérieur pour trouver des solutions pratiques dans des circonstances nouvelles. Ce n'est que par cette prise de conscience des limites de son raisonnement moral et de l'avantage pratique d'un autre point de vue qu'il devient possible de renoncer à la forme antérieure pour une autre forme jugée supérieure dans la vie de la personne. Cette transformation ne peut se faire que dans la mesure où les personnes sont exposées à des raisonnements différents.

Si l'approche de la délibération dialogique prétend offrir la possibilité que toute conception de l'éthique ou de la morale puisse s'articuler, c'est-à-dire accéder à la conscience de soi par la parole et s'adresser aux autres dans le dialogue, elle ne peut pas respecter toutes les démarches éthiques. En effet, certaines démarches éthiques sont incompatibles avec l'approche de la délibération dialogique, notamment celle de la morale de conviction.

C'est que le modèle dialogique s'oppose à tout modèle non dialogique qui impose une seule vision du monde comme étant la Vérité morale. Pour plusieurs, et cela est encore largement répandu dans nos écoles catholiques québécoises, la morale relève de la religion. Toute éducation morale ne peut donc se penser que dans le cadre d'une formation religieuse. Pour ces personnes, l'enseignement moral, qu'il soit laïque ou religieux, est construit sur le même modèle déductif : au départ, les croyances vécues et partagées. C'est pourquoi, dans la foulée de Weber, on utilise l'appellation de « morale de conviction ».

Il ne faut pas confondre ici, comme se plaisent souvent à le faire les tenants de cette approche, le fait d'« être convaincu de quelque chose » et celui d'avoir des « convictions ». Toute personne qui agit est convaincue de quelque chose qui la motive à agir, mais a-t-elle nécessairement des « convictions », c'est-à-dire un ensemble de croyances et de représentations déterminées à propos des personnes et de l'univers ? Pas nécessairement. Une morale de conviction est inhérente à un système de pensée religieuse et philosophique qui, comme dans le modèle déductif, prend sa source dans des croyances morales ou métaphysiques considérées comme des « vérités ».

Pour illustrer l'incompatibilité de cette approche d'une morale de conviction avec celle du dialogue, il vous suffit de vous rappeler la dernière fois où vous avez parlé à une personne ayant des « convictions » religieuses ou politiques. Vous verrez qu'on ne laisse pas beaucoup de place au dialogue ; c'est le débat et l'imposition d'une conviction à l'autre. La vérité ne se dialogue pas, elle se dit et souvent se dicte.

Étant donné que le modèle dialogique oblige à recourir au dialogue comme mode de processus de la démarche, toute personne qui opte pour un point de vue non dialogique devra soumettre sa « conviction » au dialogue. Ce processus nouveau et exigeant est indispensable à nos sociétés démocratiques avancées, qui ne peuvent plus imposer la « vertu » de la majorité croyante comme autrefois.

Par ailleurs, le modèle dialogique peut sembler ne pas respecter certaines approches de la conscience morale. En effet, pour d'autres personnes, la morale ou l'éthique relève de la subjectivité et de la conscience personnelle. Intervenir au niveau de la conscience des personnes apparaît comme une imposition d'une morale. Il faudrait ainsi que la formation morale ou éthique dans les écoles respecte la liberté de penser de chacun des élèves. On aura évidemment reconnu ceux qui optent pour une conception relativiste de la morale. Toute morale est relative à chacun. La fonction critique du dialogue, dans la mesure où elle renvoie à une co-élaboration de sens, pourrait être jugée comme ne respectant pas les croyances personnelles de chacun.

Il y a effectivement une « intolérance » dans le modèle dialogique à l'égard des choix « non justifiés », tout comme il y a une intolérance à l'égard des choix déduits de la conviction.

Lorsque l'approche de délibération dialogique cherche à dépasser la seule conscience de soi pour accéder à une forme supérieure de développement moral, elle propose un idéal de formation morale différent des approches dogmatiques et relativistes. C'est pourquoi la démarche soulève, en plus des questions sur le modèle de psychologie morale, une certaine interrogation sur l'approche philosophique dont elle s'inspire.

CHAPITRE

8

Décision délibérée

La « raison pratique » et la philosophie pratique

OBJECTIFS

Après avoir lu ce chapitre, vous devriez être en mesure de :

- *comprendre en quoi l'approche de délibération éthique relève de l'éthique philosophique en s'inscrivant dans la tradition de la raison pratique ;*
- *saisir les raisons qui démontrent en quoi la délibération éthique n'est pas une approche relativiste en éthique ;*
- *approfondir les liens entre le modèle de la délibération éthique et l'éthique appliquée.*

1. LA RAISON PRATIQUE COMME APPROCHE PHILOSOPHIQUE

Dans la mesure où l'approche de la délibération éthique se présente comme relevant de la philosophie, il est légitime que d'autres philosophes soulèvent la question suivante: « Quelles sont les perspectives philosophiques qui traversent la décision délibérée ? » À l'horizon de ce questionnement, on retrouve le problème de définir ce qu'est la philosophie. Prendre ce chemin pour répondre à notre interlocuteur philosophe exigerait de nombreux développements qui déborderaient une introduction à la théorie philosophique d'arrière-plan de l'approche.

Pour répondre à la question du rapport entre la philosophie et le modèle de la décision délibérée, nous proposons dans un premier temps d'apporter des précisions sur la « raison pratique » (1.1. : La raison pratique comme compétence décisionnelle). Cette conception de la raison pratique prend une position dans un débat philosophique traditionnel en éthique: la possibilité de délibérer sur les fins (1.2. : Délibérations des fins et des moyens). Enfin, puisque l'approche véhicule une conception de la raison pratique, il faut s'interroger sur son statut. La distinction entre rationnel et raisonnable (1.3. : La décision raisonnable), telle que l'a établie C. Perelman, s'avère capitale dans la conceptualisation de la philosophie à l'œuvre dans cette approche.

1.1. La raison pratique comme compétence décisionnelle

Il est difficile de contester le fait que la « raison pratique » a été un thème récurrent dans la pensée philosophique depuis le début de la philosophie jusqu'à aujourd'hui. Cependant, même si un interlocuteur était d'accord sur ce point, il pourrait soulever qu'il y a la « raison pratique », telle qu'elle est traitée en philosophie, et la « raison pratique », telle qu'elle est pensée dans une autre discipline. Ce que l'interlocuteur contesterait alors, c'est la manière « non philosophique » de traiter de cette « raison pratique ». Évidemment, on a élaboré sur ce thème de manières très différentes dans l'histoire de la philosophie, suivant la place qu'il occupait dans l'ensemble de la pensée philosophique d'un auteur ou d'une école. Il n'en demeure pas moins qu'il renvoie à la conjonction de deux éléments clés, la raison et l'agir. Autrement dit, le foyer de convergence de tous les philosophes qui traitent de la raison pratique apparaît dans la question initiale suivante : « Quel rôle joue la raison dans l'action ? »

Pour y répondre, les philosophes ont, depuis toujours, essayé de comprendre les liens étroits entre la raison, comme faculté de « connaissance », et la volition, comme faculté d'agir. L'énigme de l'éthique réside toujours dans le fait que, pour parler de morale, il faut assumer une part d'échec, comme le souligne si justement Simone de Beauvoir :

> Mais il est vrai aussi que les morales les plus optimistes ont toutes commencé par souligner la part d'échec que comporte la condition d'homme ; sans échec, pas de morale ; pour un être qui serait d'emblée exacte coïncidence avec soi-même, parfaite plénitude, la notion de devoir être n'aurait pas de sens. On ne propose pas de morale à un Dieu ; il est impossible d'en proposer à l'homme si on définit celui-ci comme nature, comme donné : les morales dites psychologiques ou empiriques ne réussissent à se constituer qu'en introduisant subrepticement quelque faille au sein de l'homme-chose qu'elles ont d'abord défini[1].

1. Simone de Beauvoir, *Pour une morale de l'ambiguïté*, Paris, N.R.F., Gallimard, Collection Idées, 1957, p. 14.

Comment l'être humain peut-il « connaître » le bien et « faire » le mal ? Voilà, certes, l'une des différentes formulations de l'énigme de l'éthique ou de la morale que la tradition catholique a formulée et expliquée par le « péché originel ». Socrate prétendait que l'on ne faisait le mal que par « ignorance », la volonté étant dès lors subjuguée par l'attrait de la vérité. Aristote, en réaction au Socrate de Platon, reconnaîtra qu'on peut faire le mal en refusant de connaître le bien. Ainsi, ces auteurs auront tracé les balises pour penser l'éthique ou la morale : échec de l'âme, que seule la rédemption peut résoudre, échec de la connaissance, que seule la vérité peut combler, enfin, échec de la volonté, que seul le désir juste peut guider.

Lorsqu'on cherche à trouver la cause de cette part d'échec que comporte toute approche morale ou éthique, on s'aperçoit que les philosophes pointent tous dans la même direction : la liberté comme libre arbitre. Selon le *Petit Larousse*, le libre arbitre est « la faculté de se déterminer par la seule volonté, hors de toute sollicitation extérieure ». En effet, la question éthique ou morale prend racine uniquement si la personne est capable d'une certaine forme d'autodétermination. Sans ce libre arbitre, nous ne pourrions pas être libres, et nos actions ne seraient gouvernées que par les lois psychologiques ou sociales.

Toute théorie philosophique en éthique proposera une façon d'harmoniser la liberté et la Nature, le « devoir-être » et l'être. C'est dans cet effort de théorisation que la raison pratique sera définie. Lorsque la conciliation entre la Nature et la liberté se fait par la « connaissance morale », alors la raison pratique se rapproche du raisonnement déductif ou casuistique. Lorsqu'elle se fait par le « juste désir », elle s'éclipse derrière la fortification de la volonté, le développement des « bonnes habitudes » ou l'éducation du sentiment moral. Enfin, lorsque cette conciliation est médiatisée par la « liberté », la raison pratique prend la forme de la délibération.

Toute la démarche de la délibération éthique repose, comme nous l'avons déjà souligné, sur une conception de la liberté comme compétence décisionnelle. Le libre arbitre se manifeste ainsi dans la capacité de décider d'agir ou de ne pas agir dans un contexte donné. Pourquoi parler de compétence plutôt que du fait que tout humain décide, possède une faculté de décider ? La distinction entre avoir le potentiel de décider et être capable de « bien » décider reprend le thème nécessaire à l'éthique : la part d'échec. Toute décision n'est pas une décision éthique, car certaines sont « meilleures » que d'autres.

L'approche de la décision délibérée propose de situer la raison pratique dans l'horizon de la liberté responsable plutôt que dans la soumission de la liberté à l'obligation naturelle ou à l'obligation de la loi. C'est en précisant la nature de la délibération que ces différences philosophiques deviendront plus claires.

1.2. Délibération des fins et des moyens

On distingue souvent le raisonnement scientifique du raisonnement pratique par la distinction entre le raisonnement explicatif (explication) et le raisonnement justificatif (justification). Dans le raisonnement explicatif, on structure les données de manière à démontrer que le phénomène X cause (aujourd'hui, on dirait « est une variable liée à ») le phénomène Y. Le raisonnement explicatif isole les variables liées à l'apparition d'un autre phénomène ; ces variables en expliquent l'apparition.

Le raisonnement justificatif est d'une autre nature, car il se rapporte non pas à ce qui « est » mais à la structure « intentionnelle » de l'action. Le raisonnement justificatif montre que le comportement X est le « meilleur » moyen d'atteindre la fin (ou l'objectif) Y et donne une « raison » d'opter pour un comportement déterminé dans un contexte.

Le raisonnement scientifique ou explicatif porte aussi le nom de raisonnement théorique, alors que le raisonnement justificatif devient le raisonnement pratique. Lorsque la conception du raisonnement pratique est basée sur la relation entre les moyens et les fins, le statut des fins joue un rôle prépondérant dans la manière de penser la raison pratique.

Les « fins » de nos actions sont-elles déterminées par notre nature ? Plusieurs morales religieuses optent pour cette voie. La nature humaine a été créée en fonction d'une mission divine et sa connaissance permet de connaître les lois morales. On saisit aisément comment la tradition catholique, qui s'actualise régulièrement dans les encycliques, maintient cette conception morale. Dans ce type de raisonnement moral, la finalité des actions humaines est déjà déterminée : elle est universelle et non discutable. Mais elle n'est pas la seule à procéder ainsi, il existe aussi des « morales psychologiques », comme le posait Simone de Beauvoir. En effet, certains philosophes partent de la prémisse que les « intérêts » personnels sont la seule source psychologique de la motivation à agir. Une telle conception « naturelle » de l'humain tient alors lieu de prémisse naturelle au raisonnement moral. La finalité d'une action relèverait ainsi de la psychologie de cette personne, échappant au domaine de la délibération tout comme les morales religieuses. Par conséquent, le raisonnement pratique se limiterait au choix des moyens pour atteindre les fins visées.

On ne peut pas saisir les différences entre les conceptions du raisonnement moral tant qu'on ne connaît pas la position de chacune concernant la question de la délibération des finalités. Pour la grande majorité des approches philosophiques en éthique, le raisonnement pratique suppose que les finalités sont déjà tracées. Ces finalités ne font pas l'objet de discussions ni de délibérations, elles sont là, comme les prémisses, et nous avons la responsabilité de les intégrer activement dans le raisonnement pratique. Dans certaines conceptions philosophiques, elles sont déterminées par notre nature humaine (peu importe la conception théologique, philosophique, psychologique, biologique, etc.). Dans d'autres conceptions, ces finalités appartiennent à l'ordre de la loi. Il y aurait ainsi au fond de tout être humain des devoirs universaux, conception que l'on retrouve chez Kant, ou encore des principes universaux traversant les traditions culturelles, conceptions véhiculées dans la philosophie herméneutique allemande.

Dans le raisonnement pratique, la détermination préalable des fins apparaît dans la notion d'obligation. Toute théorie morale qui cherche à fonder l'obligation morale gouvernant l'agir humain propose un raisonnement pratique qui s'articule soit comme application déductive d'un principe à la situation, soit comme application casuistique de la norme aux circonstances.

Au nom de quoi les finalités de nos actions ne pourraient-elles pas faire partie de notre délibération ? Sommes-nous à ce point déterminés par la Nature théologique, psychologique et génétique pour nier, même si elle est restreinte, notre capacité d'autodétermination ? Dès l'instant où s'ouvre la possibilité de délibérer sur les fins des actions autant que sur les moyens s'estompe le caractère obligatoire de l'agir pour laisser place au caractère « souhaitable » ou « préférable ». Mais est-ce à dire que tout tombe dans l'arbitraire individuel et le relativisme ? Le raisonnement pratique se réduit-il dès lors à un « jugement préférentiel » ?

Pour répondre à ces questions, il faut comprendre comment on peut « délibérer » sur les fins des actions humaines. Alors que l'approche par l'intermédiaire de l'obligation morale pose que les finalités sont universelles, l'approche de la délibération éthique postule que la délibération des fins est la recherche de ce qui est « universalisable ». Cette différence s'éclaire de la distinction entre le raisonnable et le rationnel.

1.3. Le raisonnable et le rationnel

La distinction entre le rationnel et le raisonnable n'est pas simple à faire, et dans les textes philosophiques elle est utilisée pour distinguer des phénomènes très divers. On peut clarifier ces différentes acceptions en cherchant à préciser d'abord le type de référent qui peut être qualifié de « raisonnable » ou de « rationnel » et, ensuite, les caractéristiques propres à chacun. Les travaux de C. Perelman sont ici très utiles pour nous aider à clarifier les caractéristiques et le référent du « raisonnable ». Pour Perelman, le référent pour « raisonnable » relève du domaine de l'action, et non de celui de la théorie. Seule une décision pourra être dite « raisonnable ». Perelman réserve ainsi le sens de « rationnel » à la théorie.

Cette distinction perelmanienne s'inscrit dans le même horizon que la décision délibérée puisqu'elle reconnaît des caractéristiques propres à une décision, évitant toute confusion avec un modèle déductif ou casuistique de la décision. Cependant, bien des auteurs appartenant à la tradition de l'obligation morale vont utiliser la distinction entre « raisonnable » et « rationnel » pour caractériser deux types de validité dans l'établissement des « obligations morales ». Ainsi, certains auteurs qualifieront de « validité rationnelle » celle qui essaie de prouver rationnellement l'existence d'une obligation morale. Autrement dit, le rationnel deviendrait synonyme de vérité morale. Par contre, dans la vie sociale et culturelle, nous partageons des intuitions morales, celles-ci pouvant ou non faire l'objet d'une critique. Certains auteurs, récusant la possibilité de poser en vérité l'obligation morale, soutiendront qu'il est possible d'établir des fondements raisonnables de l'existence de l'obligation. En fait, ces auteurs traitent exclusivement du caractère rationnel gouvernant l'acceptabilité d'une obligation morale ; cette approche est essentiellement théorique.

Le « raisonnable », chez Perelman, se distingue du rationnel sur le plan, cette fois, des caractéristiques qui en fixent le champ d'application. Comme nous avons pu le voir avec les exemples de raisonnement pratique de la section précédente, la recherche de l'universel caractérise toutes les philosophies qui cherchent à déterminer les fins des actions humaines. En effet, s'il y a « obligation morale », elle ne peut exister que pour « tous les êtres humains », à travers « tous les temps ». L'obligation morale, en tant qu'obligation, ne peut être qu'éternelle et qu'universelle[2]. La recherche de l'obligation morale est alors du même ordre que celle des « lois » de la Nature, dans la mesure où l'enquête scientifique cherche à préciser ce qu'il en est pour tous les êtres humains (universels) et peu importe le moment dans l'histoire. C'est d'ailleurs ce que vise la longue quête de l'objectivité.

Le « raisonnable » se caractérise, en opposition à la théorie, par son inscription dans le temps. Ce qui est « raisonnable » l'est dans une culture, pour certaines personnes, à un moment donné de l'histoire. Les changements sociaux et culturels feront qu'une décision « raisonnable » à une époque sera considérée comme « non raisonnable » à une autre. Est-ce condamner le raisonnement pratique à un relativisme personnel ou culturel ? Non, pour autant que la décision raisonnable fasse appel à un « auditoire » plus vaste que soi, le groupe d'appartenance, la société ou la culture héritée, puisque le raisonnable vise l'universalisable.

Pour mieux comprendre comment « l'universalisable » permet d'éviter la critique relativiste de la délibération éthique, il faut ouvrir le dialogue sur cette question.

---

2. Certains auteurs chercheront à valider dans une culture donnée l'existence d'une obligation morale. Cette démarche est souvent considérée comme relativiste, l'obligation n'ayant de force que dans la culture.

2. L'APPROCHE DE DÉLIBÉRATION ÉTHIQUE EST-ELLE RELATIVISTE ?

Plusieurs moralistes considèrent que toute philosophie morale qui essaierait d'élaborer une perspective éthique hors du champ de l'obligation serait par le fait même relativiste. Effectivement, ils ont raison à partir de leur présupposition : il n'y a pas d'option intermédiaire au relativisme. L'approche de délibération éthique présuppose qu'il existe une position médiane entre une obligation morale universelle et le relativisme moral, qui est celle de la co-élaboration d'une décision raisonnable pour notre temps.

Pour comprendre comment l'approche de la délibération éthique n'est pas relativiste, nous devons d'abord approfondir la question même du relativisme (2.1. Le relativisme individuel et le relativisme culturel). Nous analyserons ensuite les raisons qui expliquent que l'approche apparaît comme un relativisme individuel (2.2. Décision et agent). Enfin, nous verrons en quoi le travail de co-élaboration de sens visé par le dialogue en éthique dépasse le relativisme des groupes et des cultures pour s'ouvrir à l'universalisation (2.3. L'universalisation des raisons d'agir).

2.1. Le relativisme individuel et le relativisme culturel

On entend souvent dire « À chacun sa morale » ou encore « À chaque culture, ses mœurs ». Ces deux expressions renvoient à la même idée centrale : la morale n'est pas une qui s'impose à tous mais relative. Au-delà de ce dénominateur commun, ces deux expressions distinguent deux formes de relativisme : le relativisme individuel et le relativisme culturel.

Dans le relativisme individuel, on soutient que la morale est relative aux individus, à chaque personne. Lorsqu'on défend cette position, on soutient que les choix d'action sont gouvernés par nos croyances personnelles, par nos valeurs, par nos désirs. Rien ne peut venir de l'extérieur pour déterminer ce que je dois faire. Pour le relativiste, la personne est libre de choisir ce qu'elle veut, quand elle le veut et il n'existe rien qui l'oblige à rendre compte de l'exercice de sa liberté. À la lumière de ce qui a été dit concernant les diverses façons de concevoir la morale, le relativiste individuel accorde tout le poids à la liberté. Il le fait à un tel point qu'il n'y a pas d'échec possible. Tout choix personnel est alors éthique puisqu'il est cohérent avec moi. On comprend aisément pourquoi le relativisme individuel apparaît comme une position qui nie la possibilité même de la morale ou de l'éthique.

Le relativisme culturel soutient, pour sa part, que la morale est relative à un moment de la culture. En effet, les études anthropologiques révèlent que, dans une société donnée, il existe des façons de concevoir l'univers dans les mythes, des valeurs sociales fortes, des manières de se comporter, etc. De plus, ces études ont montré que les différentes cultures véhiculent différentes conceptions de l'humain, des valeurs et des comportements moraux. On comprend que, d'un point de vue anthropologique, on puisse affirmer que chaque culture possède sa conception morale.

Mais une position de relativisme culturel dépasse cet énoncé en soutenant qu'il est impossible de savoir si les décisions prises en vertu d'une morale sont meilleures que celles prises en vertu d'une autre. Lorsqu'on est relativiste culturel, on pose que toute morale est historique et culturelle, et qu'il n'y a aucun moyen de départager les morales pour savoir laquelle est la vraie. Cette impossibilité ne doit pas amener à conclure qu'il ne peut y avoir de morale, mais à comprendre que toute morale s'inscrit dans une culture et met en scène l'héritage culturel. La morale est donc un héritage dans la culture qui évolue avec les transformations des sociétés.

Ainsi, le relativisme moral est très influencé par le développement des sciences psychologiques, sociologiques et anthropologiques. Les découvertes, au cours de ce siècle, en sciences humaines dévoilent de plus en plus le fonctionnement complexe des sociétés, le rôle de la culture dans la civilisation et les processus de socialisation des personnes. La morale et l'éthique, expliquées à partir du développement psychique et de leur rôle dans le tissu social, semblent dès lors quitter le lieu de la philosophie. De surcroît, la psychologie et la sociologie semblent contester la pertinence du questionnement philosophique en morale.

En effet, l'opposition entre relativisme et non-relativisme en éthique repose sur la possibilité de « fonder » la morale. Est-il possible de « fonder » une fois pour toutes une morale ou une décision ? Les relativistes soutiennent qu'il n'y a pas de fondement stable hors des personnes ou des cultures, alors que les non-relativistes supposent un fondement qui dépasserait les croyances individuelles ou les croyances collectives.

À première vue, on comprend pourquoi l'approche de la délibération éthique semble reliée au relativisme. Puisqu'il s'agit de partir de la décision d'un agent, tout semble forcément relatif à la personne qui prend cette décision. De plus, nous avons déjà mentionné que le raisonnement pratique est historique ; cette affirmation semble confirmer qu'il s'agit d'un relativisme culturel.

2.2. Décision et agent

Est-ce qu'il suffit, pour une théorie éthique, d'accorder une importance particulière à l'agent pour que la théorie soit relativiste ? Non. Ce que postule le relativiste individuel, c'est que les décisions sont personnelles ; elles s'expliquent par la socialisation et par la constitution de l'identité personnelle et sociale, mais elles ne sont pas l'objet de justification. Ainsi, un relativiste présente sa décision mais ne la justifie jamais. Dès qu'il y a une exigence de répondre aux autres de ses décisions, on quitte le relativisme pour ouvrir la voie à la critique de la décision.

Cela a été mentionné à plusieurs reprises : l'approche de la décision délibérée repose justement sur la dimension dialogique de la délibération. Le décideur délibère de manière à pouvoir apporter des motifs justifiant la décision. Ce sont justement les raisons d'agir énoncées dans les motifs et motivant effectivement l'action qui constituent les « fondements » de la décision. Les raisons d'agir énoncées permettent d'identifier le caractère raisonnable de la décision.

Comment peut-on expliquer que, malgré l'importance du dialogue dans l'approche de la délibération éthique, certaines personnes continuent à la considérer comme relativiste ? Évidemment, les raisons varient souvent avec les écoles de pensée. Rappelons qu'une personne qui ne reconnaît pas d'autre solution alternative à l'obligation morale universelle que le relativisme considérera toujours la décision délibérée comme relativiste, puisqu'elle ne part pas de la reconnaissance d'une obligation morale universelle. Par contre, d'autres persistent à émettre cette critique parce qu'elles confondent la démarche de formation – la pédagogie de la délibération éthique – avec la théorie philosophique.

En effet, la pédagogie présente dans la démarche a pour point de départ les personnes. Comme nous l'avons déjà précisé dans le chapitre 7, l'approche vise à développer la compétence éthique des personnes. Puisqu'il s'agit de développement d'une compétence, la pédagogie doit partir de la personne, de ce qu'elle est, afin de l'amener sur la voie du changement. La pédagogie du développement moral, comme l'a montré Kohlberg, n'est possible que si la structure actuelle du raisonnement moral d'une personne est confrontée à une situation difficilement soluble à partir du modèle existant. Le développement moral passe ainsi par la prise de conscience de soi, de ses valeurs, de son mode de raisonnement pratique. Cette prise de conscience s'effectue à travers une résolution difficile puisque d'autres conceptions sont aussi présentes dans la discussion.

La démarche pédagogique invite les personnes à arriver à un consensus sur les raisons d'agir. Cette exigence démontre comment le travail dialogique est essentiellement un travail critique de la meilleure décision. Cette démarche contredit le relativisme individuel même si le développement de la compétence éthique est toujours celui des personnes.

Par ailleurs, certains critiques reconnaissent aisément que le dialogue sur la meilleure décision possible dans les circonstances permet d'échapper au relativisme individuel, tout en se demandant si cela ne serait pas au prix du relativisme culturel.

2.3. L'universalisation des raisons d'agir

Nous pouvons revenir ici, à la lumière des développements sur le relativisme, à la distinction que nous avons commencé à exposer entre le raisonnable et le rationnel ou, encore, entre l'universalisable et l'universel. Pour répondre à la critique selon laquelle l'approche de la délibération est une forme de relativisme culturel, nous devons revenir à la notion de relativisme culturel. Encore une fois, nous faisons face au problème consistant à identifier quelque chose qui serait intermédiaire entre deux pôles. Aristote soulevait à son époque cette question relativement aux vertus. En effet, dans sa théorie, la vertu est toujours au milieu. Mais, précisait-il, le problème vient du fait que la personne qui est à un pôle croit avoir le bon comportement, rendant toutes les autres options contraires à sa position. Cela s'explique aisément. Lorsque nous évaluons, nous pensons dans un système binaire : bon-mauvais, vrai-faux, beau-laid, etc. Lorsque nous observons les phénomènes dans l'ordre du développement, nous sommes dans un système de continuité, de moins et de plus. La personne dépensière dont l'argent lui brûle les poches trouvera toujours que la personne économe est avare. Et, pour l'avare, la personne économe sera dépensière. La même chose se produit pour le relativisme culturel.

La distinction que Perelman établit entre « fondements absolus » et « fondements suffisants » permet justement d'éclairer en quel sens on peut considérer qu'un enracinement dans l'histoire ne signifie pas nécessairement un relativisme culturel. Dans le domaine de l'éthique, Aristote avait déjà signalé le fait que l'on ne pouvait pas appliquer au discours éthique les mêmes exigences qu'au discours de la science, car leur objet est différent. Tant que l'on pense la vérité comme le seul fondement solide du discours éthique, tout autre fondement sera considéré comme insuffisant. Mais pourquoi n'est-il pas possible de soutenir que les fondements d'une décision pourraient être jugés suffisants au lieu d'absolus ? Que leur suffisance suffit jusqu'au moment où ils se révèlent insuffisants ? Les fondements suffisants font ainsi appel aux acteurs qui estiment qu'une solution est acceptable, en dépit du fait qu'elle n'élimine pas toutes les incertitudes. Perelman précise ainsi les caractéristiques des fondements suffisants : « Mais tous deux [dogmatisme et scepticisme] négligent l'intérêt d'un fondement suffisant, qui écarte un doute ou un désaccord actuel, mais qui ne garantirait pas, une fois pour toutes, l'élimination de toutes les incertitudes et de toutes les controverses futures[3]. »

Les « fondements suffisants » demeurent des fondements, c'est-à-dire qu'ils garantissent la valeur de la décision prise. La tradition juridique de la jurisprudence est un exemple tout désigné pour se faire une idée de ce que sont les fondements suffisants. Les motifs de la décision sont reconnus valables pour tous les cas analogues jusqu'au moment où l'on découvre qu'ils peuvent être contestés par

3. C. Perelman, « Peut-on fonder les droits de l'homme ? », *Droit, morale et philosophie*, Paris, L.G.D.J., 1976, p. 68.

suite de transformations des idées dans une culture. Les fondements suffisants sont historiques en ce sens qu'ils sont reconnus suffisants à un moment de l'histoire.

S'ils sont ainsi enracinés dans la culture et dans l'histoire, doit-on conclure qu'ils sont relatifs à la culture, au sens du relativisme moral ? Non. D'un point de vue anthropologique, nous l'avons déjà précisé, toute théorie morale apparaîtra relative à une culture. Le relativisme moral soutient, quant à lui, qu'il n'y a pas de possibilité de critiquer la culture ; la morale est partie intégrante de la vie du groupe auquel les personnes participent.

La position de Perelman n'est pas relativiste dans la mesure où les fondements suffisants font l'objet d'une critique intersubjective. Il ne suffit pas qu'un groupe accepte les motifs d'une décision pour que celle-ci soit « raisonnable ». Les motifs d'un groupe qui procède au lynchage d'une personne, par exemple celui d'appliquer le principe « œil pour œil et dent pour dent », ne convaincraient pas un jury impartial qu'il s'agit bien là de la « meilleure décision possible dans les circonstances ». Le caractère raisonnable d'une décision s'évalue ainsi par un auditoire. Tout comme en science moderne, c'est l'auditoire de la communauté de recherche qui reconnaît que telle ou telle théorie est acceptable parce que les preuves sont suffisantes sans être absolues. C'est à l'auditoire universel que s'adresse toute décision raisonnable, c'est lui seul qui peut reconnaître la suffisance des fondements en éthique[4].

Cependant, cet auditoire universel n'est pas un auditoire réel, en ce sens qu'il ne se limite pas aux personnes qui discutent des décisions d'un point de vue de la décision raisonnable. Si tel était le cas, nous serions alors en plein relativisme culturel. La critique des motifs d'une décision s'effectue alors en gardant à l'esprit l'ouverture des motifs à leur acceptabilité par toutes les personnes qui prennent position à l'égard de la décision raisonnable. Les motifs ne sont donc pas universels mais universalisables : ils ont la prétention d'être acceptables par toute personne qui prend part au dialogue.

---

4. Michel Nault, « L'attitude pragmatique dans la conception de la justice de C. Perelman à la lumière de l'argument pragmatique », dans M. Gagnon (sous la direction de), *Pragmatisme et théorie éthique*, Université de Sherbrooke, Faculté des lettres et sciences humaines, Service à l'édition et à la recherche, 1990, p. 185.

L'approche de la décision délibérée n'est donc pas relativiste puisqu'elle pose que tous les motifs d'une décision sont ouverts à la « critique », c'est-à-dire au questionnement sur leur acceptabilité, non seulement émotive mais rationnelle. C'est le caractère « raisonnable » des motifs de la décision qui fait l'objet de la critique entre personnes. L'intersubjectivité critique dans une perspective de l'universalisation des motifs de la décision permet à la décision délibérée d'être inscrite dans l'histoire individuelle et sociale sans s'y réduire.

3. DE QUELLE ÉCOLE OU APPROCHE PHILOSOPHIQUE RELÈVE LA PHILOSOPHIE DE CE MODÈLE ?

L'approche de la délibération éthique s'inscrit dans la foulée des débats et questionnements philosophiques de ce siècle. À plusieurs reprises, nous avons mentionné les différentes traditions philosophiques qui ont inspiré cette approche. Pour les résumer, nous pourrions faire ressortir trois sources principales : le pragmatisme, l'existentialisme et l'éthique appliquée.

3.1. Le pragmatisme

Le pragmatisme est un mouvement intellectuel qui a traversé la philosophie de l'éducation (Dewey), l'épistémologie (Quine) et la philosophie du langage (Austin, Searle). À la racine de l'approche pragmatique se trouve la controverse reliée à la notion classique de la « vérité ». Le pragmatisme propose ainsi une autre façon de considérer le rapport entre la théorie et le réel que celui de la vérité-copie ou vérité-représentation, à savoir de reconnaître la valeur d'une théorie dans son rapport à l'action. Autrement dit, c'est le rapport au Faire qui devient la source de validation plutôt que le rapport à l'Être.

Cette transformation s'effectue en abandonnant le point de vue extérieur sur le monde pour adopter un point de vue interne à l'expérience. Les fondements s'élaborent dans une expérience réfléchie et font l'objet de critiques par un auditoire. La valeur d'une théorie, comme la valeur d'une décision, s'établit dans l'intersubjectivité critique. Le pragmatisme apporte une autre transformation : c'est le rapport à l'Autre qui est premier et non plus le rapport au réel. C'est cette double transformation, rapport au Faire et rapport à l'Autre, qui permet de remplacer les « fondements absolus » par les « fondements suffisants ».

Toute la démarche de la délibération éthique s'inscrit dans cet horizon philosophique du pragmatisme. Quoi de plus pragmatique que de résoudre un dilemme d'action à partir d'un point de vue dialogique ? Établir les motifs d'une décision raisonnable dont la justification peut s'universaliser met en acte cette approche pragmatique en éthique mais aussi en pédagogie de l'éthique.

3.2. L'existentialisme

L'influence de la pensée existentialiste, notamment celle d'Albert Camus et de Simone de Beauvoir, est aussi indéniable dans la démarche. Pas étonnant que pour certains la démarche soit perçue comme une éthique de situation au sens péjoratif du terme : à chaque situation son éthique. L'existentialisme, contrairement à ce que plusieurs croient encore, n'est pas la revendication d'une liberté « sauvage » et irresponsable. En effet, la profondeur des réflexions d'Albert Camus et de Simone de Beauvoir pour penser une morale hors des voies essentialistes en est une preuve convaincante.

C'est avec l'existentialisme que la liberté, l'autodétermination, se pense en dehors de l'obligation morale. Cet apport est considérable parce qu'il y a un renversement qui se produit. La liberté se définit par elle-même au lieu d'être soumise à la loi. Le sens le plus fort de l'autonomie prend forme puisque le sujet (*autos*) se donne ses propres normes (*nomos*). La conscience morale est dès lors appelée non plus à se soumettre à une loi externe mais à trouver, avec les autres, ce qu'il faut construire comme projet humain. Libérant l'action de la contrainte de la Nature, l'existentialisme ouvre la voie à la « construction de soi », à la « construction du vivre-ensemble ». Du même coup, il nous rappelle que toute construction humaine est non seulement susceptible d'échec, mais vouée à un échec, car il existera toujours un écart entre le projet qui vise l'idéal et la capacité humaine de se donner les structures permettant de le vivre.

L'existentialisme ne renverse pas uniquement notre rapport à la liberté (au Faire) mais aussi à l'Être. Le slogan de Simone de Beauvoir « On ne naît pas femme, on le devient » illustre bien la critique existentialiste de toute dépendance de l'agir à une théorie anthropologique déterminée. Alors que la pensée philosophique classique essayait de s'élaborer sur le roc d'une conception vraie de l'humain, l'existentialisme propose de construire cet humain au fur et à mesure de la vie sociale.

3.3. L'éthique appliquée

Bien que nous ayons traité de l'éthique appliquée dans la première partie, il est important d'y revenir pour rappeler les principales idées qui ont inspiré la démarche de la délibération éthique. L'éthique appliquée naît et prend de l'ampleur comme domaine de réflexion et de préoccupation à partir des événements de la Seconde Guerre mondiale. C'est d'ailleurs le facteur important qui va conduire des philosophes comme Albert Camus, Simone de Beauvoir et Chaïm Perelman à concevoir une éthique pour notre temps, dépassant les limites des théories morales traditionnelles. L'éthique appliquée, telle qu'elle apparaît aux États-Unis, correspond à cette reconnaissance des limites de la formation morale des professionnels lorsqu'elle est laissée aux seules associations religieuses. Les Églises ne peuvent plus assurer une formation morale adéquate. Il n'est donc pas étonnant que les théologiens protestants et catholiques aient été au cœur des débats de la bioéthique à ses débuts.

L'éthique appliquée s'enracine aussi dans le contexte de la société américaine marquée par le libéralisme. La tradition libérale qui est au cœur de la reconnaissance de la liberté de croyance et de religion va prendre un nouvel élan avec la montée des droits de la personne. Rapidement, l'éthique appliquée va quitter la sphère de la décision personnelle ou institutionnelle pour devenir une question sociale. Elle se développera ainsi dans un contexte particulier de limites du droit positif pour assurer la protection des personnes les plus vulnérables.

Par conséquent, le mouvement de l'éthique appliquée provoque des renversements. Le premier est d'ordre pédagogique, avec la prise de conscience des limites de la formation morale des professionnels lorsque celle-ci est laissée à l'approche dogmatique du pluralisme religieux. Tout le développement de la formation morale aux États-Unis, comme au Québec, correspond à cette prise de conscience. De plus, l'éthique appliquée devient une tentative de trouver des solutions aux difficultés de baliser certaines pratiques sociales en raison des divergences des croyances religieuses. Comment légiférer sur l'avortement, l'euthanasie, alors que l'application des « fondements » conduit à des conclusions irréconciliables ?

La manifestation la plus impressionnante du développement de l'éthique appliquée aux États-Unis a été la création de comités d'éthique ou de commissions d'éthique. Contrairement aux commissions usuelles qui ont pour mandat de sonder la population pour connaître la position majoritaire que l'État pourrait imposer par la loi, les commissions d'éthique réunissent des personnes ayant des croyances différentes sur le sujet. Le but d'une telle commission est de trouver une « solution » acceptable malgré la divergence des « fondements absolus ». Ce type de dispositif éthique met en acte la délibération éthique dans la mesure où la « solution » sera jugée acceptable pour tous, comme ce qui est « raisonnable » dans les circonstances en tenant compte de notre diversité.

L'éthique appliquée apparaît ainsi dans une société libérale où les droits de la personne prennent une place importante. Savoir comment concilier les droits de la personne, la libre disposition d'elle-même et le vivre-ensemble est au cœur de la pensée de l'éthique appliquée tant sur le plan personnel, institutionnel que social.

La démarche de la délibération éthique cherche ainsi à favoriser le développement des compétences délibératives et dialogiques nécessaires au fonctionnement de comités d'éthique qui cherchent, quant à eux, à dépasser le relativisme culturel dans une ouverture à l'universalisation.

Conclusion de la troisième partie

Dans cette troisième partie, nous avons voulu ouvrir le dialogue sur les arrière-plans pédagogique et philosophique de la démarche de délibération éthique. Nous avons montré que le principal enjeu de la démarche est celui de la formation de la dimension morale des personnes et non celui de la théorie philosophique. Évidemment, la démarche suppose une conception philosophique de la raison pratique, mais cette conception est intrinsèquement liée à la question pédagogique « Est-ce que la formation de la dimension des personnes est possible ? ».

Nous sommes conscient que l'absence de développements de plusieurs points peut laisser certains lecteurs sur leur appétit ; ces lecteurs sont invités à consulter des publications antérieures qui analysent plusieurs de ces points en profondeur.

> De même, ce dialogue de l'âme avec elle-même qu'est la délibération, s'il trahit un embarras indigne d'un esprit véritablement divin, vaut mieux que les inspirations hasardeuses de la passion. Rien ne ressemble autant à l'autorité que l'arbitraire, ni à l'inspiration que l'improvisation ; rien ne ressemble autant à l'inhumain que le surhumain. La délibération représente la voie humaine, c'est-à-dire moyenne, celle d'un homme qui n'est ni tout à fait savant ni tout à fait ignorant, dans un monde qui n'est ni tout à

> fait rationnel ni tout à fait absurde, et qu'il convient pourtant d'ordonner en usant des médiations boiteuses qu'il nous offre[5].

S'il est un thème qui a traversé l'histoire de la philosophie, c'est bien celui de la « raison pratique ». Les développements de l'éthique appliquée en réaction à la position de la méta-éthique en philosophie morale constituent une autre étape dans le développement du discours philosophique contemporain. Malgré toutes les controverses, dont plusieurs méritent qu'on s'y attarde, l'éthique appliquée remet à l'ordre du jour la « délibération » et la part de la raison dans les décisions humaines. C'est dans cette mesure que l'éthique appliquée est une philosophie à travers une pratique.

Plusieurs insistent depuis quelque temps sur les limites de l'éthique appliquée avec ses modèles de comité d'éthique et de décision sociale à partir de groupes restreints. Ils y voient une réduction d'enjeux sociaux à la dimension uniquement individuelle ou d'une élite. Ces critiques montrent, avec raison, que l'on ne peut pas attendre de l'éthique appliquée, telle qu'elle est développée dans la délibération éthique, une approche permettant de résoudre les problèmes sociaux des États modernes. Il ne faut donc pas confondre ici le champ de l'éthique appliquée avec celui de la philosophie sociale. L'approche de la délibération éthique est pertinente pour les choix individuels dans les pans de vie personnelle et professionnelle et pour les choix de groupes et d'associations qui veulent s'assurer de remplir une mission sociale ou même de comités étatiques qui ont des mandats précis. Cependant, cette approche n'est pas viable lorsque nous touchons au champ des choix étatiques. Il faut alors faire appel à des modèles de philosophie politique qui s'interrogent sur la valeur des choix de nos institutions étatiques.

La démarche de délibération éthique en est une de pédagogie visant le développement de la dimension morale des personnes. Elle renoue avec la tradition philosophique qui, depuis Socrate, considérait le philosophe comme un intervenant dans sa société, notamment comme un éducateur. Éduquer les citoyennes et les citoyens afin qu'ils participent au projet social et à l'humanisation de l'humain, n'est-ce pas l'engagement social le plus important du philosophe ? Cette formation de la personne exige un passage, la démarche éthique, qui permet de dépasser l'impérialisme du « je » et d'éviter l'impérialisme du groupe « eux » pour constituer un « nous » partageant les « raisons d'agir ».

---

5. Pierre Aubenque, *La prudence chez Aristote*, Paris, Presses universitaires de France, 1963, p. 116.

ANNEXE

I

Tableau synthèse
La délibération en éthique

Les quatre phases dynamiques de la délibération

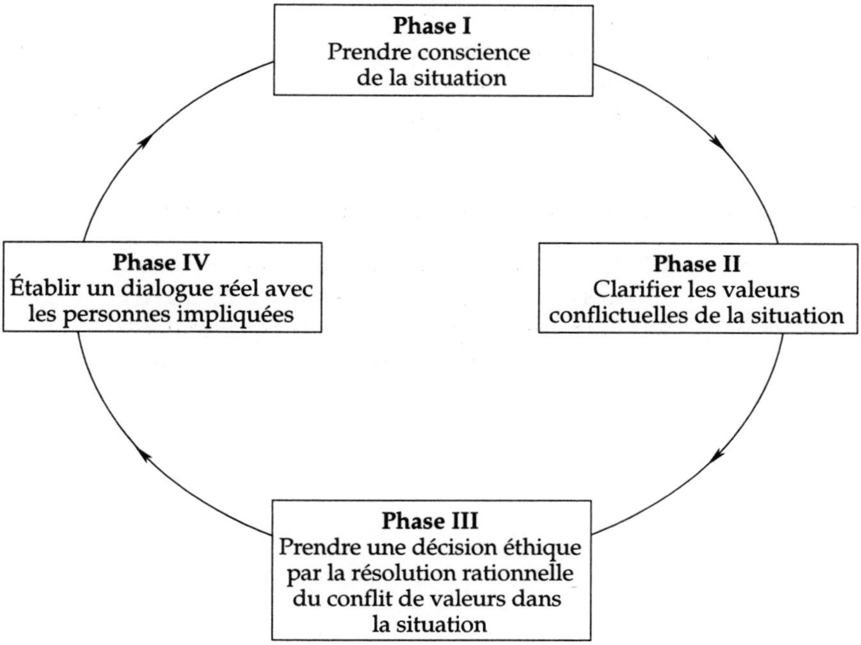

Grille d'analyse de la décision délibérée

PHASE I : PRENDRE CONSCIENCE DE LA SITUATION

Étape 1 : Inventorier les principaux éléments de la situation
Étape 2 : Formuler le dilemme
Étape 3 : Résumer la prise de décision spontanée
Étape 4 : Analyser la situation des parties
Étape 5 : Analyser la dimension normative de la situation

PHASE II : CLARIFIER LES VALEURS CONFLICTUELLES DE LA SITUATION

Étape 6 : Identifier les émotions dominantes dans la situation
Étape 7 : Nommer les valeurs agissantes dans la décision
Étape 8 : Identifier le principal conflit de valeurs agissantes dans la décision

PHASE III : PRENDRE UNE DÉCISION ÉTHIQUE PAR LA RÉSOLUTION RATIONNELLE DU CONFLIT DE VALEURS DANS LA SITUATION

Étape 9 : Identifier la valeur qui a préséance dans la situation
Étape 10 : Identifier l'argument principal dans la résolution du conflit de valeurs
Étape 11 : Préciser les modalités de l'action compte tenu de l'ordre de priorité des valeurs

PHASE IV : ÉTABLIR UN DIALOGUE RÉEL ENTRE LES PERSONNES IMPLIQUÉES

Étape 12 : Faire une réflexion critique sur le caractère universalisable des raisons d'agir
Étape 13 : Formuler et présenter une argumentation complète permettant de justifier sa position

ANNEXE

II

Fiche d'application

Grille d'analyse de la décision délibérée

FICHE D'APPLICATION

GRILLE D'ANALYSE DE LA DÉCISION DÉLIBÉRÉE

Cas : ______________________________

Phase I Prendre conscience de la situation

Étape 1. Inventorier les principaux éléments de la situation

Quels sont les principaux éléments de la situation ?

Étape 2. Formuler le dilemme

Mon dilemme est : Proposition A :
Proposition –A :

Étape 3. Résumer la prise de décision spontanée

Spontanément, je retiens la proposition : (encerclez) A ou –A

Qu'est-ce qui me fait dire que c'est réellement la meilleure option ?

Étape 4. Analyser la situation des parties

Parties impliquées	Intérêts impliqués			
	Conséquences + et – Si A	Indices de probabilité et de causalité (++/+/=/–/) et (d/in)		Conséquences + ou – Si –A
Décideur : Autrui :				

Étape 5. Analyser la dimension normative de la situation

- Énumérer les dispositions légales et réglementaires en cause :
- Énumérer les règles non écrites du milieu en cause (le cas échéant) :
- Énumérer les normes morales en cause (le cas échéant) :

Phase II Clarifier les valeurs conflictuelles de la situation

ÉTAPE 6. IDENTIFIER LES ÉMOTIONS DOMINANTES DANS LA SITUATION

a) Quelles sont les émotions dominantes vécues dans la situation ?

b) Rôle des émotions dans la délibération
- Réflexion critique : est-ce que ma lecture de la situation (étapes 4 et 5) est influencée par une émotion dominante qui en fausserait l'analyse ?
- Source de valeurs : est-ce que ces émotions donnent des indications sur les valeurs en présence ?

ÉTAPE 7. NOMMER LES VALEURS AGISSANTES DANS LA DÉCISION

a) Quelles sont les valeurs finales associées aux conséquences positives et négatives retenues ?
  i) Sur soi
  ii) Sur autrui

b) Quelles sont les valeurs actualisées par les normativités retenues ?
  i) Par les normativités juridiques
  ii) Par les normativités du milieu
  iii) Par les normativités morales

ÉTAPE 8. IDENTIFIER LE PRINCIPAL CONFLIT DE VALEURS AGISSANTES DANS LA DÉCISION

a) Établir l'opposition entre les valeurs dans la décision.

	Faire A	Faire –A
Valeurs visées ou actualisées par l'action envisagée		
Valeurs non visées ou non actualisées par l'action envisagée		

b) Identifier le principal conflit de valeurs constituant le dilemme.

La valeur ____________	Opposée à	la valeur ____________

Phase III Prendre une décision éthique par la résolution rationnelle du conflit de valeurs dans la situation

Étape 9. Identifier la valeur qui a préséance dans la situation

Valeur prioritaire : Valeur secondaire :

Étape 10. Identifier le principal argument dans la résolution du conflit de valeurs

I- Identification du type de raisonnement pratique (Cochez la case correspondante)

☐ La valeur prioritaire est rattachée aux conséquences de ma décision : le raisonnement est conséquentialiste.

☐ La valeur prioritaire est rattachée aux normes ou aux obligations : le raisonnement est déontologique.

II- Nature de l'argument conséquentialiste

a) Identification des intérêts

- À quelles personnes, ou à quel groupe de personnes, la valeur prioritaire est-elle rattachée ?

☐ décideur
☐ autre personne particulière
☐ groupe auquel le décideur est associé (profession, fonction, association, institution, etc.)
☐ autres personnes en général
☐ autres groupes en général
☐ autres (environnement)

b) Argument utilisé

- Pourquoi accordez-vous une priorité à la valeur qui correspond aux conséquences prévues ?

☐ argument basé sur l'intérêt personnel
☐ argument basé sur les intérêts du groupe | utilitariste
☐ argument basé sur les intérêts de toute personne humaine | justice

III- Nature de l'argument déontologique

a) Identification du type de norme

- À quel type de norme la valeur prioritaire est-elle rattachée ?

☐ normes associatives (implicites ou explicites)
☐ normes légales (législation et réglementation)
☐ normes morales (obligations morales)

b) Argument utilisé

- Pourquoi accordez-vous la priorité au type de norme rattaché à la valeur ?

☐ argument basé sur l'autorité du groupe
☐ argument basé sur l'autorité de la loi positive
☐ argument basé sur l'autorité de la loi morale
☐ argument basé sur la légitimité des obligations juridiques
☐ argument basé sur la légitimité des obligations morales

Étape 11. Préciser les modalités de l'action compte tenu de l'ordre de priorité des valeurs

Action retenue :
Modalités et mesures envisagées pour équilibrer les valeurs conflictuelles ou en corriger les inconvénients :

Phase IV Établir un dialogue réel entre les personnes impliquées

ÉTAPE 12. FAIRE UNE RÉFLEXION CRITIQUE SUR LE CARACTÈRE UNIVERSALISABLE DES RAISONS D'AGIR

	Oui	Non
i) Critère d'impartialité des raisons d'agir Est-ce que l'exposition des raisons d'agir convaincrait un jury impartial ?	☐	☐
ii) Critère de réciprocité Est-ce que les raisons d'agir présentées me convaincraient si j'étais à la place de la personne qui subit la plus grande perte dans la résolution du dilemme ?	☐	☐
iii) Critère d'exemplarité Est-ce que les raisons d'agir présentées seraient valides pour tous les cas semblables ?	☐	☐

ÉTAPE 13. FORMULER ET PRÉSENTER UNE ARGUMENTATION COMPLÈTE PERMETTANT DE JUSTIFIER SA POSITION

A. ARGUMENTATION BASÉE SUR L'UTILITÉ Bilan des conséquences

Puisque mon raisonnement pratique est de nature conséquentialiste (étape 10) et que la valeur privilégiée (à l'étape 9) était associée à .... ,

i) Le groupe de référence pour l'argumentation est :

ii) Le critère permettant d'évaluer l'utilité pour ce groupe est :

iii) Mon bilan est : 1) Tous les effets positifs prévisibles de la décision.
2) Tous les effets négatifs prévisibles de la décision.
3) En quoi les effets positifs sont supérieurs aux effets négatifs.

Argumentation du moyen : 1) l'efficacité du moyen pour atteindre la fin
2) la diminution des inconvénients par le moyen

B. ARGUMENTATION BASÉE SUR LA JUSTICE "à trav. = salaire = " m catég. m trait.

Puisque mon raisonnement pratique est de nature conséquentialiste (étape 10) et que la valeur privilégiée (à l'étape 9) était associée à .... ,

i) Le traitement injuste auquel j'associe les effets sur la personne ou le groupe est :

ii) La dimension de la personne à laquelle j'associe la catégorie essentielle est :

iii) Les raisons qui justifient que la catégorie essentielle est acceptable pour trancher ce dilemme sont :

Argumentation du moyen : 1) l'efficacité du moyen pour atteindre la fin
2) la diminution des inconvénients par le moyen

C. Argumentation basée sur le droit argum. déontologique

Puisque mon raisonnement pratique était de nature déontologique (étape 10) et que la valeur privilégiée à l'étape 9 est ....,

i) La normativité du milieu associée à la valeur prioritaire est :

ii) L'obligation juridique associée à la valeur prioritaire est :
- L'observance de ces obligations permet de résoudre le cas en :
- Les raisons qui légitiment l'obéissance à ces obligations sont :

Argumentation du moyen : 1) l'efficacité du moyen pour atteindre la fin
2) la diminution des inconvénients par le moyen

D. Argumentation basée sur la Nature conception morale

Puisque mon raisonnement pratique était de nature déontologique (étape 10) et que la valeur privilégiée à l'étape 9 est ....,

i) L'obligation morale associée à la valeur prioritaire est :

ii) L'observance de cette obligation morale permet de résoudre le cas en :

iii) Les raisons qui légitiment l'obéissance à cette obligation morale sont :

Argumentation du moyen : 1) l'efficacité du moyen pour atteindre la fin
2) la diminution des inconvénients par le moyen

ANNEXE

III

Lexique

Action : fait d'agir, c'est-à-dire de manifester son intention en accomplissant quelque chose. C'est dans la décision d'agir que l'intention se précise et dans la délibération qu'elle est rendue consciente.

Actualisation (actualiser) : fait de faire passer à l'acte ce qui est en puissance. L'action permet d'actualiser l'intention dans l'accomplissement de quelque chose. L'artiste actualise dans le tableau, le marbre ou tout autre matériau sa vision imaginaire. En éthique, les normes actualisent des valeurs.

Argument : raison, rendue explicite, qui permet de prouver ou de justifier une donnée dans la décision. L'argument apporte une preuve notamment dans les domaines des faits, comme dans l'analyse de la situation, des conséquences et des normativités. L'argument apporte une justification notamment dans le domaine des valeurs où il s'agit d'accorder la priorité à une valeur plutôt qu'à une autre dans la décision. Tout argument propose un type particulier de raison pour justifier la priorité accordée à une valeur dans la résolution du conflit de valeurs.

Argument conséquentialiste : type de raison qui justifie la priorité accordée à une valeur donnée dans un conflit de valeurs à partir de l'importance des conséquences de l'action sur l'une ou l'autre des parties impliquées.

Argument déontologique : type de raison qui justifie la priorité accordée à une valeur donnée dans un conflit de valeurs à partir des raisons d'obéir à une obligation de faire, déterminée par le droit, la normativité du milieu ou les obligations morales.

Argumentation : ensemble d'arguments utilisés pour justifier la décision prise dans une situation complexe. L'argumentation d'une décision doit fournir tous les arguments concernant les faits (preuve) et ceux concernant les valeurs (justification) qui permettent de démontrer que la décision est la meilleure dans les circonstances. L'argumentation présente l'ensemble des motifs d'une décision qui en constitue le caractère raisonnable.

Attitude dialogique : manière de se comporter avec les autres lorsqu'on s'inscrit dans une démarche de dialogue. La démarche du dialogue est exigeante dans la mesure où sa réussite dépend de nos attitudes envers les autres personnes, ce qu'elles disent, ce que nous répondons et comment nous cherchons à trouver ensemble la solution au problème collectif posé.

Co-élaboration de sens : réponse collective que nous créons comme réponse à la question initiale du dialogue. Contrairement à la négociation et au débat, le dialogue est une entreprise collective (co-) où chaque personne contribue à créer une réponse signifiante (sens) à une question initiale. Lorsque la question initiale du dialogue est la résolution d'un dilemme, la solution et la justification seront co-élaborées par le groupe.

Compétence éthique : capacité d'une personne à prendre des décisions responsables et délibérées.

Conflit de valeurs : élément central du dilemme en éthique, puisque les valeurs, source de la motivation d'agir, entrent en conflit dans la décision. Choisir, c'est résoudre un conflit de valeurs en accordant la priorité à une valeur sur une autre dans la situation.

Conséquence : effet entraîné par une action, réelle ou envisagée, que subiront directement des personnes, des groupes ou l'environnement. Les conséquences sont positives lorsque ces conséquences sont bénéfiques aux personnes ou négatives lorsqu'elles leur sont nuisibles.

Décideur : personne qui doit prendre la décision.

Décision délibérée : s'oppose à la décision spontanée dans la mesure où elle exige une réflexion critique et une pondération des éléments de la décision afin d'atteindre la décision la plus raisonnable dans les circonstances.

Décision éthique : décision ainsi qualifiée lorsque, dans la conception de la décision délibérée, l'évaluation de ce qui est éthique ne se fait qu'en fonction de la décision et non du comportement des personnes. C'est ce qui distingue l'éthique de la morale.

Décision spontanée : décision prise sans réflexion critique et sans pondération, à partir de nos valeurs et de nos raisonnements pratiques intégrés à nos processus décisionnels.

Délibération : (*voir* décision délibérée)

Déontologie : ensemble des règlements normatifs adoptés par les ordres professionnels (code de déontologie) ou par des organismes ou institutions, imposant des devoirs, des obligations à la conduite des professionnels ou des membres de l'organisation ou de l'institution.

Dialogue : élément ayant deux significations différentes. Dans la mesure où il est défini

- comme activité communicationnelle, le dialogue est un type d'échange de paroles particulier puisqu'il est une entreprise qui vise la co-élaboration de sens à partir d'une question initiale acceptée par tous ;

- comme point de vue en éthique, le dialogue propose une voie entre les positions dogmatiques, qui imposent un ensemble de sens provenant d'un système de croyances ou d'un système philosophique, et les relativistes, qui réduisent aux seuls individus la justification des choix. En permettant aux individus de trouver ensemble la réponse à leurs dilemmes collectifs, le dialogue, comme point de vue éthique, évite l'imposition d'une solution justifiée et la réduction aux seuls individus des décisions collectives.

Dilemme : choix entre deux plans d'action possibles et contradictoires.

Dimension normative : aspect de la décision qui renvoie à l'importance des normes. La dimension normative d'une décision est rattachée à l'idée d'obligation.

Droit : ensemble des lois et des réglementations dans une société tel qu'il a été établi par les autorités légitimes. L'argumentation basée sur le droit est une argumentation qui justifie une décision en faisant appel essentiellement à la participation des personnes aux obligations émanant des autorités légitimes : l'État ou le groupe auquel on participe.

Éthique : se distingue de la morale en se référant à des valeurs plutôt qu'à des obligations. Ainsi, elle situe nos décisions d'agir par rapport aux valeurs que nous désirons mettre en pratique (ce que nous désignons par « actualiser des valeurs » : passer à l'acte).

Éthique appliquée : éthique dans laquelle la situation occupe la première place. Les questions éthiques y apparaissent toujours dans le feu de l'action, au cœur de la pratique, c'est-à-dire en situation. C'est dans une situation complexe – personnelle, institutionnelle et sociale – que se pose le choix d'agir. Il faut choisir une solution et la décision prise aura des conséquences sur soi, sur les autres et sur l'environnement. La question éthique s'énonce alors ainsi : « Est-ce la meilleure chose à faire dans les circonstances ? »

Éthique fondamentale : éthique cherchant à identifier la source de l'obligation morale. Dans la pratique, aucun principe ne peut exercer une tyrannie absolue sans engendrer des difficultés. En éthique fondamentale, connaissant la règle, l'obligation d'abord, on cherche ensuite à voir comment celle-ci s'applique dans la situation concrète des vies humaines.

Ethos : (*voir* mœurs)

Explicite : qui clarifie ce qui est implicite, notamment en développant avec cohérence, exactitude et complétude ce qui est vécu dans l'expérience ou acquis par la socialisation.

Fondamentalisme : position morale qui impose une conception de l'être humain, des valeurs et des devoirs à l'ensemble d'une société (par le biais du système juridique) et des individus qui la composent.

Implicite : qui structure nos expériences de vie, notamment ce qui est acquis par la socialisation dans une culture donnée. La réflexion critique vise justement à rendre explicite ce qui est implicite dans nos manières de décider afin d'arriver à une décision délibérée.

Intégrisme : (*voir* fondamentalisme)

Justice : L'argumentation basée sur la justice est une argumentation qui justifie une décision en faisant appel au fait qu'il faille résoudre le dilemme en question de manière à traiter toutes les personnes impliquées comme étant égales et méritant le même traitement en tant que personnes.

Mettre en tension : La tension renvoie à l'idée de forces exerçant des pressions. L'image du tir à l'arc est souvent utilisée en éthique pour comparer le décideur à l'archer. Comme ce dernier, le décideur doit viser une cible (les valeurs) en tenant compte de l'ensemble de la situation, notamment les vents, l'éloignement de la cible, la force physique à exercer, etc. (analyse des conséquences et des normativités). Tel l'archer, le décideur doit sentir la pression de tous les éléments du dilemme pour viser le cœur de la cible.

Mœurs : manières de vivre, habitudes de vivre, d'évaluer et de penser intégrées par la socialisation grâce à l'éducation et aux institutions sociales. Les mœurs varient ainsi d'une période à une autre, elles se transforment dans la vie sociale. Puisqu'elles sont intégrées, elles sont vécues sur le mode de l'évidence et de la normativité sociale.

Morale : en tant que notion philosophique elle renvoie toujours aux DEVOIRS, à ce que nous devons faire, à ce que nous sommes obligés de faire. Elle situe notre décision personnelle (autodiscipline) en fonction d'obligations que nous reconnaissons comme gouvernant nos décisions. En tant que notion sociologique, elle renvoie aux mœurs.

Motif : ensemble de l'argumentation présentée pour justifier le caractère raisonnable de la décision prise.

Nature : L'argumentation basée sur la Nature est une argumentation qui justifie une décision en faisant appel à une représentation vraie de l'être humain, des valeurs et obligations. Cette argumentation fait appel à des obligations morales fondées sur une conception de l'être humain.

Normativité : mode d'agir conformément à des normes implicites, acquises par l'expérience professionnelle, institutionnelle et sociale et réglant spontanément la conduite des personnes ou des groupes dans un contexte donné.

Norme : règle de conduite déterminant un comportement obligatoire.

Norme associative : norme issue d'un regroupement de personnes. Les normes associatives sont de nature juridique, comme les réglementations, ou sociales, comme les habitudes du milieu.

Norme légale : obligation déterminée par les lois et réglementations.

Norme morale : obligation déterminée par une instance morale religieuse (Église, regroupement religieux) ou instance morale philosophique (système philosophique).

Partage de sens : Le partage de sens vise, dans le cas d'une décision collective, les références significatives (valeurs et raisons d'agir) objet de l'accord dans le dialogue. Synonyme de co-élaboration de sens.

Point de vue dialogique : (*voir* dialogue comme point de vue éthique)

Question dialogique : question sur laquelle doivent s'entendre tous les participants au dialogue pour amorcer le dialogue (question initiale).

Raisonnable : caractère d'une argumentation faisant appel à la raison commune des êtres humains pour évaluer la justification d'une décision.

Raison pratique : dimension de la raison qui est à l'œuvre dans les décisions délibérées. La raison pratique s'oppose à la raison théorique qui est axée sur la connaissance rationnelle des phénomènes et des théories explicatives élaborées dans les sciences.

Relation intersubjective : relation entre les personnes qui est la condition première rendant possible le dialogue et l'éthique. Si les êtres humains ne sont pas déjà reliés entre eux comme des sujets responsables de leur action, alors il est impossible de parler de dialogue comme co-élaboration de sens ou d'éthique comme souci de l'autre, car dans les deux cas la relation à l'autre est présumée.

Tarasoff : Le cas Tarasoff est une décision judiciaire qui a été rendue, en 1976, aux États-Unis au sujet du bris de confidentialité par un thérapeute professionnel. Un client étudiant nommé Poddar confie à son thérapeute qu'il a l'intention de tuer sa femme dès qu'elle sera de retour de vacances. Le thérapeute en parle à ses superviseurs qui en parlent, à leur tour, aux agents de police du campus. Arrêté puis relâché contre promesse de ne pas blesser sa femme, il la tue, deux mois plus tard, dès son retour de vacances. Le thérapeute, les superviseurs, la police du campus et l'université sont poursuivis par la famille Tarasoff, parce qu'ils n'ont rien fait pour prévenir la future victime. La Cour a décidé : « Le thérapeute qui détermine, ou qui devrait déterminer en vertu des normes de sa profession, que son (sa) patient(e) menace sérieusement de faire preuve de violence à l'égard d'une autre personne a l'obligation de faire tout ce qui est raisonnable pour protéger la victime supposée ou d'autres personnes de ce danger. » Cité dans Taylor, Browniee et Mauro-Hopkins (1996).

Utilité : L'argumentation basée sur l'utilité est une argumentation qui justifie une décision à partir d'un bilan démontrant que les effets positifs de la décision sont supérieurs, du point de vue quantitatif et qualitatif, aux effets négatifs de la décision sur l'ensemble des personnes impliquées.

Valeur : élément de la motivation effective permettant de passer de la décision à l'acte. Elle constitue la fin visée par l'action envisagée dans la décision et se traduit verbalement comme raison d'agir et comme sens de l'action en créant une ouverture au partage de sens pour toutes les personnes impliquées par la décision.

Valeur actualisée : valeur que la décision met en acte (*voir* actualisation)

Valeur agissante : valeur qui détermine la motivation d'agir dans la situation. Elle s'oppose aux valeurs souvent déclarées par des personnes mais qui ne constituent pas la véritable motivation d'agir.

Valeur prioritaire : valeur à laquelle on accorde la préséance sur une autre dans la résolution d'un conflit de valeurs.

Valeur secondaire : valeur qui, à la suite de la résolution du conflit de valeurs, passe en seconde place dans la décision.

Bibliographie des œuvres citées

Argyris, C. et D.A. Schön, *Theory in Practice: Increasing Professional Effectiveness*, San Francisco, Jossey-Bass Publishers, 1974.

Aubenque, P., *La prudence chez Aristote*, Paris, Presses universitaires de France, 1963.

Beauvoir, Simone de, *Pour une morale de l'ambiguïté*, Paris, N.R.F., Gallimard, Collection Idées, 1957.

Bégin, L., « Les normativités dans les comités d'éthique clinique », dans M.H. Parizeau (sous la direction de), *Hôpital et éthique*, Sainte-Foy, Presses de l'Université Laval, 1995, p. 32-57.

Bourgeault, G., « Depuis le serment d'Hippocrate… des codes, des modèles, des repères », dans « Éthique professionnelle », *Cahiers de recherche éthique*, n° 13, Montréal, Fides, 1989.

Cahiers de l'ISSH, *La déontologie professionnelle au Québec.*

Desaulniers, M.P., F. Jutras, P. Lebuis et G.A. Legault (sous la direction de), *Les défis éthiques en éducation*, Sainte-Foy, Presses de l'Université du Québec, 1997, Deuxième partie « La compétence éthique, définitions et enjeux de formation », p. 27-84.

Dewey, J., *Experience and Nature*, New York, Dover Publications, 1958, p. 9.

Doucet, H., *Au pays de la bioéthique. L'éthique médicale aux États-Unis*, Genève, Labor et Fides, 1996.

Duquet, D., *L'éthique dans la recherche universitaire : une réalité à gérer*, Études et recherches, Conseil supérieur de l'éducation, novembre 1993, p. 14-15.

Fortin, P., *La morale, l'éthique, l'éthicologie*, Sainte-Foy, Presses de l'Université du Québec, 1995.

Gagnon, M. (sous la direction de), *Pragmatisme et pensée contemporaine*, Cahiers de philosophie de l'Université de Sherbrooke, vol. 2, 1984 et *Pragmatisme et théorie éthique*, vol. 3, 1990.

Gohier, C., « Identité professionnelle et globale du futur maître : une conjugaison nécessaire », dans Aline Giroux (sous la direction de), *Repenser l'éducation*, Ottawa, Presses de l'Université d'Ottawa, 1998, p. 189.

Gohier, C., « Éthique et déontologie : l'acte éducatif et la formation de maîtres professionnellement interpellés », dans Marie-Paule Desaulniers, France Jutras, Pierre Lebuis, Georges A. Legault (sous la direction de), *Les défis éthiques en éducation*, Sainte-Foy, Presses de l'Université du Québec, 1997, p. 191.

Lajeunesse, Y. et L.K. Sosoe, *Bioéthique et culture démocratique*, Montréal, Harmattan, 1996.

Legault, G.A., « La parole du philosophe éthicien est-elle crédible ? », *Philosophiques*, vol. XVI, n° 1, 1990, p. 21-44.

Legault, G.A., « L'éthique appliquée : le malaise de la philosophie », *Ethica*, t. II, vol. 9, n° 2, 1997, p. 9-27.

Legault, G.A., « L'intervention : le sens praxique et social des pratiques », dans Claude Nelisse (sous la direction de), *L'intervention : les savoirs en action*, Sherbrooke, GGC Éditions, 1997, p. 229-249.

Legault, G.A. et Luc Bégin, *Le Québec face à la formation morale*, Cahiers de philosophie de l'Université de Sherbrooke n° 1, Université de Sherbrooke, Faculté des lettres et sciences humaines, Service à l'édition et à la recherche, 1983.

Nault, M., « L'attitude pragmatique dans la conception de la justice de C. Perelman à la lumière de l'argument pragmatique », dans M. Gagnon (sous la direction de), *Pragmatisme et théorie éthique*, Sherbrooke, Université de Sherbrooke, Faculté des lettres et sciences humaines, Service à l'édition et à la recherche, 1990, p. 185.

Parizeau, M.H. (sous la direction de), *Hôpital et éthique*, Sainte-Foy, Presses de l'Université Laval, 1996.

Patenaude, J. et G.A. Legault (sous la direction de), *Enjeux de l'éthique professionnelle – 1. Codes et comités d'éthique*. Introduction, p. 19-32, Sainte-Foy, Presses de l'Université du Québec, Collection Éthique, 1996.

Patenaude, J., « L'apport réflexif dans les modèles professionnels. Par-delà l'efficacité », dans G.A. Legault (sous la direction de), *L'intervention : usages et méthodes*, Sherbrooke, GGC Éditions et Université de Sherbrooke, 1998, p. 102.

Patenaude, J., *Le dialogue comme compétence éthique*, Thèse de doctorat, Université Laval, juin 1996.

Patenaude, J., « Le dialogue comme paradigme éthique », *Réseaux*, vol. 82-83-84, 1998, p. 74.

Patenaude, J., « L'éthique en médecine : les principales orientations éducatives », *Ethica*, t. II, vol. 9, n° 2, 1997, p. 97-116.

Perelman, C. , « Peut-on fonder les droits de l'homme ? », *Droit, morale et philosophie*, Paris, L.G.D.J., 1976.

Perelman, C., « Philosophie première et philosophie régressive », *Rhétoriques*, Bruxelles, E.U.B., 1989.

Racine, L., G.A. Legault et L. Bégin, *Éthique et ingénierie*, Montréal, McGraw-Hill, 1991.

Rocher, G., *La bioéthique comme processus de régulation sociale, Études de sociologie du droit et de l'éthique*, Montréal, Université de Montréal, Les éditions Thémis, 1996.

Schön, D.A., *Le praticien réflexif*, Montréal, Les Éditions Logiques, Collection Formation des maîtres, 1994.

Taylors, S., K. Browniee et K. Mauro-Hopkins, « Confidentialité et devoir de protection », *Le Travailleur social*, vol. 64, n° 4, hiver 1996.

Taylor, C., *Grandeur et misère de la modernité*, Montréal, Bellarmin, 1992.